D1103627

Catalogage avant publication de Bibliothèque et Archives nationales du Québec et Bibliothèque et Archives Canada

Leblanc, Mélanie, 1978-

On fait l'amour, on fait la guerre

(Lime et citron)

ISBN 978-2-89662-257-3

I. Titre. II. Collection : Lime et citron.

PS8623.E347O5 2013   C843'.6   C2013-941455-X
PS9623.E347O5 2013

Édition
Les Éditions de Mortagne
C.P. 116
Boucherville (Québec) J4B 5E6
Tél. : 450 641-2387
Téléc. : 450 655-6092
Courriel : info@editionsdemortagne.com

Illustrations en couverture
© Géraldine Charette ; © 123RF – Zlatko Guzmic, Thomas Pajot

Illustrations intérieures
© 123RF – Khoon Lay Gan, Pongsuwan Pancharoensak, Huhulin, Homestudio,
Devaev Dmitry ; © iStockphoto – Leremy, Bubaone, Aaltazar

Dépôt légal
Bibliothèque et Archives Canada
Bibliothèque et Archives nationales du Québec
Bibliothèque Nationale de France
3e trimestre 2013

ISBN 978-2-89662-257-3
ISBN (epub) 978-2-89662-259-7
ISBN (epdf) 978-2-89662-258-0

1 2 3 4 5 – 13 – 17 16 15 14 13

Imprimé au Canada

Nous reconnaissons l'aide financière du gouvernement du Canada par l'entremise du Fonds du livre du Canada (FLC) et celle du gouvernement du Québec par l'entremise de la Société de développement des entreprises culturelles (SODEC) pour nos activités d'édition. Gouvernement du Québec – Programme de crédit d'impôt pour l'édition de livres – Gestion SODEC.

Membre de l'Association nationale des éditeurs de livres (ANEL)

MÉLANIE LEBLANC

#OnFaITL'♥
#OnFaITLOGuerre

ÉDITIONS DE Mortagne

@aurélieleblanc3ans

T'es comme un miroir
Qui recule l'histoire
Dans mon enfance

LES CHANSONS FOLLES
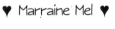 @louisjean_solo

♥ Marraine Mel ♥

CHARLOTTE en SOLO

Salut, petit journal chéri de mon cœur. Moi, c'est Charlo.

Aujourd'hui, c'est ma fête. J'ai neuf ans.

J'ai eu plein de cadeaux : une robe, des bonbons et un billet de 5 $. Je t'ai aussi reçu, toi ! Je suis super contente.

Comme cadeau de fête, j'avais demandé un perroquet.

Mais c'est toi que j'ai eu à la place. Je suis sûre que c'est ma mère qui a refusé que j'aie un perroquet. Pour la « salmonose » (je pense que c'est ça, le nom), j'imagine, ou une autre maladie d'oiseau. Elle voit toujours des bactéries partout. Comme si un mignon miniperroquet pouvait me tuer ! Ne sois pas fâché, petit journal adoré, je suis contente de t'avoir eu, mais t'aurais pas pu avoir autre chose sur ta couverture qu'un perroquet ?

Les adultes riaient tous de ma face quand je t'ai déballé. Ils m'énervent vraiment trop, les adultes, des fois ! Tsé, c'est ma fête pis ils niaisent avec ça. Vraiment injuste, la vie !

Je vais te raconter toute mon existence, dans tes pages. Tu vas être le seul à tout savoir et ça va demeurer secret pour toujours, tu sais pourquoi ? Parce que tu as une SERRURE, mon petit journal adoré ! Oui, une serrure !!!!!!!!

Je vais cacher la clef et personne ne pourra la retrouver.

Je t'aime,

☺ ♥ bonne première nuit dans ma vie ☺ ♥

Charlotte (Charlo, pour les intimes)

MONTRÉAL
GALA DES PRIX VERSEAUX -42 JOURS

Oh mon Dieu ! Cher petit journal de mon cœur, je suis toute bouleversée de t'écrire. Je viens de te retrouver, en faisant du ménage[1] pour commencer mes boîtes. Oui, je déménage. J'ai acheté le plus merveilleux mini mini condo de toute la ville de Montréal, sur le Plateau-Mont-Royal. Bon, bon, je t'entends me dire : « Le Plateau ci, le Plateau ça » T'es dans le placard depuis combien d'années, petit journal ? Eh bien, si tu ne veux pas y retourner, laisse-moi écrire en paix. C'est bon ? Merci !

Ça, c'est tout moi. Directe, parfois bête, ça sort tout seul. En ondes, j'ai appris à ajouter trois petites syllabes après mes « débordements » accidentels (ouache ! ça sonne fuite urinaire, mon affaire) : hihihi. Tu constateras à quel point ces trois *h* et ces trois *i* me sauvent souvent la face.

Tant qu'à être dans les grandes confidences, voici une petite légende des rires de Charlotte Clément, l'animatrice télé :

Hi hi hi : le poli (en public ou pour se sortir de la merde) ;

Ha ha ha : le spontané ;

Hé hé hé : le charmeur ;

HAHAHAHAHA : le rire de la fille « crampée », au bord de la crise d'asphyxie.

---

1. Ménage = écrire dans petit journal, essayer plein de vieux vêtements, relire des lettres d'amour du secondaire, retrouver de vieilles photos j'adore !

Depuis des années, j'habite dans un grand condo acheté avec Tristan, mon ex. Correction : je l'ai payé seule et mon ex y habitait avec moi. Je suis célibataire depuis trois ans et je viens tout juste de me décider à le vendre. L'endroit est hanté par trop de fantômes. Ici, ç'a toujours été « chez nous », même si Tristan n'est plus là.

J'ai bien l'intention de tirer un trait sur cette ancienne vie. Là, tu te dis : « Hiiiiii, ça fait donc bien dramatique comme phrase ! » Ne t'inquiète pas, je ne me suis pas acheté une corde et un livre *Nœuds coulants pour les nuls*. Disons plutôt que, à trente-trois ans, la corde à linge de ma vie est pleine de beaux souvenirs et que j'en installe maintenant une autre, à côté de l'ancienne. Tiens, je me demande si ça existe, des poulies en paillettes dorées ?

Ma vraie maison, mon chez-moi, c'est au bord de l'eau, dans mon petit *shack* de bois rond, mal isolé, où on gèle en hiver et où on étouffe en été, où je joue à la chasse aux souris et où je me laisse dévorer avec bonheur par les moustiques.

Bientôt, j'habiterai mon deuxième chez-moi, à Montréal. Je suis tellement excitée ! J'ai hâte. Vraiment. J'entends mon amie Mélancolie me dire :

— Pardon ? Ai-je bien entendu ? Tu as *hâte* ? Toi, Charlotte Clément ?

Je suis comme ça ; d'habitude, je n'ai jamais hâte. Je suis stimulée, enthousiaste quant à l'avenir et aux projets, mais « avoir hâte », connais pas. Je vis « maintenant et tout de suite ». Même petite, j'étais comme ça. La veille de notre premier voyage mère-fille, ma mère m'a demandé : « As-tu hâte de partir, mon poussin ? » Jamais je n'aurais cru la décevoir autant en répondant : « Je n'ai pas hâte parce qu'on ne sait pas encore ce qui va se passer cette nuit. La maison pourrait brûler et on ne partirait plus. » La maison n'a pas brûlé et nous sommes parties. À cet âge-là, je ne savais pas qu'on pouvait mentir aux autres pour être gentil. Je n'y peux rien, je suis terre à terre, réaliste, pragmatique, plate aussi, sans doute. Je n'aime pas m'emballer tant que rien n'est vraiment concret. J'aurais l'impression d'agir trop en « fille ». Je sais, c'est complètement à l'encontre de l'image que je projette en public

Alors, pour une rare fois, oui, j'ai hâte à ma nouvelle vie. J'ai hâte, mais je dois être patiente, car, en ce moment, la vie ne me permet pas de prendre quelques jours de congé pour bouger mes pénates. Heureusement, j'ai des acheteurs super compréhensifs qui me laissent trois mois pour quitter le condo. Je pense que c'est parce qu'ils sont bien fiers d'acheter l'appartement de Charlotte Clément. Je ne dis pas ça pour me lancer des fleurs, mais c'est un fait : au Québec, les gens sont plus gentils avec les personnalités publiques. ☺

Eh oui, j'ai bien écrit « personnalité publique » Cher petit journal, il s'en est passé, des choses depuis la dernière fois où je t'ai écrit. J'ai réalisé mon plus grand rêve : faire de la télé. D'aussi loin que je me souvienne, j'ai toujours joué les actrices, devant ma famille, mes amies et surtout devant la caméra vidéo familiale.

Aujourd'hui, je suis une animatrice connue. La célébrité est un drôle de concept Un paquet de gens entrent dans ta vie du jour au lendemain, mais rapidement tu ne peux plus te passer d'eux et tu deviens vulnérable s'ils en ressortent. J'ai un agent, une relationniste, un coiffeur, une maquilleuse et une styliste à moi. Pour un événement spécial, j'ai juste à passer un coup de fil et pouf ! je deviens Madonna. Je n'arrive pas à croire que tout ça m'arrive vraiment. Chaque matin, je me pince le gras du coude en me levant. Pour de vrai !

Et le comble ? Dans trois semaines, je monterai peut-être sur scène pour aller chercher la plus belle récompense du Québec, car je suis en nomination dans la catégorie « Personnalité féminine de l'année » au Gala des prix Verseaux.

Une partie de moi ne comprend pas encore ce que j'ai pu faire de sensationnel pour mériter tout ça Je ne guéris pas les enfants malades, je ne suis pas non plus travailleuse sociale ou missionnaire humanitaire. Mon domaine est le simple divertissement. On s'entend pour dire que ce n'est pas essentiel à la survie de la race humaine, hein ? Alors, pourquoi ai-je droit à autant de privilèges ? Je suis un imposteur[2].

Tu me trouves intense ? L'ancienne moi l'était beaucoup moins, je dois l'admettre. Au début de ma carrière, lors des premières de films ou des lancements d'albums, j'étais une angoissée finie qui buvait trop pour se donner contenance.

#pathétiquepathétiquepathétique

J'avais pourtant rêvé de ces moments toute ma vie, mais, une fois plongée dedans, j'avais de la difficulté à gérer la pression. Heureusement, après quelques mois, la petite fille-actrice en moi a pris les devants : elle a troqué son strobos-cope Fisher-Price contre de vrais flashs et elle s'est mise à sourire pour vrai. Devant une lentille, je deviens quelqu'un d'autre, je joue un personnage. J'ai ça dans le sang et j'en profite.

---

2.   Un imposteur qui se plaint le ventre plein ; je sais, je fais beaucoup trop pitié.

Oui, oui, j'apprécie le fait d'être la marionnette de toute une équipe de télévision, en toute conscience, avec le sourire et de la reconnaissance. On me demande et j'exécute. Je vis enfin bien avec ma job sauf quand je m'arrête trop longtemps pour y penser. Quand ça se produit, Colombe, ma grand-mère, me ramène vite à la réalité à coups de : « Allô ? Qui parle ? Je ne vous vois pas derrière l'immense nombril gros comme la Terre de ma petite-fille ! » Tu te souviens de Colombe, petit journal ? Elle n'a pas changé et, évidemment, elle est devenue ma fan inconditionnelle numéro 1. Elle m'inspire chaque jour et elle m'aide encore à grandir. J'admire sa droiture, son esprit éclairé, ses idées ouvertes. Je tiens ma rigueur et mon ambition d'elle. Ma lucidité par rapport à ce que je suis, aussi. Ma grand-mère a l'humour le plus décapant que je connaisse.

Quant à ma mère, j'ai fini par apprendre la vérité à son sujet. Heureusement, mes grands-parents ont attendu que je sois en âge de comprendre pour m'expliquer Ma mère est tombée enceinte de moi dans des conditions plutôt obscures. Durant son adolescence, les études n'étaient pas sa priorité et sa vie était assez rock'n'roll. Mes grands-parents étaient découragés et attristés, mais ils ne pouvaient rien faire. À dix-huit ans, elle est partie de la maison pour aller habiter dans l'Ouest canadien, sans donner de nouvelles. Dans ma famille, on valorise la liberté et l'autonomie. Mes grands-parents savaient qu'après avoir vécu ses expériences, leur fille reviendrait au bercail. Comme de fait, deux ans plus tard elle est revenue cogner à leur porte, sans argent et avec, en prime, une bedaine de huit mois, cadeau d'un gars dont elle n'a jamais voulu dévoiler l'identité. Mes grands-parents ont accepté de l'héberger et de l'aider avec le bébé, mais sous condition : elle devait terminer ses études et ensuite se trouver un travail. Je suis donc née dans un foyer d'amour multigénérationnel.

Après ma naissance, ma mère a pris le virage serré à cent quatre-vingts degrés exigé par ses parents, froissant au fond de son cœur ses envies de voyage et de vent dans les voiles. Devenue mère trop jeune, elle n'a pas eu le temps d'avoir des rêves. Elle s'est acharnée pendant douze ans à étudier et a réussi à décrocher sa maîtrise en nutrition. Tous les soirs, ma mère et moi arrivions de l'école. Tous les soirs, nous faisions nos devoirs côte à côte. J'ai toujours considéré ma mère comme une tante ou une grande sœur. Elle a grandi avec moi et, d'une certaine façon, on avait la même mère. Je n'utiliserais pas le mot « rivale » pour la décrire, mais nous avons eu à nous affronter, assurément.

Ma grand-mère chérie est la personne la plus au courant de ma vie publique et privée. Elle a tout tout tout gardé concernant mes différentes réalisations, depuis mon premier spectacle au primaire jusqu'à mon tout dernier show télévisé. Mes pubs, mes entrevues dans les journaux, dans les revues à potins, sur Internet Elle tient mon CV à jour et m'envoie un *update* à chaque nouveau contrat. Elle est merveilleuse !

Depuis ma séparation, je vis seule. Je t'ai vu sourciller, petit journal, lorsque j'ai écrit les mots « Je vis seule. » Tu as peut-être même eu pitié[3]. « S-e-u-l-e. » Petit mot de cinq lettres, difficile à prononcer dans les premiers mois suivant une rupture. Avec le temps, il devient fierté. « SEULE. » La solitude, la vraie. Au début, j'angoissais, je passais mes soirées à bambocher à droite et à gauche. Je *refusais* le

---

3.   En supposant, bien sûr, qu'un journal soit doté d'émotions !

célibat. Quand je relis le livre de Mélancolie[4], je me trouve désespérée dans les passages où elle me cite : « Je veux l'amour, le vrai, je ne veux plus me réveiller à côté d'un gars dont j'ignore le nom. » Je suis heureuse de ne plus être cette nouvelle célibataire pleurant sur son sort, déversant son besoin d'amour dans les bras du premier inconnu qui lui souriait. Avec le temps, j'ai appris à ne rien attendre des autres. Et puis, j'ai ce que la vie a de plus précieux à offrir : l'amitié authentique et sincère. La personne la plus chanceuse sur terre, c'est moi. Les meilleures personnes sont dans MA vie. Par « meilleures personnes », j'entends mes formidables FIF. Frères Imperturbablement *Fashion*. Tu comprends pourquoi j'utilise l'abréviation ?

Quand j'appelle mes amis les « fifs », je veux dire mes « fifs d'amour ». Je sais, ça peut paraître péjoratif, mais, pour moi, c'est le plus joli surnom du monde.

Il y a d'abord Fif n° 1, puis Fif n° 2, Fif n° 3 et Fif n° 4. Ben non, j'te niaise, ils ont des noms, quand même !

Commençons avec Réjean, qui n'a pas que son nom de conservateur. Il est économiste et la seule façon de le faire sortir de ses gonds, c'est de le traiter de comptable. On ne comprend pas trop en quoi consiste son travail et c'est très bien ainsi. De beige, il a seulement la profession. C'est le rationnel du groupe, mais aussi le premier à suggérer des activités. Soyons précis : par activités, j'entends des 5@.

Vient ensuite Fabrice[5]. Tout bon groupe de gais compte un Fabrice dans ses troupes. Ou un Fabien. D'ailleurs, on le

---

4. *Si tu t'appelles Mélancolie*, Éditions de Mortagne, 2010.
5. Je me relis et je tiens à préciser qu'il n'y a aucun jeu de mots volontaire impliquant les mots « vient » et « Fabrice ».

surnomme Fabien pour le rendre encore plus cliché. « Fafa » pour les intimes. C'est l'amoureux de Réjean. Il n'a de conventionnel que le prénom de son chum. C'est notre rêveur, celui qui change de projet de carrière tous les deux jours, mais qui, au final, n'a pas de carrière. Le mois passé, il voulait être aide humanitaire, mais notre poule de luxe s'est aperçue que les hôtels cinq étoiles n'avaient pas tendance à s'ériger dans les zones où il aurait travaillé. Il s'est aussi imaginé toiletteur pour chiens. Ça, c'était avant de développer, en l'espace de vingt-quatre heures, une allergie fulgurante aux canidés.

Ce matin, il m'a appelée, tout énervé :

— Ça y est, ma « nouère », es-tu assise ?

— Oui, ma « nouère ». C'est quoi, la grande nouvelle ?

Habituellement, quand son chum appelle, Réjean est aussi au bout du fil pour pouvoir dévoiler les punchs de Fafa, qui se fait avoir à tous les coups. Ils me font craquer.

— Il va être agent de bord, il a envoyé son CV à toutes les compagnies aériennes !!! s'est écrié Réjean dans un seul souffle.

— AAAAAAAAHHH, tu m'énerves !!! s'est fâché Fafa. Il faut toujours que tu t'appropries mes surprises ! Je ne te dirai plus rien.

— Love, ce n'est pas une très grande surprise pour Charlo, elle a l'habitude. La semaine dernière, on a fait le même manège quand tu as envoyé ta demande d'inscription à tous les cégeps qui offrent le cours d'horticulture.

C'est ainsi. Tout le temps. Ils s'aiment et on ne se lasse pas d'eux. Puis la fameuse question qu'il me pose chaque fois :

— Charlo, tu en penses quoi ? Je serais bon pour faire la démo au centre de l'allée ? Pchhhitt souffle à droite, pchhhitt souffle à gauche, pouf ton gilet est gonflé !

— Mon chéri, ai-je répondu, tu serais la plus belle de toutes les agentes de bord, mais j'ai une mauvaise nouvelle

Avec mes fifs, c'est zéro *bullshit*. On ne s'épargne pas. Parfois, les gants blancs sont plus épais et plus longs, mais la vérité est toujours dite.

— C'est quoi, déjà, le dernier emploi que tu as quitté ?

— Ah, môman ! Ne me rappelle pas ce resto rempli de snobinards. Moi, comme serveur, j'ai assez donné. J'hais ça, être au service des autres !

— Et

Pas la peine d'en rajouter, il avait compris.

— Tu le vois, je te l'avais bien dit, *Love*, a conclu Réjean. Maudit que je t'aime, Charlo. On se voit bientôt ?

— Vous venez toujours à l'ouverture de la galerie d'art demain, dans le Vieux ?

— Oui, ma chérie ! Tu nous connais, vin *gratis*, pas de caprice ! s'est esclaffé Réjean avant de raccrocher.

Sur cette belle maxime, continuons les présentations. Après Fafa et Réjean vient LE cliché absolu dans ma bande de « gai lon la mon Joe ma lurette » : la *drag queen* de service. La *drag queen* ne chante pas nécessairement dans les *clubs* gais et ne passe pas sa vie scotchée à de faux seins en mousse. La *drag queen* est née *drag queen*, c'est-à-dire qu'elle a la drague dans le sang et la *queen* dans la peau. On la remarque, on l'entend, elle prend de la place et on l'aiiiiiiime. La nôtre s'appelle Jesús. Pas Jésus, mais Jesús

(Hésouce, prononcé à l'espagnole). Son vrai nom est Jesús Léon Ramirez. Dominicain d'origine, il est arrivé au Québec alors qu'il était bébé. Toute son adolescence, il en a voulu à ses parents de lui avoir donné ce nom-là.

Vingt ans plus tard, du haut de ses minuscules cent cinquante-cinq centimètres[6], il est fier de son prénom et l'utilise pour former toutes sortes d'allusions sexuelles : yésuce fort, yésuce bien, yésuce les messieurs

#humourbasdegammequifaitdubiendesfois

Le p'tit dernier et non le moindre : Ludovik, notre artiste aux cent talents et à l'énergie créatrice débordante. On en rencontre peu dans une vie, des comme lui. Ludo est artiste de cirque/danseur/comédien/cuisinier/coiffeur à ses heures.

C'est grâce à Ludo si je connais mes trois autres fifs. Tout ça a commencé avec une histoire de boulette de tofu-sauce tomate. Ludovik était invité comme danseur sur une de mes émissions et, à l'heure du souper, avant le show, on socialisait dans la file d'attente du buffet. Dans un élan de joie, il s'est emporté et sa boulette est venue faire connaissance avec mon sein gauche et ma blouse beige chameau vaporeuse.

— Oh mon Dieu ! Oh mon Dieu ! Ben non, ben non, ben non, ben non, ben non, j'ai pas fait ça, moi !!! s'est-il exclamé, tétanisé que sa boulette obsédée ait osé atterrir là.

Je devais entrer en ondes quarante minutes plus tard. Je n'ai pas eu le temps de le rassurer ni d'accepter ses

---

6. Au dernier party d'Halloween, il était déguisé en petit nain de jardin noir, avec une canne à pêche, un chapeau, un seau et un poisson !

excuses : je devais trouver ma styliste SUR-LE-CHAMP, sinon j'allais animer en robe de chambre ! Sur le coup, j'ai donc éclaté d'un rire sincère, mais nerveux, et je me suis sauvée en lui souhaitant bon show.

Le pauvre, il me pensait fâchée contre lui. Après l'émission, il est resté boire un verre avec les autres danseurs. Je me suis approchée et je l'ai regardé, stoïque, en disant : « Tu peux venir me voir dans ma loge, s'il te plaît ? » Dans ma tête, j'éclatais de rire. Il m'a suivie, au ralenti, pensant entendre la fin de sa carrière, comme si j'avais un quelconque pouvoir sur son avenir. Dans ma loge, un tsunami d'excuses m'a déferlé dessus.

— C'est fini, je ne mangerai plus jamais de ma vie ! Je suis une merde, une vraie merde !! Je n'oserai plus respirer en ta présence ! Y a-t-il quelque chose qui pourrait me faire pardonner la pire gaffe de ma vie ?

— Ça peut s'arranger , ai-je répondu le plus sérieusement du monde.

— Tout ce que tu veux, même si c'est un voyage à Madagascar ! Hum ça prendra peut-être quelques années avant que je puisse te le payer, mais tu vas y aller, je n'ai qu'une parole !

— Je pensais à une invitation à revenir danser dans mon show la semaine prochaine

Il s'est jeté dans mes bras et on ne s'est plus jamais lâchés depuis. Coup de foudre amical.

Petite mention aussi pour mes FFI, mes filles fortes idéales. Il y a Fred, Marie-So, Kat, Colie et moi. On pouvait toujours compter sur Mélancolie pour nous organiser des soupers de sacoches, avant son départ pour le Mexique.

Chaque fête était soulignée, chaque victoire, mais aussi chaque défaite. *Son départ nous a toutes séparées, d'ailleurs on ne se voit pratiquement plus. Mais je considère toujours Colie comme ma meilleure amie, même si je ne le lui ai jamais dit.*

Des amis, des vrais, je n'en ai pas des tonnes. Je n'en ai même pas dix. Paradoxalement, j'ai un compte Facebook affichant « complet ». Je suis même rendue avec une *fan page* officielle, idée de mon agent, Booooooob[7]. Moi, Charlotte Clément, j'ai une *fan page* ! Je trouve ça surréaliste. Oui, tous les soirs, je m'adresse à des centaines de milliers de téléspectateurs, mais, pour moi, ce n'est qu'une passion qui, en prime, me permet de vivre.

Pourtant, malgré mes milliers de fans, quand je rentre chez moi après le show je me blottis contre Pierre Lambert[8], je jase avec Kodak (oui, j'ai fini par l'avoir, mon VRAI perroquet !) et je me fais une tisane dans le plus grand des silences, accompagnée des murmures de la ville. Je regarde des émissions sur mon enregistreur numérique jusqu'à tard dans la nuit et je m'endors sur le divan pour me réveiller quelques heures plus tard devant un écran bleu, avec le motif du coussin étampé sur la joue.

Depuis le départ de mon ex, Pierre Lambert et mon perroquet sont mes seuls colocs. Kodak, c'est ma bulle de

---

7.   Ouais, je sais, je ne devrais pas crier sur tous les toits que mon agent s'appelle Bob. Pas très *glamour* En plus, c'est un vrai Bob Gratton. Eh oui, le plus cliché de tous les agents que tu peux imaginer. Je le garde parce qu'il m'a amenée là où je voulais me rendre et qu'il fait bien son travail. Bob Gingras, René Angélil, même combat. Hihihi !

8.   Ça, c'est mon chat. Tu te souviens de *Lance et compte* ? Le personnage de Pierre Lambert était mon fantasme de gamine de huit ans ! Son surnom, c'était quoi ? Ben oui, Le Chat.

bonheur[9]. Comment se sentir seule en vivant avec une machine à plumes qui a un répertoire de trois mille mots ? Grâce à lui, un fou rire me guette constamment. Le plus drôle, c'est qu'il m'imite à la perfection. Tous les soirs, quand je rentre, peu importe l'heure, j'ai droit à :

— Bonsoir, mesdames et messieurs. Ce soir à l'émission nous recevons John Travolta, Michael Jackson, Eminem, Paul McCartney[10], Charlo et Kodak !!!!

Chez nous, la télé est presque toujours allumée, même en mon absence. Kodak s'est donc tapé des centaines de talk-shows américains et d'infopubs dans sa vie. Il n'a pas seulement appris des mots banals comme « Allô », « Ça vâââ », ou « Sexyyyy », non ; il a mémorisé une tonne de noms de vedettes et de produits inutiles !

Mon fidèle imitateur m'a sauvée de bien des *downs*. Rassure-toi, cher journal, je ne dors pas en cuiller avec ma machine à espresso, alors je ne le ferai pas plus avec mon perroquet, même s'ils sont tous deux essentiels à mon bonheur.

Le concept du célibat est étrange. On doit réapprendre à vivre seul durant des périodes plus ou moins longues. Je viens de fêter mon troisième anniversaire et c'est de loin un record. Il y a évidemment cette envie de trouver le bon, mais je ne cherche pas vraiment. Je profite de mon célibat. Aussi bien faire bon ménage et apprendre à vivre avec ! Au début, je paniquais, j'avais perdu tous mes repères, comme si je ne pouvais plus évoluer dans la société au *je* plutôt qu'au *nous*.

---

9. Pour la petite histoire, il a bien failli s'appeler Yann Perreauquet mais c'était trop long à dire.
10. *Panel* d'invités de rêve !! Kodak se la joue toujours trrrrrès international.

Aujourd'hui, c'est le contraire. Quand je rencontre un gars intéressant, j'ai le goût de mieux le connaître, de l'amener dans mon lit, de sentir ses bras autour de ma taille, mais pas autour de ma vie.

Tristan et moi, on s'est séparés à cause de ma popularité grandissante. Il m'en voulait d'avoir une carrière florissante, lui qui peinait à décrocher des petits rôles au théâtre. En plus d'avoir la sympathie des médias et du public, j'avais un meilleur salaire. C'était assez pour achever le mâle orgueilleux et viril en lui ! Au début de notre relation, il se disait fier de moi, il clamait haut et fort qu'il avait beaucoup de chance de se réveiller à mes côtés, tous les matins. On a déménagé ensemble rapidement. J'ai payé le condo : premier affront, bien involontaire de ma part. C'était le seul moyen d'acheter cette maison, mais une humiliation de plus pour quelqu'un en quête d'une carrière, en quête de popularité. On a beau dire qu'on ne fait pas ce métier pour être connu, c'est faux. Si tu étudies pour être acteur, chanteur ou animateur, il y a forcément une part de toi qui souhaite la reconnaissance publique. Je ne connais personne dans le showbiz désireux de rester dans l'ombre. La preuve : les animateurs ne voulant pas être vus se dirigent vers la radio ! Non ?

Bref, avec Tristan, on a essayé que ça marche et je pense qu'on y a cru, tous les deux. Mais, après quatre ans, c'est devenu trop difficile. Je menais deux projets de front : ma carrière et mon couple. J'en étais venue à ne plus me réjouir de mes bons coups et de mes nouveaux contrats, pour ne pas lui faire de peine. À l'inverse, je frôlais l'hystérie à la moindre audition décrochée par mon amoureux. Mon agent n'avait plus le droit de me contacter à la maison, pour éviter que Tristan tombe sur un appel m'annonçant une bonne nouvelle   Je vivais chaque jour dans la culpabilité. Plus ma carrière évoluait, plus mon couple coulait.

On s'est séparés le soir où j'ai remporté mon premier trophée, celui de la « Meilleure animatrice d'une émission de services ». C'était un prix très important à mes yeux, car il était décerné par le public. Une fois rendue sur scène, le stress des marches à monter passé[11], j'ai prononcé mes remerciements, mille fois répétés. D'abord ma grand-mère, puis ma mère, mon équipe, les premières personnes qui m'ont fait confiance dans le métier, un professeur du cégep, mes fifs et le public.

Oui, j'avais oublié quelqu'un. Et, ce soir-là, tout le monde l'a remarqué, sauf moi. En marchant vers les coulisses, je me suis aperçue de mon oubli. Je me suis tapé sur le front avec le trophée et suis revenue au micro en courant, mais la musique de mon *walk out* jouait, signe qu'il était trop tard. Ce moment est immortalisé à jamais sur YouTube[12]. Sur mon visage, on peut lire la joie extrême puis la culpabilité profonde. On me voit aussi revenir au micro, bégayer quelque chose à travers la musique et retourner dans les coulisses, penaude, en faisant une petite courbette qui a bien fait rire la foule. Toute la foule, sauf Tristan. La seule chose qu'on ne voit pas, sur YouTube, c'est mon cœur qui se dissout *live*.

---

11.   Nous maudissons toutes ces insignifiantes petites marches étroites, ennemies jurées des talons hauts et des robes à traînes que nous portons pour l'occasion.

12.   Dans ma génération, on ne dit plus « pellicule » ou « bande », on est passé à l'ère moderne. ☺ Note inutile d'animatrice qui veut se la jouer cool !

De retour à la maison, après le party où Tristan a bu beaucoup trop de vin gratuit, j'ai cherché la fierté dans ses yeux, mais elle n'y était pas. J'aurais aimé boire un verre de champagne avec lui, dans le bain, et partager mon bonheur. À la place, je me suis précipitée dans ma chambre avec mon maudit trophée, je l'ai enfoui au fond de ma garde-robe et je suis revenue à la cuisine pour me faire deux toasts au beurre et une tisane.

La tisane m'a brûlé la langue, j'ai renversé ma tasse sur ma belle robe et je me suis ébouillantée la cuisse. Trop, c'était trop. Je me suis écroulée sur le plancher de la cuisine en pleurant, roulée en boule. Je faisais pitié à voir avec mon maquillage de gala et ma robe de princesse. J'avais l'air d'une star déchue, en fin de carrière, sanglotant à la pensée de sa vie ratée, de sa solitude et de tous ses insuccès personnels.

Tristan est venu me rejoindre, il a vérifié si j'étais gravement brûlée, puis il s'est assis à côté de moi. Au bout d'un moment de silence au goût amer de malaise, il m'a prise dans ses bras, a embrassé mes paupières, puis m'a conduite jusque dans la chambre pour m'allonger sur le lit. Après de longues minutes, je lui ai demandé pourquoi il ne se changeait pas. Sa réponse a été courte et troublante :

— C'est au-dessus de mes forces. Je ne suis plus capable. Je n'arrive même plus à faire semblant de me réjouir. Tu mérites amplement toute cette reconnaissance, tu travailles comme une folle et sans relâche et moi, beau salaud, je suis jaloux de tout cet amour du public que tu reçois. Je suis le pire trou de cul de la terre.

Lui aussi, il avait répété son discours. Il n'avait pas hésité un instant.

— Ne dis pas ça ! Moi, je crois en toi. Je sais que c'est long, mais tu vas finir par te faire connaître. Tu es tellement talentueux ! Bientôt, tu joueras dans les plus grands films, et pas seulement au Québec.

— Charlotte, quand le présentateur nommait les animateurs en compétition avec toi, j'ai souhaité que l'un d'eux gagne

Je n'ai pas réagi en diva. Je n'ai pas tout cassé. Je n'ai ni pleuré ni crié, je l'ai simplement regardé, dégoûtée, pour ensuite réagir :

— Tu n'habites plus ici. Demain, tu m'enverras l'adresse où je peux te faire livrer tes choses, tu les recevras d'ici quelques jours.

C'était tout.

Je ne lui ai pas dit *vraiment* ce que je mourais d'envie de lui balancer en pleine gueule. Qu'avec son attitude de perdant et de victime, il ne percerait jamais. Que les réalisateurs cherchent à être surpris, impressionnés, et que ce n'était sûrement pas avec sa totale absence de couilles qu'il y parviendrait. Non, je me suis tue, ne voulant pas m'abaisser à son niveau, ne voulant pas lui montrer une seule parcelle de faiblesse.

J'ai enfoui mes sentiments comme je le faisais déjà depuis toutes ces années. Comment en étais-je arrivée à ce point dans mon couple? Comment en étais-je venue à le laisser agir en roi et maître de ma vie?

Il a quitté le condo et j'ai aussitôt commencé à ramasser ses affaires. J'ai bien eu envie de les réduire en morceaux, avant de les jeter pêle-mêle dans des sacs-poubelles, mais je ne voulais pas lui donner le plaisir de savoir qu'il m'avait rendue folle. Devant lui, j'avais toujours été en contrôle et j'avais l'intention de le rester. Il ne réussirait pas à me faire flancher. À la place, je suis allée jusqu'à plier ses vêtements et à ranger ses CD en ordre alphabétique. Aux premiers rayons de soleil, j'avais terminé.

Je suis retournée à la cuisine, j'ai pris la carafe à vin (cadeau de sa part pour notre plus récent anniversaire de couple[13]) et l'ai enroulée dans ma belle robe de gala Chanel. J'ai signé un autographe sur l'étiquette, à l'intérieur. Sur la robe, j'ai collé un vulgaire Post-it jaune sur lequel on pouvait lire :

---

13. Il aurait pu m'offrir une poubelle, tant qu'à faire ??? Quel cadeau de merde !

Tu pourras la revendre sur
le Net et faire de l'argent
sur mon dos. En plus, je l'ai
autographiée. Pour une fois,
ma popularité aura peut-être
de la valeur à tes yeux !

Le plus pitoyable dans l'histoire ? Il l'a vendue, le trou de cul ! Une fan est venue me voir, après un enregistrement, pour me dire qu'elle l'avait achetée.

Quelques jours après ma rupture, les FFI ont souligné l'obtention de mon trophée comme il se doit. Mélancolie avait pris soin de tout organiser. Ce soir-là, lorsque je suis rentrée à la maison, elles y étaient déjà (dans le temps, Colie avait toujours un double de mes clefs). Il y avait des fleurs partout et les filles étaient vêtues de leur plus belle robe, verres de martini à la main. Kodak criait à tout rompre : « Elle est là ! Elle est là ! Elle est là ! »

— Mesdames ⁻ excuse-moi, Kodak, mais t'es un oiseau, pas un homme ⁻, veuillez accueillir chaleureusement l'anima- trice de l'année dans la catégorie « émission de services », Charlotte Clément !!! s'est exclamée Colie en me voyant.

Mes amies m'ont applaudie et, avec elles, j'ai enfin pu célébrer ma réussite. Je ne l'avais pas volée. S'en est suivi un délire éthylique des plus mémorables au cours duquel nous avons (entre autres) baptisé ma statuette Fernand Letrophée, en l'aspergeant de Veuve Clicquot. Tel un bouddha, paré de fruits, de fleurs et d'autres offrandes, il a trôné sur la table à nos côtés toute la soirée. Une fois les célébrations bien entamées, les sushis avalés et quelques bouteilles de vin vidées, Mélancolie a été la première à aborder le départ de Tristan. J'avais été discrète à ce sujet, mais les journaux à potins s'étaient chargés de répandre la Bonne Nouvelle

— C'est vraiment un con fini, ton ex ! En plus, c'est sûr que c'est lui qui a avisé les journaux ! s'est fâchée Colie.

— Ça ne fait aucun doute, a rajouté Kat. Il veut qu'on lui voie la face en première page une dernière fois. Il aura profité de ton statut jusqu'à la toute fin, celui-là ! Pathétique

— Quand t'es rendu à exposer ta séparation en public pour te faire voir, c'est que t'es toi-même conscient de ton manque de talent, a conclu Fred.

Cette dernière phrase m'a libéré le cœur et l'esprit. Mon corps tout entier s'est relâché. Je les ai regardées à tour de rôle en leur demandant si elles étaient du même avis que Fred. Marie-Soleil, avec son tact légendaire, a été la première à répondre.

— Tu sais, ma chérie, on en a souvent parlé entre nous. Votre couple n'était pas constamment le centre de nos conversations, mais

— On s'entend sur une chose : il est poche-poche-poche comme acteur, l'a coupée Fred. Il n'aura jamais de premier rôle et encore moins de cinquième !

— Même dans une annonce pour papier de toilette, il ne serait pas à la hauteur, a renchéri Kat.

— *Anyway*, on ne demanderait jamais à une merde sans talent d'annoncer du papier de toilette !

J'avais dit ça le plus naturellement du monde. Comme si j'avais offert une tournée de cure-dents. Les filles se sont tues d'un coup. Huit yeux incrédules me fixaient, huit oreilles « enregistraient » mes dernières paroles. Puis, l'hilarité générale.

— Je pourrais vous vomir ce que je pense de mon ex jusqu'à trois heures du matin, mais je m'abstiendrai, ai-je lancé entre deux fous rires.

— Eh bien, nous, on va pas se gêner ! a pouffé Marie-So. C'était un narcissique, un jaloux, un

— Alors, pourquoi avez-vous attendu tout ce temps avant de m'en parler ?!

— Honnêtement, Charlo, on aurait pu intervenir, mais tu ne nous aurais pas écoutées , a expliqué Mélancolie. Tu n'étais pas prête à entendre la vérité.

— Et ta façon de contourner le problème, c'était en te défonçant dans le travail, a ajouté Fred.

— Tu devenais une meilleure animatrice chaque jour et tu faisais ta place dans le milieu, alors on n'a pas voulu te freiner, a repris Colie. Regarde ce que ç'a donné, au bout du compte : l'animatrice de l'année dans la catégorie « émission de service » !!

Et, pour la quarante et unième fois ce soir-là, on a trinqué.

— Cette année est la tienne, mon amie, a souligné Kat. Tout le Québec t'adore et tu as maintenant Fernand Letrophée pour te le rappeler chaque jour.

— Je lève mon verre à ton succès, mais surtout à ta nouvelle vie, a poursuivi Marie-So.

— Il est grand temps que tu t'aimes autant que nous, on t'aime, princesse de notre cœur, a conclu Colie.

Oh oh ! Je sentais le torrent lacrymal devenir de plus en plus menaçant. Depuis mes remerciements ratés, au gala, j'avais tout retenu. Ma carapace, d'habitude aussi solide que le Golden Gate, prenait soudain des apparences de pont Champlain. Sans jouer les *drama queen*, sans non plus vouloir être le centre de l'attention, j'ai tout lâché malgré moi et j'ai braillé comme l'aurait fait n'importe quelle fille. Solidaire, Marie-So a aussitôt crié :

— *Group huggggg* !!!!

Ben oui, les filles, on est quétaines comme ça entre nous. Mes amies m'ont étouffée d'amour et on est restées là, jusqu'à ce que la soif rende nos gorges désertiques[14].

C'était une immense parenthèse, mon petit journal, pour te dire que je suis célibataire depuis longtemps. Trop longtemps ? Je ne sais pas. Les gens te diraient oui. Mais c'est quoi, *trop* ?

Je dois admettre que, par moments, je trouve mon lit trop grand. Mais j'ai tellement d'amis, de lancements, d'événements de charité, d'entrevues, plus mille et une autres activités dans une semaine ; comment pourrais-je faire de la place à un gars ?

Je vis mon célibat le mieux possible et ça me réussit. Et puis je ne suis pas TO-TA-LE-MENT seule. Il y a mon

---

14. C'est-à-dire exactement trente-trois secondes.

entraîneur perso   Mais, avant de parler de lui, je dois parler de mon minigym.

Aussitôt Tristan parti, j'ai transformé son bureau en minigym perso/salle de yoga. Je ne suis pas de celles qui aiment parader avec leurs nouveaux vêtements d'exercice (trahies par les plis du magasin aussitôt sorties du vestiaire). Certaines filles semblent mélanger « bar sur Crescent un vendredi soir » et « salle d'entraînement ». Le *smokey eye* pour faire du cardio, ça devrait être interdit. Idem pour les seins artificiels menaçant d'exploser en dehors des décolletés trop plongeants. Et je déteste par-dessus tout ces tapis roulants, cordés devant la vitrine, qui donnent l'impression qu'on stagne tous à la ligne de départ, sans jamais démarrer la course. Moi, courir pour aller nulle part, ça me déprime. Alors, je préfère aller au parc et suer dans la nature.

Comme je le disais, j'ai un entraîneur perso, dans mon minigym perso. Je n'ai qu'à ouvrir le placard et il sort, comme ça, pouf ! le chrono autour du cou, torse nu, en boxers moulants. OK, OK, il ne sort pas du placard, mais il vient m'entraîner ici assez souvent, disons. Normalement, si je n'ai rien de prévu après mon entraînement, on s'arrange pour avoir encore plus chaud sur le tapis de yoga, lui et moi ☺

Je me la joue Madonna intégrale, à la différence que je n'aurai pas d'enfant avec mon entraîneur. Quand on est trop en sueur, on termine ça sous la douche, où je ne fais plus la différence entre le savon, ses doigts, sa langue ou toute autre partie de son anatomie Non mais, soyons francs, y a-t-il quelque chose de plus doux, sur Terre, qu'un beau, long et vigoureux pénis ?

Ne t'offusque pas pour si peu, petit journal, car tu n'as pas fini ! Je ne compte pas me censurer pour tes jolies lignes bleues, chastes et pures. J'aime le sexe, j'aime faire l'amour et je pense être (un peu) bonne.

Jean-Pierre Ferland dit que c'est à l'âge de trente ans que les femmes sont les plus belles. Il a raison : j'ai TRENTE-trois ans, je suis pas pire *cute* et je suis libre. La trentaine me « décarcanise ». Je me permets enfin de vivre pleinement. Mon entraîneur désire m'entraîner dans la douche pour me féliciter après une série de quatre cents[15] redressements assis ? J'espère bien, ça mérite toute une récompense !! N'est-ce pas, petit journal ? Bon, je te laisse, j'ai du ménage à faire pour vrai

GALA DES PRIX VERSEAUX -24 JOURS

Derrière le paravent de ma loge, j'enfile une cinquième robe pendant que, de l'autre côté de la porte, mes fifs (s'im)patientent. C'est notre rituel : pour chaque gala, j'ai droit à mon jury personnel. Réjean, Fafa, Jesús et Ludo, cartons de pointage en main, prennent leur travail très au sérieux. Marie-Lim[16], ma styliste, était vraiment surprise la première fois qu'ils ont imposé leur présence à nos séances, mais, aujourd'hui, c'est elle qui leur apporte le champagne et les *cupcakes* !

---

15. C'est vrai, c'est physiquement impossible, mais tu le sais que j'adore les exagérations, physiques ou non.

16. On arrête pas de l'écœurer en disant que ses parents adoptifs étaient trop stressés quand ils ont rempli son baptistaire !

Avoir une amie qui magasine pour moi = jouissif ! Si nous étions à un essayage normal, sans les fifs, Marie-Lim aurait apporté seulement trois ou quatre robes, les plus belles. Aujourd'hui, elle s'est surpassée : elle a dix-huit modèles à me faire essayer ! Le jeu auquel les garçons aiment s'adonner par-dessus tout, c'est de deviner quel est LE premier choix de ma styliste.

Les essayages se font toujours dans ma loge et ils se là jouent « glam », ayant l'impression de faire de la télé pour de vrai et de risquer de croiser Roy Dupuis, Claude Legault, Luc Picard et autres pichous du milieu. Depuis que j'anime à la télévision d'État, j'ai la même loge et je l'ai aménagée avec fierté. Les murs sont peints couleur crème et le plafond est chocolat-framboise[17]. Il y a un sofa modulaire en cuir blanc dans un coin, plein de plantes exotiques en pot et, évidemment, des miroirs… partout ! Pas besoin de pèse-personne dans cette loge, t'as qu'à te retourner d'un centimètre pour voir un angle différent de ta silhouette ! Sur le mur du fond se trouve le rêve de toutes les filles du monde (je dis bien TOUTES) : des tonnes de chaussures. Quant à l'autre moitié du même mur, elle est recouverte du deuxième plus grand rêve des filles : un panneau de liège où sont accrochés des dizaines de colliers, bagues, boucles d'oreilles, ceintures, sacs à main, chapeaux, foulards…

Dans la vie courante, je ne m'habille pas en princesse et je ne me maquille pas beaucoup. J'ai donc décidé de « donner au suivant » et de faire profiter mes amies de ma garde-robe. Sur un babillard, on peut donc

---

17.   Ça reste du brun, on ne se le cachera pas, mais c'est tellement plus *cute* comme nom sur un carton d'échantillon de peinture !

34

voir des tonnes de photos de filles qui portent mes *kits*. Elles indiquent la date de l'emprunt en arrière et on la raye quand elles rapportent le tout. C'est un bon *deal*, n'est-ce pas ? Je suis donc la fière propriétaire de la « fringothèque chez Charlo »[18].

Je viens clairement de faire la preuve de ceci : je suis une vraie fille ET une princesse. Mais pas une princesse chiante, non, une princesse joyeuse qui profite de son conte de fées vestimentaire en compagnie de son entourage.

Aujourd'hui, mes fifs se sont surpassés côté look. Ça sent la crème à raser et l'eau de toilette coûteuse, et ils sont habillés en vrais gentlemen. Réjean a même sorti sa cravate de « mononcle » des grands jours, achetée pour le mariage de sa sœur, trois ans plus tôt. J'ai devant moi une page complète du magazine *GQ*.

#amisparfaits

#jesuisenamouravecdesgais

Au son du premier « pop » de champagne, me voilà encore en train d'essayer d'enfiler la robe n° 5. Derrière moi, Marie-Lim se bat avec la fermeture éclair de cette beauté précieuse signée Betsey Johnson (probablement une taille en dessous de la mienne).

— Charlo, t'es sûre que t'as pas pris un ou deux kilos ? me demande-t-elle, les gencives blanches sous l'effort.

---

18. Et beaucoup moins fière de ce nom très poche que je viens de trouver à ma loge ! Hahaha !

— Ohhh !! T'es enceinte !!! s'écrie Ludo. Chérie, on va être les marraines du bébé ?

— Dis, tu le vois toujours, l'extraconjugal sale ? renchérit Réjean.

— Ou c'est peut-être la progéniture de l'entraîneur ? ajoute Ludo.

— Premièrement, l'extraconjugal n'est pas SALE, il a des *dreads*, c'est différent, dis-je en faisant les gros yeux. Et il sent bon. Deuxièmement, je ne suis pas enceinte. Le p'tit ventre gonflé est là uniquement parce que je suis dans ma semaine. *By the way*, on pourrait éviter de parler de ma vie sexuelle à tout moment ?

C'est affreux d'entretenir une relation avec un homme marié, je suis la première à l'admettre. Je me suis toujours retenue de flancher devant ce genre d'homme et j'ai jugé plusieurs filles qui ont osé le faire avant de devenir l'une d'entre elles. Je ne l'ai pas planifié ni cherché, mais je ne l'ai pas refusé et, aujourd'hui, je ne regrette rien. C'est venu naturellement, en toute facilité, et ça continue ainsi, malgré les apparences. L'homme marié n'est pas tourmenté, car il *sait* qu'il ne laissera pas sa femme. Je le sais aussi et on en discute ouvertement. Même s'il était célibataire, rien ne laisse présager qu'il serait mon copain. De toute façon, pourquoi voudrais-je faire ma vie avec un gars qui a trompé sa femme avec moi ? Après combien de temps le serais-je aussi ?

Et puis, pour moi l'expression « pour toute la vie », que ce soit en amitié ou en amour, géographiquement ou temporellement, c'est impossible. Je suis beaucoup moins romantique qu'on le penserait. En fait, je suis froidement non romantique.

Je n'ai parlé de l'extraconjugal à personne d'autre qu'aux garçons, à la Mexicaine et à ma grand-mère. Comme Marie-Lim est maintenant au courant, tout le milieu l'apprendra certainement sous peu. Ma styliste, je l'adore, mais, tout le monde le sait, c'est comme pour un coiffeur ou une esthéticienne : on ne lui confie aucun secret. Elle s'est sentie visée par ma dernière remarque et veut se faire rassurante :

— Bah, Charlo, même si tu baisais avec le prince William, ça changerait quoi ?

Je sors alors de derrière le paravent dans un nuage de taffetas fuchsia et noir.

— Oh la belle poupée !! s'exclame ma *drag queen* dominicaine préférée.

— Je n'ai pas trop l'air d'une meringue à la cerise ? Et jusqu'à quel âge on peut porter une robe à mi-cuisse ? demandé-je, sceptique.

J'assume mal mes trente-trois ans, tout à coup.

— Pense à Dominique Michel, à Marjo et à Madonna ; t'as encore quelques belles années devant toi, répond Réjean avec son ton paternel rassurant.

— Mesdames, je vous en prie, c'est l'heure de voter ! intervient ma styliste à brûle-pourpoint.

La robe meringue cerise a obtenu 25/40. Mes juges ont l'œil, ils sont critiques et en ont vu d'autres : jamais ils ne me laisseraient sortir avec une robe imparfaite à leurs yeux.

— Eille, vous êtes beaucoup trop sévères !! s'insurge Marie-Lim. Elle vaut six cents dollars, cette robe, et elle obtient à peine la note de passage ?! C'est manquer de respect à la grande Betsey Johnson !

Deux heures plus tard, après l'essayage des dix-huit robes, les garçons optent finalement pour une création de Michael Kors, noire, cintrée du bustier à la taille et se terminant par une traîne en dentelle si fine qu'on la remarque seulement de près.

— Elle est ma-gni-fi-que, Charlo !!! s'exclame Ludo en me voyant. Tu n'as besoin d'aucun bijou à part des perles aux oreilles. Tu seras la reine de la soirée !

— Attends de voir la réaction de l'extraconjugal sale, ajoute Réjean. La mâchoire va lui décrocher, c'est sûr !

— Stop ! Il n'est pas question que mon amant me vole la vedette lors de *mon* essayage, d'accord ? rétorqué-je en jouant la diva.

— De toute façon, elle ne verra pas la réaction de l'extraconjugal sale, puisqu'il sera dans son salon en banlieue, confortablement assis devant sa télé, aux côtés de son insouciante épouse, conclut Ludo. Quand elle ira chercher son trophée de la Personnalité féminine de l'année, c'est *moi* qui serai aux côtés de Charlo.

Oh oh ! Je n'avais pas encore trouvé comment annoncer à mes amis que j'avais choisi Ludovik pour m'accompagner. Habituellement, on procède par élimination. Réjean est souvent débordé, alors il s'autoélimine d'emblée. S'ensuit habituellement un féroce concours entre Jesús, Fafa et Ludo. Là, je sens que ça va éclater. Pense vite, Charlo, pense vite !

— QUOI !!!???!!! Charlotte Clément, tu as demandé EN CACHETTE à Ludovik de t'accompagner ? s'insurge aussitôt Fafa. Et nous ? Et ta loyauté ? Depuis quand tu en aimes un plus que les autres ?

— Du calme, je ne t'aime pas moins que Ludo... La preuve : j'ai pour vous des billets VIP pour le party d'après-gala, mes amours !

Ils n'auraient pas été plus excités si on avait trouvé ensemble un remède contre le sida. Il ne me reste plus qu'à dénicher lesdits trois billets que je viens de leur promettre... Note à moi-même : téléphoner à Jéricho, l'ami de Mélancolie. J'imagine que c'est encore lui, le réalisateur du Gala cette année ; il le fait depuis mille ans...

GALA DES PRIX VERSEAUX -16 JOURS

Omigod, j'suis soûle, soûle, soûûûûûûûûle ! Moi qui m'étais promis de ne plus boire jusqu'au gala pour rentrer dans ma robe. Bon... je devais aussi, idéalement, ne manger rien d'autre que des légumes, mais ça ne m'a pas empêchée de me claquer deux *cupcakes* pour souper.

— Bonsoir, mesdames et messieurs. À l'émission, nous recevons Madonna, Rihanna, Charlo et Kodak !!!! Procurez-vous l'Ab Roller ultra méga extrême pour dix-huit paiements faciles.

— Salut, ma grosse bête à plumes ! Tu as passé une belle journée ?

— Kodak pas une bête à plumes. Kodak pas une bête à plumes. KodakpasunebêteàplumesKodakpasune bêteàplumesKodakpasunebêteàplumesKodakpasune bêteàplumes.

— OUI, C'EST BEAU, j'ai compris, tête de linotte !!!

— Tête de linotte ? Tête de linotte ? Tête de linotte ? Pierre Lambert a fait pipi dans une plante. Pierre Lambert a fait pipi dans une plante. Pierre Lambert a fait pipi dans une plante.

— Kodak, prends un *break*, OK ?

— Charlo pas un cadeau, Charlo pas un cadeau, Charlo pas un cadeau.

Grrrrr ! Vestige de mon ex de marde. Je trouvais ça très drôle, à l'époque, quand il avait appris ça au perroquet. Aujourd'hui, je regrette de ne pas avoir eu Kodak *après* ma relation avec Tristan. Un perroquet, ça enregistre des phrases, des expressions, ET ÇA LES RETIENT TOUTE SA VIE !!!!! C'est effrayant, le nombre de fois, dans une semaine, que je peux entendre mon perroquet m'imiter à la perfection et crier comme moi, à l'époque :

— Tristan, téléphone, c'est ta mère !!!!!!!!!

Une fois sur trois, quand le téléphone sonne, il me la sort. Il est tellement prévisible, mon vieux Kodak. Tout comme sa maîtresse, d'ailleurs... Par exemple, quand je suis en boisson, je me pose inévitablement les mêmes questions : est-ce qu'un jour, je serai uniquement l'ancienne vedette, jadis populaire ? Aurai-je un jour quelqu'un à qui raconter ma vie ? Un amoureux ? Des enfants ? Serai-je grand-mère ? Ai-je déjà voulu des enfants ? Je ne crois pas. Je les ADORE et je m'entends très bien avec les *kids* des autres. Enfant, je voulais même devenir infirmière en pouponnière, pour en voir le plus possible dans une journée. Aujourd'hui, je me rends compte que les bébés dans les pouponnières, c'est justement ceux des autres. Je savais déjà à ce moment-là que ça ne serait pas les miens. La maternité n'a peut-être jamais été en moi ?

#conclusionfacile

Bon, assez de questions existentielles pour ce soir. Je devrais mettre la couverture sur la cage de Kodak, enlever mes vêtements et sauter dans le lit. Ça, c'est ce que je *devrais* faire. Mais je ne le ferai pas. Je terminerai plutôt une bouteille de bourgogne devant l'ordinateur, en zieutant les photos de mes collègues sur Facebook.

#jaitropbu

#jaimeavoirtropbu

Cool ! Jéricho est justement en ligne ! Je vais pouvoir lui demander les billets des gars et cocher un point sur ma *to do list* prégala. Avant, je vais aller voir ses photos, juste pour me faire un peu de bien aux yeux. Il est trop beau, trop parfait, trop tout, Jéricho. Mais il le sait trop, il joue trop avec ça, et c'est dangereux de trop se rapprocher d'un gars comme lui.

Je connaissais les détails de sa vie par le biais de Mélancolie, mais, depuis qu'elle est devenue Mélancolia, *nada*. Lui et moi n'avons jamais travaillé ensemble et il n'est pas du genre à courir les événements médiatiques. Bref, depuis le départ de mon amie pour le Mexique, je l'ai à peine croisé.

CHARLO DIT :
Omigod, je suis vraiment contente de te trouver ici ! Ça va, monsieur, pas trop stressé ?

Eille, la grande, tu as l'air beaucoup trop contente de le voir, le beau réalisateur. On réfléchit et on respire par le nez, OK ?

JÉRICHO DIT :
Oh oui, ça va à merveille. Je ne suis pas du tout dans la salle de bains, en train de me vomir les tripes.

CHARLO DIT :
T'es malade, mon pauvre coco ?

Je dois bien faire ma gentille, j'ai quand même une faveur à lui demander.

JÉRICHO DIT :
L'angoisse totale. Rien d'anormal. Toi, ça va ? Pas trop nerveuse ? Tu as préparé ton discours de remerciement ?

OMIGOD, il est en train de me dire que je gagne ? OUI ? NON ? C'est peut-être juste pour être poli ?

CHARLO DIT :
Pourquoi ?... Je devrais ?

JÉRICHO DIT :
J'ai trop parlé…

Oh que oui !!!!!!!!!! Là, c'est évident, je gagne. Il vient de se trahir.

JÉRICHO DIT :
Jure que tu ne m'en voudras pas si je change de sujet.

Salaud ! N'oublie pas la faveur, Charlo, la faveur…

CHARLO DIT :
Promis, sexy réalisateur, je ne vous en voudrai pas.

Quoi ? On a pris possession de mon clavier ? Plutôt de ma cervelle, oui ! C'est vraiment moi, l'auteure de ces mots ? « Sexy réalisateur » ? Charlo, franchement !

JÉRICHO DIT :
Alors, pourquoi es-tu si contente de me croiser sur Facebook en plein milieu de la nuit, jeune animatrice adorée ?

Charmeur.

CHARLO DIT :
Disons que c'est l'alcool qui m'incite à te demander une faveur. J'ai besoin de trois billets pour le party d'après-gala, peux-tu m'arranger ça ?

JÉRICHO DIT :
Trois ? En plus de ton invité ? Wow…

CHARLO DIT :
Oui !?… Pourquoi ? J'exagère ?

JÉRICHO DIT :
Ça dépend de ce que tu m'offres en échange.

CHARLO DIT :
Tu veux que je te cite dans mes remerciements, peut-être ?

JÉRICHO DIT :
Trois billets, trois faveurs. *Deal ?*

CHARLO DIT :
Deal.

Mes chers doigts, avant de taper n'importe quoi, il serait pertinent de demander la permission. Merci.

JÉRICHO DIT :
Une danse, un baiser et une surprise de ton choix.

CHARLO DIT :
Un baiser ??

JÉRICHO DIT :
Sur la joue... ;)

Hon, sur la joue ? Dommage ! Hihi ! (Je suis SOÛLE, je le répète.) Il veut une surprise ? OK... il s'attend à quoi ??

CHARLO DIT :
Parfait ! Je sais déjà quelle sera ta surprise[19]... Bonne nuit, monsieur. N'oublie pas mes trois billets ! xxx :)

Bravo à moi ! Je suis passée maître dans l'art de mettre fin à une conversation avant qu'elle tourne en

---

19. À vrai dire, je n'ai aucune idée de sa surprise, mais j'aime jouer à la taquine, ça, c'est un fait.

rond. Maintenant, titubons de bonheur jusqu'à ce lit si confortable.

GALA DES PRIX VERSEAUX -10 JOURS

Il s'est passé quelque chose de bizarre avec l'entraîneur, quand on s'est vus la dernière fois. Il me regardait avec des yeux que je n'aime pas voir. Je le craignais depuis un certain temps et voilà… c'est arrivé. J'ai envie d'en parler et je m'ennuie des FFI. Je décide donc de tester notre adresse collective, qui n'a pas beaucoup servi depuis le départ de Colie. Je me demande bien pourquoi d'ailleurs, elle n'est pas morte, que je sache ! Même si j'adore mes garçons, ils resteront toujours des garçons, avec leurs observations de garçons. Les FFI peuvent venir à ma rescousse sur ce coup-là.

Date : aujourd'hui
Destinateur : ffi@gmail.com
Destinataire : ffi@gmail.com
Objet : Vous êtes là, les poules ?????

Je m'ennuie !!!!!!!!!!!!

Bulles dans ma loge ce soir ? #apéro

Charloxoxoxoxo

Date : aujourd'hui
Destinateur : ffi@gmail.com
Destinataire : ffi@gmail.com
Objet : RE : Vous êtes là, les poules ?????

TEL-LE-MENT ! J'ai justement besoin d'une robe pour un mariage dans deux semaines. Charlo, tu as de nouvelles trouvailles ?

Marie-So-qui-a-trop-hâte-de-vous-voir-les-filles !!!

Date : aujourd'hui
Destinateur : ffi@gmail.com
Destinataire : ffi@gmail.com
Objet : RE : RE : Vous êtes là, les poules ?????

Tu vas ca-po-ter, la petite. Je suis en train d'essayer une nouvelle collection de vêtements pas encore commercialisée…

Charlo-la-pusher-de-guenilles xxx

Date : aujourd'hui
Destinateur : ffi@gmail.com
Destinataire : ffi@gmail.com
Objet : RE : RE : RE : Vous êtes là, les poules ?????

I'm in. Je m'ennuie aussi.

Kat xx

Date : aujourd'hui
Destinateur : ffi@gmail.com
Destinataire : ffi@gmail.com
Objet : RE : RE : RE : RE : Vous êtes là, les poules ?????

Je serai là, les merveilleuses FFI, si la connexion Internet est coopérative.

Love you toutes,

Votre Mexicaine adorée xxxxxxxxxxxxxxxxxxxxx

Date : aujourd'hui
Destinateur : ffi@gmail.com
Destinataire : ffi@gmail.com
Objet : RE : RE : RE : RE : RE : Vous êtes là, les poules ?????

NOOONNNNNN, je ne peux pas !!!!! J'ai un
tournage à l'extérieur de la ville pendant trois jours.
ARRRGGHHHHHHHHHHH !

Ben là, moi aussi, je m'ennuie !

Fred x

Ce serait cliché de dire que, malgré les mois sans nous voir, malgré la vie qui change à toute vitesse, quand on se retrouve entre FFI, c'est comme si c'était hier ? Je serai clichée, alors...

— Tu me fascines, Charlotte Clément. Il est en train de tomber amoureux et toi, tu paniques ? Elle est passée où, l'ancienne Charlo qui pleurait parce qu'elle n'avait pas encore trouvé l'homme de sa vie ? me lance Kat, un peu sévèrement.

Elles ne me connaissent plus vraiment, mes FFI, et j'en suis la principale responsable... Depuis que Mélancolie est partie, on se voit moins. Beaucoup moins. Et, depuis ce départ, les fifs sont entrés dans ma vie et ont un peu pris la place des filles. Je n'ai jamais dit que l'amitié était simple. Je n'ai jamais dit que je n'avais pas besoin, parfois, de mettre certaines amitiés sur « pause » le temps de faire un miniménage de vie. Je n'ai jamais dit que je n'étais pas une bibitte un peu étrange.

— J'ai décidé d'avoir du *fun*, de profiter de la trentaine... c'est pas un crime, non ?

— Pas de chicane ! s'interpose aussitôt Marie-So. Charlo a le droit d'avoir un simple amant sans nécessairement vouloir en faire l'homme de sa vie, non ? Alors comme ça, il a l'air amoureux, ton entraîneur ?

— Ouais... Ç'a pourtant toujours été clair entre nous : on s'entraîne « avec bénéfices », rien de plus.

— Pauvre petite fille... Qu'est-ce qu'on va faire de toi ? De ton corps divin et de tes maudits grands yeux mauves qui les font tous tomber ? me taquine Kat en souriant gentiment, la bouche pleine de sushis.

— QUUUOOIII ? QU'EST-CE QUE VOUS DITES, LES FILLES ? JE NE COMPRENDS PAS TOUT !!! s'exclame Mélancolie, qui tente de suivre la conversation en quasi-direct à l'autre bout du continent. C'est l'entraîneur ou l'extraconjugal qui a déclaré son amour à notre belle animatrice[20] ?

La technologie est la plus belle invention de l'homme, oui, mais quand elle fonctionne. La connexion Internet de mon amie a sûrement flanché à ce moment-là parce que nous n'avons pas eu d'autres échos de sa part par la suite.

— Humphrf !! Quoi ? s'étouffe Marie-So sous la surprise. Tu vois *deux* gars en même temps ?

— Je suis célibataire, je me protège et je ne promets rien à personne. Est-ce qu'on se formaliserait de mon cas si mon nom était Charles ? Non.

— Effectivement, si tu t'appelais Charles et moi, Patrick, je te donnerais une *bine* sur l'épaule en te faisant un *high five* et je t'obligerais à tout me raconter dans les moindres détails, m'appuie Kat. J'ai trop de classe pour te faire une *bine*, mais j'ai quand même le goût de t'entendre sur ton amant secret ! Mais d'abord, closons le sujet de l'entraîneur…

— Vous le savez, je fréquente l'entraîneur régulièrement depuis quelques mois. Bref, la semaine dernière, il est arrivé chez moi avec des fleurs. Des fleurs et une petite carte qui disait : « Pour la Personnalité féminine de MA vie. »

---

20. Merci de ta discrétion légendaire, Mélancolie. Merci, un grand MERCI !

— C'est vraiment vraiment trop mignon, lance Marie-So. Comment as-tu réagi ?

— Comme une épaisse… J'ai dit : « Oh, quelle belle attention ! Bon, es-tu prêt à suer ? Je me sens d'attaque, aujourd'hui, ça va faire mal ! » Après ça, son attitude et la mienne ont changé. Un horrible parfum de malaise aux accents de sueur flottait dans le minigym pendant l'entraînement. Il n'a jamais été aussi sévère avec moi que pendant ces soixante minutes. On est ensuite allés sous la douche et, pour la première fois, on s'est seulement lavés. J'ai prié ma douche de m'évacuer par le drain, avec l'eau savonneuse.

— Attention ! Jusque-là, il ne t'a pas fait une *vraie* déclaration…, tente de rationaliser Kat.

— Franchement, ça me semble plutôt clair, à moi ! rétorque Marie-So. Ça te prendrait quoi de plus pour comprendre le message ?

— Ouin, OK… j'essaie juste de le défendre. Il fait trop pitié, pauvre petit cœur meurtri. Continue !

— Il a pensé que, s'il ne m'intéresse pas, c'est à cause de son métier d'entraîneur.

— Tu te fous de son métier, il doit bien s'en douter ? réagit Marie-So.

— Évidemment ! Et je le lui ai précisé, avant d'insister sur le fait que je ne cherche rien de sérieux…

— En plus d'être un beau gars, il prend soin de toi et est bon au lit… t'es sûre que t'as bien réfléchi à la question ? avance Kat.

— J'ai pas à RÉFLÉCHIR, je ne l'aime pas, c'est tout. L'amour, ça ne se réfléchit pas !

— Désolée, mon amie, mais ton raisonnement ne tient pas la route, réplique-t-elle. Tu as DÉCIDÉ de ne pas avoir de chum en ce moment. Si c'est une décision, c'est réfléchi, non ?

Heureusement, dans ce genre de situation, Marie-So est toujours la première à me tirer d'embarras.

— OK, ça suffit, on ne jouera pas sur les mots… Et puis, je brûle d'envie de savoir comment ça s'est fini avec l'entraîneur !

— Il m'a demandé de lui faire l'amour, juste pour voir quel effet ça ferait si j'étais amoureuse de lui.

« Faire l'amour. » Ça sonnait comme un mauvais *Bleu nuit*, tourné en 1984, où je me serais appelée Emmanuelle… Nous l'avons quand même fait. Je l'ai « aimé » le temps d'un orgasme. C'était doux, respectueux et très bien.

Eh merde ! Pourquoi est-ce que ça ne peut jamais être simple, les relations entre hommes et femmes ? Comment inciter un cœur à battre plus vite pour rattraper un autre cœur qui bat déjà trop vite ?

Le premier sujet est clos. J'ai brisé un cœur, voilà. Je pourrais en attribuer la faute au destin, au mauvais *timing*, mais la conclusion restera la même : j'ai brisé un cœur.

— Bon, bon, bon, c'était bien *cute*, là, les petits préliminaires, mais il est grand temps d'aborder le sujet *HOT*, intervient Marie-So pour me faire sortir de mes pensées. TU COUCHES AVEC UN HOMME MARIÉ ????????

J'aurais appris par cœur, en allemand et en russe, le nom des ingrédients de ma crème de jour pour ne pas avoir à leur avouer que ça dure depuis un bon moment déjà. Oui, j'ai peur de leur jugement. Elles sont toutes deux en couple, mes amies. Je n'ai pas envie d'être une salope à leurs yeux. La curiosité de Marie-Soleil l'emporte sur ses préjugés :

— C'est comment avec lui ?

— D'abord, j'ai besoin d'un *shooter* !

Joignant le geste à la parole, j'arrache la bouteille de téquila des mains de Marie-So et la porte directement à ma bouche.

— Wooo ! Qu'est-ce que tu veux noyer comme ça ? As-tu honte ?

— Je ne le sais pas, si j'ai HONTE, Marie-So, mais je ne suis certainement pas FIÈRE.

Arggghh ! Je n'ai pas le goût de me faire cuisiner le cœur et la tête par mes amies en ce moment. Pas le qui ? Pas le quoi ? Pas le goût.

À mon grand étonnement, Kat se fait quant à elle compréhensive :

— T'es quand même moins à blâmer que lui. Moi, si mon chum me trompait, je n'en voudrais pas à la fille. Connais-tu sa femme ?

— Non, et je ne veux pas la rencontrer ! Je ne connais pas grand-chose de sa vie de couple et ça ne m'intéresse pas. Je n'ai pas envie de devenir sa confidente. Qu'il *deale* avec ses problèmes, j'ai bien assez des miens.

— Il t'apporte quoi, au juste ? questionne Marie-So. Tu peux baiser avec tous les célibataires de la ville en claquant des doigts, alors pourquoi lui ?

— On parle, on se conseille, j'apprends plein de choses avec lui. Y a rien de prévu et rien de prévisible entre nous. Mais vous savez, les filles, j'ai jamais espéré être la *bitch* de service qui fait ça à une autre fille...

— On le sait, t'en fais pas, lancent mes FFI en chœur.

Je ne serai jamais en relation sérieuse avec l'extra-conjugal, je le sais. J'ai d'ailleurs érigé une solide muraille de Chine autour de mes sentiments et il ne les atteindra pas. Je ne deviens pas amoureuse facilement. J'aime plaire[21] et être séduite, mais ne s'aventure pas qui veut sur le chemin de mon aorte[22].

— Ma chérie, protège ton petit cœur, soupire Kat en se la jouant maternelle. Tu le sais, combien c'est risqué.

— Ça peut déraper, j'en suis consciente, mais j'ai la dérape contrôlée. Pour le moment, c'est un savoureux terrain glissant.

— Comment vous êtes-vous rencontrés ? s'enquiert Marie-So-la-romantique-assumée.

— Un dimanche matin, j'étais dans ma cuisine, les yeux encore semi-collés. Je me promenais allègrement en « bobettes », vêtue d'un bout de tissu élimé jadis appelé camisole[23]. J'avais laissé les portes avant et

---

21. « Plaire » résume à 100 % la nature de mon travail d'animatrice, après tout ! ☺

22. Les métaphores ne sont clairement pas ma force.

23. Là-dessus, je suis un vrai gars : je garde toutes mes camisoles, car chacune me rappelle un souvenir. La blanche-devenue-beige, la transparente, la tachée, la trop petite Ce sont mes boxers troués à moi.

arrière ouvertes, pour aérer le condo. Quand la sonnette a résonné, je me suis dit que c'était un des fifs et j'ai crié : « Entre, ma poule, je te sers un jus d'orange fraîchement pressé ! » J'ai entendu des pas avancer vers la cuisine et une voix inconnue dire : « Wow, ça n'a pas changé, ici ! Salut, moi c'est... » Je me suis violemment retournée pour lui lancer un verre de jus d'orange sur la chemise.

— Ben voyons ! Qu'est-ce qu'il faisait là ? As-tu eu peur ?

— Euh... qu'est-ce que t'en penses ? Je lui ai lancé un verre de jus d'orange !!!!!

S'ensuit la scène classique de trois filles un peu soûles, avachies sur le modulaire d'une loge, pouffant de rire sans pouvoir s'arrêter. Kat nous a ramenées à l'ordre après un moment :

— MAIS QU'EST-CE QU'IL FAISAIT DANS TA CUISINE ??

— Après de longues excuses, il m'a expliqué qu'il avait habité mon condo toute son enfance. Il avait seulement voulu revoir l'endroit vingt ans plus tard. Pour se faire pardonner, il a cuisiné une omelette et m'a raconté l'histoire de mes murs. Aussi clichée que vous pouvez l'imaginer, du style « ta chambre, eh bien, c'était la mienne avant », etc.

— Tu devais CA-PO-TER ! s'extasie Kat, la bouche aussi grande que ses yeux.

— Quand ce genre d'événement t'arrive, tu te dis que la vie ne peut pas t'envoyer un message plus clair. Le gars part avec une sérieuse longueur d'avance. Je lui ai demandé d'aller m'attendre sur mon balcon, le temps que je prenne une douche. J'ai vu *Thelma et Louise* cent fois[24], j'allais pas laisser un inconnu errer chez moi. Quinze minutes plus tard, je l'ai rejoint dehors, convenablement vêtue. Il m'attendait, souriant. « Viens, je vais te montrer quelque chose », m'a-t-il lancé avec un air candide. Il m'a entraînée dans la cour arrière, jusqu'au bout du terrain, pour me montrer l'écorce d'un arbre où il avait gravé son prénom avec la célèbre écriture du groupe KISS : **ERIK**.

— C'est comme impossible ! On voit même pas ça dans les films de Woody Allen !! s'énerve Marie-Soleil. T'exagères pas un peu ?

— Laisse-la continuer ! s'interpose Kat. Quand est-ce que t'as su qu'il était marié ?

— Il a été super honnête ; il me l'a avoué tout de suite après l'épisode de l'arbre. C'était trop intense, trop parfait… Alors voilà, c'est ça, l'histoire.

— Maintenant, je comprends que tu aies flanché. J'aurais certainement fait pareil ! avoue Kat.

— Wôôôô, minute, on n'a pas encore eu tous les détails…, reprend Marie-So, alias Columbo. Qu'est-ce qu'il fait dans la vie ? Il a quel âge ? Ça fait combien d'années qu'il est en couple ?

— Du vélo. Il en vend, les répare et les conduit ; il est messager à vélo. Il a quarante-deux ans et… hum… avec sa femme… disons que ça fait longtemps.

---

24. Ahhhh, Brad Pitt !

— Longtemps ?..., s'interroge Kat, stoïque. Genre dix ans ?

— Vingt-cinq. Marié depuis quinze.

— Je ne veux pas faire dans la psycho-pop, émet Kat, mais, ma chérie, si on lit entre les lignes de ta vie amoureuse, c'est pas dur d'affirmer que t'as peur de t'engager. Ça saute aux yeux. Mais c'est pas plus grave que ça. T'es loin d'être la seule : les romans de *chick lit* débordent de personnages comme toi. Avant, c'était le propre des gars ; seulement, aujourd'hui, c'est notre tour. On a voulu l'égalité des sexes, ben ça vient avec !

— Eille ! T'as peut-être raison sur certains trucs, mais *come on*, comparer ma vie à un roman de *chick lit* ? C'est chien.

Je suis consciente, incroyablement consciente d'avoir peur de l'engagement, mais le concept sonne faux, dans ma tête. En ce moment, je n'ai pas envie de me rendre disponible. Je garde tout de même les yeux ouverts. Et mes yeux ouverts sont tombés sur un gars marié... Pfff !

J'ai mis fin à mon 5@7 avec les FFI à dix-neuf heures tapantes, car j'avais promis à grand-maman de l'amener prendre un café. Un peu « chaudaille », j'ai sauté dans un taxi pour aller la chercher à sa résidence pour personnes âgées. Après la mort de mon grand-père, quand j'étais au secondaire, elle a gardé la maison et a continué à y donner des cours privés de rattrapage scolaire. Mais vient un temps où l'entretien d'une maison devient *too much*, même pour une Wondermamie comme la mienne. Aujourd'hui, elle habite dans une « commune », comme elle dit.

La première fois que je suis allée lui rendre visite, je l'ai longtemps cherchée des yeux en entrant dans la salle à manger immense et luxueuse. Les madames se ressemblent toutes, là-dedans ! Il y a un seul salon de coiffure dans la résidence et la coiffeuse ne connaît, à l'évidence, qu'une seule coupe : le look « boule frisée blanche ».

Après avoir repéré Colombe, j'ai mis quarante-cinq minutes à la rejoindre. Les résidants étaient un peu trop enthousiastes de rencontrer la petite Charlo de la télévision, la vraie de vraie, la petite-fille de la petite nouvelle, madame Colombe[25].

Ma grand-mère avait fait exprès de s'asseoir tout au fond de la salle, je la connais trop bien. Elle voulait me faire parader jusqu'à elle, moi, son joyau, sa fierté.

Depuis, j'ai eu ma leçon et je lui demande de me rejoindre dans le hall d'entrée. Puis je la sors au restaurant, au cinéma ou dans les musées. Pour notre première sortie, je l'ai amenée d'urgence chez Pedro, *mon* coiffeuse[26]. Une mise au point capillaire s'imposait. Je continue de l'y amener régulièrement, c'est notre petit *trip girly*. Étonnamment, je ne ferais jamais ça avec ma

---

25. Pourquoi les personnes âgées abusent-elles autant du mot « petit » ? Mystère insoluble.

26. Oui, Pedro est mon coiffeuse. Gai, évidemment.

mère. Elle ne comprend pas qu'on puisse éprouver un réel plaisir à se faire maquiller et coiffer. Pourtant, ma mère est une vraie beauté et elle fait attention à son corps (profession oblige), mais de façon naturelle. Sa dernière teinture (couleur vert forêt équatoriale) remonte à son époque rebelle à l'adolescence. Elle n'est pas trop du type magasinage non plus. Pourtant, sa garde-robe rendrait tout athlète olympique malade de jalousie, mais le style « sport/plein air » demeure assez limité.

Enfant, je souhaitais tant qu'elle s'habille comme une « madame » pour venir me chercher à l'école, avec un tailleur à motif pied-de-poule et du rouge à lèvres. J'avais plutôt droit à l'uniforme de circonstance, selon l'emploi du moment qu'elle occupait. Mon souci du style et mon goût pour la mode ne me viennent certainement pas d'elle... Ça saute une génération, ces trucs-là ?

Avec Colombe, on fait les boutiques et on adore ça. On papote, on potine et notre principal sujet de conversation est justement... ma mère ! On critique ses théories supposément saines et équilibrées. Elle nous énerve souvent, mais, en fin de compte, elle nous fait bien rire.

Ce soir-là, Colombe m'attendait, fière et souriante, dans son imperméable Marie Saint Pierre, vestige de ma garde-robe. La vue du taxi a teinté son expression d'un certain découragement, sans toutefois effacer son sourire semblant dire : « Bon, qu'est-ce que t'as encore fait ? »

D'emblée, elle me lance, avec son air de « je te pose la question même si je connais déjà la réponse » :

— Pourquoi t'es venue en taxi ?

— Ma... ma voiture est au garage..., tenté-je en m'acharnant sur ma gomme comme un chameau marocain.

— Ma p'tite maudite, t'as encore bu ! s'esclaffe-t-elle en m'embrassant. T'es alcoolique, ma chère.

— Je ne suis pas alcoolique, je suis dans le show-business ! Nuance !

— OK, mais il va falloir que je te rattrape ! Laisse tomber le café, on va prendre un cocktail à la place.

Plus tard, devant ce qui s'avéra un Bloody Cæsar pour Colombe et un mojito pour moi, le sujet de ma mère revint évidemment sur la table. Cette fois, pourtant, rien de drôle. Je ne sais pas comment une conversation tout ce qu'il y a de plus léger a pu se transformer en analyse de ma relation mère-fille...

— Charlo, ta mère rêvait en quelque sorte d'avoir ta vie, tu comprends ? Elle est partie dans l'Ouest parce qu'elle trouvait le Québec trop petit... Elle étouffait, ici, ce sont ses mots.

— Oui, mais qu'est-ce que ça change au fait qu'elle ne m'a jamais démontré une once de fierté ? J'ai trente-trois ans, maintenant. Il serait temps qu'elle commence à accepter sa vie, à accepter ce qu'elle est devenue, et cesse d'être jalouse de moi !

— Ne sois pas trop dure envers ta mère. Elle t'aime ; elle te critique beaucoup, mais c'est sa façon de t'accorder son attention. Elle s'est arraché le cœur pour te donner tout ce dont tu avais besoin, bébé. C'est la plus belle preuve d'amour, ça, non ?

Je sais, je juge sévèrement ma mère. Réflexe de fille unique, j'imagine. De son côté, elle fait pareil, alors on est quittes.

— Tu es bonne pour ta vieille grand-mère, mon chou, me dit Colombe, comme chaque fois qu'on sort, elle et moi. Es-tu heureuse ? J'ai vu ton entrevue avec... l'autre là, tu sais ? Le beau monsieur ? C'était ben ben bon. D'ailleurs, je l'ai trouvé très charmant avec toi.

— Grand-maman, je te le répète depuis que j'ai douze ans : arrête d'essayer de me *matcher*. Le beau monsieur faisait son travail de promotion pour son nouvel album et il *doit* être charmant s'il veut que les gens l'achètent.

— OK, OK... Mais, si je me fie seulement à toi, je ne suis pas près d'être arrière-grand-mère. As-tu arrêté ton histoire avec l'homme marié ? Tu vaux mieux que ça, Charlotte, et tu le sais.

Pourquoi je raconte tout à ma grand-mère, déjà ?!? Charlo, si tu partages tes histoires, tu dois vivre avec les conséquences. Oui, sauf qu'en ce moment, les conséquences se succèdent et les avis surabondent. Peu importe, je préfère tout dire à ma grand-mère, plutôt qu'elle l'apprenne par le biais d'un magazine à potins. J'ai d'ailleurs dû clarifier certaines choses à ce sujet avec elle, car, au début, elle croyait toutes les niaiseries à mon sujet. Oui, j'ai fait le party dans ma jeunesse, mais de là à me faire comparer à Lindsay Lohan, il y a des limites (que les journalistes ne connaissent pas, de toute évidence) !

— Oui, grand-maman, je fréquente encore l'extraconjugal.

— Ce n'est pas en lui donnant un surnom que tu pourras mieux nier le fait qu'il est m-a-r-i-é.

— JE LE SAIS !!! Qu'est-ce que vous avez toutes, aujourd'hui ? Me pensez-vous si naïve ? Je SAIS que ça ne durera pas et, jusqu'à ce que ça se termine, je veux juste avoir du *fun*. C'est encore permis, non ?

— Quelqu'un va finir par souffrir dans votre histoire… Mais tu fais comme tu veux, tu es assez grande. Grand-môman comprend, pis grand-môman va être là quand lui sera parti.

— Ah, j'haïs ça quand tu fais ta petite vieille ! Ça m'énerve !

— À quatre-vingt-huit ans, j'ai ben le droit de parler en p'tite vieille si ça me tente !

GALA DES PRIX VERSEAUX -8 JOURS

Ce matin, j'étais en train de préparer mes entrevues avec Kodak, comme tous les jours.

— Alors, Michel, j'ai lu que tu as passé une semaine complète dans la rue, vivant comme un sans-abri, pour te préparer à ton prochain rôle ?

— Kodak a faim, Kodak veut manger bananes. Pour seulement deux paiements faciles de 19,99 $, ce support à bananes est à vous ! Si vous appelez dans les trente prochaines minutes, vous obtiendrez un deuxième support à bananes gra-tui-te-ment, idéal pour le chalet ou pour offrir en cadeau.

La sonnerie de la porte s'est fait entendre à ce moment-là.

— Trrrrristan, va voir c'est qui, je suis pas maquillée ! a crié mon perroquet en m'imitant, comme dans le temps.

Le plus ironique, c'est que la « moi » actuelle se fiche pas mal d'aller répondre à la porte en pyjama, pas maquillée. La « moi » actuelle n'a plus Tristan dans sa vie. Mais ces deux changements ne seront jamais intégrés dans la petite cervelle à plumes de mon oiseau.

À la porte, l'extraconjugal. Dans le coin pour une livraison, et chez moi pour un café. On s'est étendus sur mon lit extérieur, installé sur la terrasse sous ma pergola. On passe du temps à être simplement bien ensemble, côte à côte, en silence. Oui, on fait ça, lui et moi. On ne baise pas *tout le temps*, comme certains pourraient le croire.

Mais, comme j'adore poser des questions et que c'est le centre de ma vie, je n'ai pas gardé le silence bien longtemps.

— Si tu pouvais passer une semaine avec la personne de ton choix, morte ou vivante, tu choisirais qui et pourquoi ?

— Je vais te retourner la question. Tu as l'air telle-ment contente de me la poser, j'imagine que ta réponse est prête depuis toujours ! s'est-il esclaffé avant d'embrasser mes cheveux.

— Ce serait avec Elvis, pendant la dernière semaine de sa vie. Je saurais enfin s'il est mort ou non ! Toi ?

Il a éclaté de rire devant ma réponse beaucoup trop futile et m'a regardée en disant :

— S'il n'y avait aucune conséquence sur nos vies ? Je passerais une semaine avec toi, n'importe où dans le monde…

Bien sûr, c'était touchant. Bien sûr, c'était gentil. Et, bien sûr, c'était (et ça reste) impossible. Il essayait de gagner des points ? De me garder un peu plus longtemps dans sa toile ? Je n'aurais su le dire.

— Si tu pouvais réaliser un fantasme – toujours sans craindre les conséquences professionnelles ou person-nelles –, tu ferais quoi et avec qui ? m'a-t-il demandé à son tour.

D'un seul souffle, j'ai répondu sans hésitation :

— Je finis ma saison de télé et je pars seule en voyage pendant un an pour apprendre le plus de langues possible.

Sa question m'a tellement emballée que j'ai oublié de la lui retourner.

— Théoriquement, ce n'est pas un fantasme, mais un rêve, ça. Alors, si tu pouvais, tu prendrais un *break* de ta carrière pour voyager ?

— L'idéal serait de pouvoir le faire sans arrêter de travailler.

— Pourquoi t'essaies pas ?

— Parce que je suis sous contrat et que je ne peux pas abandonner mon show comme ça.

— Et si tu tombais malade ? Un *burnout*, ça n'avertit pas avant de se pointer, cette petite bête-là.

— As-tu une proposition indécente à me faire ?

— Je ne pense pas, malheureusement…, a-t-il répondu, l'air piteux.

J'ai fait exprès pour le mettre dans l'embarras. Question de lui rappeler qu'il est m-a-r-i-é. Mais mon petit jeu se joue à deux et il en a profité :

— Demande à n'importe quel gars *cute* et célibataire qui travaille avec toi de t'accompagner. Si tu veux, j'irai vous reconduire à l'aéroport.

Il m'énerve ! Depuis le début, c'est comme ça entre nous : on se taquine, on s'envoie des répliques quasi assassines, toujours pour tester les limites de l'autre. C'était d'abord drôle, c'est devenu sexy.

GALA DES PRIX VERSEAUX -24 heures

Je l'ai fait !!!!!!!!!!! Après tant d'années de réflexion et de questionnements, je suis enfin passée à l'acte, non pas sans l'aide des mains magiques de Pedro, habile maître de ma nouvelle image. J'AI LES CHEVEUX BRUNS !!!!!!! Je sais, ça peut paraître banal, mais, moi, c'est mon plus gros changement à vie ! Pedro était avisé depuis longtemps et il avait découpé plein de têtes différentes dans les magazines pour me proposer diverses options. Honnêtement, je ne m'attendais pas à passer *aujourd'hui* sous ses ciseaux habiles (juste avant un gala, en plus !), mais il a su me convaincre à coups de :

— Charlo, si tu veux un changement, il doit être radical.

— T'es certain ? Déjà que la couleur, c'est beaucoup, on coupe aussi ?

— Je pensais te faire une coupe courte comme P!nk ou Rihanna. C'est super tendance, les cheveux courts ! Pense à Pénélope McQuade, à Brigitte Boisjoli, à Claudine Prévost…

— Court de même ?! Es-tu fou ? Déjà que ça m'a pris deux ans à me décider pour la couleur !

— Je savais que tu réagirais comme ça… Regarde cette photo. En fait, je pensais plutôt à une petite coupe au carré, avec frange et cheveux à la mâchoire. Un petit carré simple, indémodable, efficace.

— Tu sais comment me prendre, hein ? Tu m'annonces le pire, juste pour me faire paniquer, et ensuite tu y vas en douce avec ta vraie idée ?

— Vous êtes toutes pareilles, les filles, suffit de savoir vous parler. Et puis, si tu ne gagnes pas au gala, tu feras quand même parler de toi ; tout est planifié, ma chérie !

— Euh… C'est pas du tout nécessaire qu'on parle de moi à tout prix, pas du tout, du tout. On devrait peut-être même attendre après le gala ?

— *No way, punk*, je veux voir la surprise sur le visage des gens pendant le tapis rouge !

Me voilà donc avec une nouvelle tête, aussi excitée qu'une ado de seize ans à la veille de son bal. J'ai hâte de voir la face des fifs !

GALA DES PRIX VERSEAUX + quelques heures

#sicestçalaviejedismerci

Il est quatre heures du matin et je rentre soûle de bonheur (et non d'alcool, pour une rare fois) chez moi. Pourtant, j'ai effectivement beaucoup bu depuis le réveil, jour de gala oblige.

La journée a commencé à onze heures trente, comme il se doit : brunch avec Ludovik et Fabrice (Réjean et Jesús travaillaient).

Les garçons ont tout apporté chez moi : croissants, viennoiseries, mousseux et cent mille cris et exclamations. Ils ont ADORÉ mon nouveau look, me comparant même à Victoria Beckham en moins chiante et me couvrant de qualificatifs comme : fonceuse, osée et suuubblllliiiiimmmeeeeee.

Je n'ai eu qu'à dévorer les viennoiseries. Ils se sont relayés pour faire les lattés pendant qu'on discutait de la journée qui s'annonçait longue et riche en émotions. Ludovik a posé son complet Hugo Boss à côté de ma robe. La dentelle de ma traîne faisait de l'œil à sa cravate. Magnifique couple « vestimentairement » assorti. Peu importe si je gagnais ou non la fameuse statuette, la soirée serait parfaite, j'en avais la certitude.

Marie-Lim, Pedro et ma maquilleuse sont arrivés vers quatorze heures. La première bouteille de bourgogne était déjà morte et enterrée. Ma transformation en princesse a duré quatre heures (ou deux bouteilles supplémentaires). Mes amis professionnels de l'image se sont ensuite attaqués à Ludo. Coupe de cheveux, léger maquillage pour cacher les imperfections… Il était aux anges. Nous étions fin prêts pour le tapis rouge.

Je vais toujours aux galas avec un de mes cinq garçons. Au début, les gens croyaient que j'avais un compagnon différent chaque fois et j'apparaissais dans les revues à potins avec le même genre de gros titre : « Mais qui était le bel inconnu avec Charlotte ? Un ami ou une nouvelle conquête ? »

Avec le temps, les photographes ont fini par connaître ma clique d'amis et c'est devenu un *running gag* entre nous. Je les aime bien, moi, nos *wannabe* paparazzis du Québec. Ils ne sont pas trop envahissants. Ils font leur métier et me faire prendre en photo est devenu mon jeu favori.

Sur le tapis rouge, ce soir, les flashs ont déferlé sur ma petite personne et encore plus sur ma nouvelle tignasse. Je n'avais pas vu ça comme une astuce, mais rien de mieux pour faire changement des habituelles questions des journalistes, du genre : « Crois-tu repartir avec une statuette ? » ou « Qui vas-tu remercier si tu gagnes ? » J'ai plutôt eu droit à : « Wow, tu es magnifique ! As-tu essayé de passer incognito sur le tapis rouge ? » ou « Vas-tu devoir changer toute ta garde-robe à cause de ta nouvelle couleur ? » ou encore « Avais-tu prévu cette métamorphose depuis longtemps ? »

Mais je m'égare, là, je m'égare ! Je disais donc qu'il est quatre heures du matin et que je rentre soûle de bonheur. Je ne suis pas seule… j'ai mes nouveaux cheveux et un TROPHÉE !!!!!!!!!!!!!!!!!!!!!!!

C'était un super gala. Jéricho a fait un beau travail, même s'il a été victime de quelques (lire *plusieurs*) problèmes techniques. C'est fréquent et c'est arrivé fréquemment souvent, ce soir, malheureusement. Je ne sais pas s'il l'a fait exprès, mais il y avait toujours une caméra braquée sur moi, filmant toutes mes réactions. Ludovik jouait le jeu et mettait sa main sur ma cuisse ou sur ma main pour me taquiner. À un moment donné, j'ai même levé mon pouce à un centimètre de la lentille, pour signifier à Jéricho que j'étais touchée de son atten-tion, mais que je n'étais pas la seule en belle robe dans la salle.

Lorsqu'ils ont nommé mon nom, j'ai été réellement soulagée. Même après notre discussion sur l'ordi, où Jéricho m'avait dévoilé que je gagnais, un petit doute planait encore dans ma tête. Le sourire fendu jusqu'aux oreilles, je me suis levée de mon siège. J'étais tellement énervée que ma longue traîne noire aurait très bien pu se coincer sous un de mes talons. Non. À la place, elle a décidé de se coincer dans une des marches, bloquant ainsi mon élan. Riant nerveusement (pour ne pas dire jaune), je l'ai élégamment déprise pour ensuite monter sur scène. Mes remerciements se devaient d'être simples, sincères et… très courts. Comme nous étions en fin de gala, je savais les secondes comptées et je n'avais pas envie d'entendre la maudite musique qui signifie « tes remerciements sont trop longs, *next* ! ».

— Wow, c'est incroyable à quel point vous me faites plaisir ! ai-je commencé. En ce moment, ma grand-mère doit être debout, devant la télé communautaire dans le salon de sa résidence, en train de lever le volume et de cacher la vue à ses amis qui lui crient probablement : « Assisez-vous, madame Colombe, nous aussi on veut la voir ! ». Ça va, grand-maman ? Ils se sont calmés ? Tu t'es rassise ? ai-je lancé en riant de bon cœur (un peu trop à l'aise, peut-être ?...). Je serai brève et sincère en vous disant simplement que je vous aime. Je suis tellement heureuse et privilégiée de pouvoir partager ma plus grande passion avec vous ! Avec ce trophée-là, vous êtes en train de me dire que vous aimez ce que je fais et que vous m'aimez un p'tit peu, moi aussi. Je vais surfer sur cette belle vague pendant longtemps et je vous amène tous avec moi sur ma planche !

Ce soir, des milliers de personnes (des dames, leurs voisins, leurs cousines, des amis, des collègues... bref, mon public) ont voté pour moi. Je ne les connais pas et ils m'ont remis un prix. Je fais le plus beau métier de la planète.

— Bonsoir, mesdames et messieurs, ce soir à l'émission nous recevons... La Schtroumpfette, Shakira, Elvis, Charlo et Kodak !!!!

Petit indice de mon retour à la maison.

— Kodak, on a un nouvel ami !!! J'ai gagné un trophée !

— Youhou. J'en veux un. Youhou. J'ai faim. Youhou. J'en veux un. Youhou. J'ai faim.

— Ça ne se mange pas, un trophée, veux-tu une biscotte ?

— Veux-tu une biscotte, Charloooo ? Une biscotte ? Une biscotte ?

(Soupir)

Après une telle soirée, quand je reviens à la maison, je veux partager mon bonheur avec *quelqu'un*, pas avec un perroquet ! Ma nuit, j'aurais pu la passer avec des gars formidables (pas nécessairement en même temps !), mais me voilà qui rentre seule. Ça fait un peu *loser*, non ?

Ludo (ou un autre des garçons) aurait très bien pu débarquer ici, avec moi. On aurait sorti la dernière bouteille de champagne du frigo, on se serait gavés de pâtes huile-parmesan et on se serait couchés en cuiller dans mon lit. Je souhaite à toutes les filles célibataires d'avoir un ami gai avec qui pouvoir faire dodo. Seulement dodo. Bonheur « célibatesque ». Mais, ce soir, Ludo a fait connaissance avec un de mes collègues, sur la piste de danse. Il ne prévoyait pas du tout terminer la soirée en cuiller avec *moi*. Quant aux autres garçons, ils avaient déjà quitté le party.

— Ma chérie, c'est ta soirée, je te raccompagne à la maison, m'a galamment proposé Ludo quand j'ai signifié mon départ. Je pourrai le rappeler n'importe quand, le monsieur-de-la-piste-de-danse.

Il n'en était pas question. Je connais l'univers sexuel de mon ami et je peux affirmer que la dernière étoile filante l'ayant parcouru remonte aux Perséides de la saison passée. Et puis le monsieur-de-la-piste-de-danse est vraiment un bon gars, je voulais lui laisser la chance de profiter de cette rencontre.

J'aurais aussi pu ramener chez moi… Jéricho ! Mais je me suis montrée forte et je me suis moi-même impressionnée quand je lui ai souhaité gentiment bonne nuit, tantôt, sur mon perron.

Pendant le party d'après-gala, j'ai discuté avec deux cents personnes sans tomber sur le réalisateur-tombeur. Ça ne m'aurait pas déplu, mais ce n'était pas nécessaire. Toutefois, la vie avait bien réfléchi à la question et elle en était venue à la conclusion que j'allais le croiser…

Bref, mille huit cents photos et quatre-vingt-douze entrevues plus tard, la sueur avait séché dans mon décolleté. (Hum, appétissante, la Personnalité féminine de l'année.) Je n'avais pas mangé depuis midi et, diète prégala oblige, je m'étais uniquement gavée de bouillons de toutes sortes depuis le début de la semaine. Le party tirant à sa fin, j'aurais échangé mon trophée contre une grosse poutine sale[27]. Mais les restos de poutine sale sont, en général, sales eux aussi et d'imaginer ma belle robe traîner dans le gras de friture me donnait mal au cœur. J'avais besoin d'air, de respirer, de voir le ciel étoilé. Mon fantasme du moment : être dehors.

Je suis partie en sauvage, sans dire au revoir aux deux cents personnes à qui j'avais parlé. Il était déjà deux heures du matin et je n'avais pas envie de passer l'heure suivante à répéter : « Bye bye ! Contente de t'avoir croisée, ça faisait trop longtemps. On se reparle

---

27.   As-tu déjà vu une poutine « propre » ?

bientôt/on va luncher, c'est sûr ! » Échanges futiles, promesses remplies de sincérité, mais, la vie étant ce qu'elle est, on ne les tient jamais et on refait les mêmes promesses lorsqu'on se recroise. Au beau milieu de l'épisode « La gentille Charlotte repart incognito de son bal de princesse », Jéricho m'a textée alors que j'étais au vestiaire.

JÉRICHO DIT :
Bravo, belle animatrice. Je te rappelle que tu me dois toujours une danse…

CHARLOT DIT :
Merci, beau réalisateur. Oui, je te la dois toujours, cette danse.

Il m'a demandé si j'étais accompagnée, j'ai répondu que oui. J'ai fait durer le suspense avant d'avouer l'identité de mon compagnon : ma statuette. Je suis ensuite allée le rejoindre dans la ruelle[28] en me répétant mentalement : « Tu ne baiseras pas avec le réalisateur-tombeur-dieu-de-la-télé. Tu n'es pas désespérée. Tu rentres avec ton trophée, c'est LUI ton amant, ce soir. » Euh… nuance : il dormira sur l'oreiller… Je ne m'en servirai pas comme d'un jouet sexuel, là[29]…

Je suis arrivée dans la ruelle et je l'ai vu, adossé au mur de l'édifice, m'attendant. Il avait les traits tirés, son costume était un ramassis de plis, mais une lueur

---

28. Oui, ça fait glauque, mais c'est le repère le plus discret pour les camions de la régie, à deux pas du Théâtre Saint-Denis.
29. Charlo, il serait préférable que tu cesses illico toute tentative d'explication supplémentaire. Merci.

magique a illuminé son visage quand je suis entrée dans son champ de vision. Mon maquillage avait probablement tenu le coup, finalement, et je n'avais peut-être pas l'air aussi ruisselante que je me l'imaginais.

— Mais t'étais où, je t'ai cherché toute la soirée[30] ?! lui ai-je demandé, un peu trop enthousiaste à mon goût.

— J'ai été, disons, retenu en régie…

Ça, c'est le code secret qui signifie « je viens de baiser ». C'est donc pas un mythe que les réalisateurs et leurs assistantes s'envoient en l'air ?

— Ça avait l'air de quoi, vu de la salle ? a-t-il demandé en changeant habilement de sujet.

— Je te jure que c'était un beau gala et que Fernande, de Trois-Rivières[31], n'a pas remarqué les petits problèmes techniques.

Je lui ai proposé de se changer les idées en m'accompagnant pour mon *snack* de fin de soirée et il a accepté.

La deuxième chose contre laquelle j'aurais échangé mon trophée, à ce moment-là, c'était une paire de souliers confos. Je venais quand même de passer plus de la moitié de la journée chaussée de merveilles hautes comme la tour Eiffel et donc, par définition, inconfortables après quinze secondes. Je n'ai pas eu à le mentionner à Jéricho. Monsieur est champion international en « connaissance de la gent féminine » et il avait stationné sa voiture

---

30. OK, je ne l'ai pas techniquement « cherché », mais je ne l'ai pas vu.
31. On fait tous ça, dans le métier, des références à une dame qu'on ne connaît pas et qui habite une ville X du Québec.

tout près exprès. J'ai à peine eu à faire quatre pas pour m'y rendre. Il m'a amenée devant un *deli* crade, rue Saint-Hubert. Le plus kitsch, mais le moins fréquenté. Je n'avais pas envie de me retrouver à la poutinerie à la mode, bondée et bruyante. Un *deli* inconnu m'allait parfaitement. Il s'est gentiment offert pour aller chercher seul notre party de gras trans à l'intérieur. Un gentleman.

Il est sorti de la voiture avec un sourire fantas-magorique, juste avant de me balancer une paire de... gougounes !!! Quoi ? Il trimballe toujours une paire de gougounes de fille dans sa voiture ? Il doit en ramener souvent chez lui, des poulettes en talons ! Ça, ou une de ses conquêtes les avait oubliées là. Ou encore mieux : il a lui aussi des amis gais aux petits pieds.

Notre *fast-food* bien emballé dans son sac de papier brun imbibé de gras, on a roulé jusqu'au parc Jarry, loin du centre-ville et de ses gratte-ciel. Belle idée. Après le coup des gougounes, Jéricho a sorti de son coffre un sac et on a marché un peu en silence. Pleinement en possession de mes moyens[32], je l'ai suivi jusque sous son arbre favori, où il venait souvent lire quand il habitait dans le coin.

— Toi, tu as déjà eu du temps pour *lire ?*

Oups, un peu cavalier comme phrase, peut-être ?

— Ben, disons que je suis venu lire ici une fois ou deux, a-t-il répondu en éclatant d'un rire sincère (dévoi-lant au passage un sourire d'équerre).

---

32. Bravo à moi de ne pas avoir célébré mon succès avec quelques *shooters* au party ! Quant au champagne, lui, il garde les idées en place.

Il a alors sorti de son sac une couverture, une bouteille de champagne froide (comment a-t-il réussi ça ?) et deux flûtes. Une fois notre petit campement installé, on s'est attaqués à la poutine-des-grands-jours.

Après le repas, j'ai sorti mon téléphone de ma minipochette et je le lui ai tendu en disant :

— Monsieur, vous étiez supposé me faire danser, j'attends votre proposition, DJ.

Il a sélectionné Coldplay, *Us Against the World*. J'aurais fait le même choix s'il m'avait tendu son téléphone. Deux secondes plus tard, je dansais dans ses bras, gougounes de caoutchouc rose faisant *skwitch skwitch* aux pieds.

J'étais bien, mais je me demandais sérieusement ce que j'étais en train de faire et comment tout ça allait virer. Ma raison a pris toute la place dans ma tête et… j'ai éclaté de rire. Un rire d'épuisement, sans doute, d'étonnement aussi, devant cette folle situation. À moins que ce soit à cause du bruit des sandales qui – merci à la rosée du matin – était en train d'enterrer Chris Martin ?

Incapable d'arrêter, je ne pouvais lui expliquer la raison de mon fou rire, et il s'est joint à moi.

On s'est écroulés sur la couverture, hilares, tentant de reprendre notre souffle. Couchés sur le dos, en essayant vainement d'apercevoir une étoile dans le ciel montréalais, nous avons retrouvé notre calme. Notre silence était paisible, confortable. Stéphanie Lapointe s'est alors mise à chanter, en compagnie d'Albin de la Simone. Deux âmes comme nous, à nu, en musique. Magnifique moment.

Je n'avais jamais vu, j'avais
Rêvé oui, mais vu jamais
Toi et moi tout nus couchés là
Tu penses à quoi
À rien

J'ai commis le plaisir banni
Je pâlis ou j'applaudis
Amis oui mais amis au lit
Toi tu penses à quoi
À rien

J'entends le silence étourdi
Le vent dans les branches
Je ne pense pas, j'atterris
Je reviens à la vie
Dans ma vie il a fait si gris
Dans mon cagibi mini
Tu te tais, mais regrettes déjà
Là tu penses à quoi
À rien

Je la dis ou je la dis pas
La pensée qui brûle en moi
Mon amour je n'aime que...
Et là ? Là tu penses à quoi ?
À rien.

À quoi
Stéphanie Lapointe
Albin de la Simone

76

Jéricho s'est tourné vers moi, a pris ma main dans la sienne, l'a embrassée, naturellement. Il a planté un regard sincère, pas celui du séducteur, dans le mien et m'a dit :

— Merci d'avoir fait que cette journée ne soit pas complètement gâchée.

— Merci de ta présence, ai-je répondu presque en chuchotant. Je suis la plus gâtée de toutes les princesses, ce soir. C'est moi qui te devais une surprise, pourtant.

— Tu *es* une belle surprise, Charlotte Clément.

Je me disais : « Attention, ma vieille, ne te laisse pas avoir. C'est un professionnel. Ne pas craquer. Oui, mais il semble sincère. Garder la tête froide quand même. »

De fil en aiguille, nous avons reparlé du gala et de sa déception de ne pas avoir été parfait sur toute la ligne. Je l'ai écouté longuement et une idée a germé dans ma tête. Ça m'est apparu comme la meilleure proposition à lui faire[33]. J'ai plongé la main dans mon sac, ai sorti mon portefeuille et lui ai tendu une photo de mon petit *shack* au bord de l'eau. Derrière, un double de la clef était collé.

— C'est chez toi à partir de ce soir. Prends le temps de décanter, mes vacances ne sont pas pour tout de suite. Tu vas être bien, là-bas.

---

33. Qui a dit que l'alcool n'avait aucune influence sur mes actes ?

Je dois rester en ville pour le travail, de toute façon. Six semaines d'émissions m'attendent encore avant mes prochaines vacances. Je le trouvais chanceux de ne pas avoir d'engagements à long terme comme moi et de pouvoir se permettre de décrocher ainsi...

— Wow, t'es sérieuse, là ?! C'est chez toi ? s'est-il exclamé, l'air abasourdi par mon offre.

— Ouais, c'est mon petit chez-moi rudimentaire et champêtre. Tellement rudimentaire, en fait, que, si tu ne pêches pas de poisson, tu pourras toujours te cuisiner du ragoût de souris.

— C'était donc ça, ta surprise ?

Il a approché son front du mien. Ça se voulait gentil, mais j'ai sursauté, conditionnée à penser que ce gars représentait le mal. Avant de regretter mon geste de générosité, j'ai « enchaîné », comme dit Denise Filiatrault, et j'ai improvisé un grand sourire. Ne pas en dire plus. Laisser le mystère s'installer et le bonheur de la liberté envahir Jéricho. C'est l'effet provoqué par mon petit *shack*. J'avoue, c'est une surprise géniale. Autant pour lui que pour moi, en fait. Je n'avais pas prévu lui remettre ma clef ce soir, couchée dans le parc Jarry sous un ciel non étoilé. Même si c'est le meilleur ami de ma meilleure amie, ça demeure Jéricho, le réalisateur-tombeur. Un petit animal un peu trop facile à apprivoiser si tu as des seins et les jambes épilées.

Il m'a reconduite à la maison et je l'ai embrassé sur la joue, remplissant la dernière clause de notre contrat.

Alors voilà, il est quatre heures du matin et je n'ai que mon Kodak à qui faire la conversation. Je n'en reviens pas encore de lui avoir laissé la clef de mon chalet. Je vais mettre ça sur le dos de l'euphorie de ma victoire. Après une aussi belle journée remplie d'amour, tant mieux si je peux répandre un peu de bonheur à mon tour. J'ai ajouté un peu de bonheur félin dans la vie de Jéricho en lui demandant d'amener Pierre Lambert au *shack*. C'est sa maison à lui autant qu'à moi et il vient avec la clef : tu prends la clef, tu prends le chat.

GALA DES PRIX VERSEAUX +6 JOURS

Ce midi, dans la cuisine, je suis seule avec ma salade, mon jus de légumes et mes cartons d'animatrice quand mon cellulaire sonne. Mireille, une amie, m'explique qu'elle est passée dans le coin du *shack*, hier.

— C'est-qui-le-gars-chez-vous ? me questionne-t-elle, tout énervée, sans prendre le temps de respirer.

Je ne l'avais pas prévenue de la présence de Jéricho. Ça fait presque une semaine qu'il habite là en permanence.

— Un ami à moi. T'en fais pas, je lui ai laissé la clef.

— Oh ! Je me demandais c'était qui, ce mannequin qui fait de la peinture.

— Bizarre, je ne savais pas qu'il peignait… Ses toiles sont jolies ?

— Non, il repeint tes murs !

— QUOI ?????? IL FAIT DE LA PEINTURE ????? C'est beau ? C'est quelle couleur ?

— Blanc pour le cadrage de la porte et des fenêtres, et vernis semi-opaque sur le bois naturel, mais tes nouvelles boîtes à fleurs rouges sont MALADES.

— Il a construit des boîtes à fleurs ?

— Ben là, raconte, je comprends rien… T'es pas au courant ?

— J'ai prêté le *shack* à un ami. Et, visiblement, c'est un hyperactif. Il devait se chercher de quoi s'occuper.

— C'est juste un ami ?

— Ben… oui ? Pourquoi… il t'intéresse ?

— Si j'avais pas un mari et un bébé ? Certain !

— Hahahahaha ! Et… est-ce qu'il a fait autre chose à mon *shack* ?

— Tondu le gazon, retapé le quai… coudonc, t'es pas allée depuis quand ?

— Un mois à peu près… Wow ! Je pars tout de suite ou j'attends qu'il ait complété la transformation ?

— Est-ce que ce gars-là est célibataire ?

— Oui.

— Je peux savoir pourquoi tu es encore à Montréal ?!?

C'est décidé, je vais aller le voir samedi matin et je repartirai samedi soir. Je ne dors pas là, je ne dors pas là, je ne dors pas là. Je prétexterai une pub à tourner tôt dimanche matin.

GALA DES PRIX VERSEAUX +8 JOURS

Cher petit journal, nous sommes seuls toi et moi dans mon lit, au *shack*. Je devrais écrire dans SON lit, car Jéricho a acheté un grand lit ! Bon, j'avoue que c'est super confortable et que, si vraiment il me manque trop, je peux retourner dans mon minilit quand je veux ; il l'a laissé plus loin, dans le coin du toit, celui en angle. C'est une bonne idée, un plus grand lit. Un point pour le réalisateur-tombeur.

Le plus étrange dans tout ça, c'est que monsieur n'est nulle part aux alentours. Sa voiture n'est pas là, la vaisselle est faite et il s'est visiblement préparé avant de partir (à en juger par tout l'attirail masculin dans ma salle de bains. Il a presque autant de produits de beauté que moi !). J'ai donc décidé de dormir ici, mais, si je l'entends arriver, je cours me faufiler dans le petit lit.

C'est magnifique ce qu'il a fait au *shack*. C'est MOI. Tellement moi. On dirait une maison *cupcake* choco-fraise. J'ai été émue de voir qu'il me connaissait si bien. Le ménage est fait à l'intérieur comme à l'extérieur. Dans le salon, il a créé un coin jeu avec un écran plasma (neuf, aussi !), un karaoké et une console de jeux interactive. J'ai maintenant un gym virtuel au *shack* !!!

Le plus spécial, dans tout ça, c'est qu'il a enseveli ma maison sous les Post-it

Sur l'écran plasma :

Si tu ne veux pas le garder, je le rapporte à Montréal, no problema.

Don't touch, that's mine !

J'ai répondu juste à côté :

Sur le lit :

Désolé, mais ton petit lit guimauve est MINUSCULE.
1) Je suis grand et mes pieds dépassaient.
2) Je suis lourd et il voulait m'avaler.

3) Si tu ne veux pas le garder, je le mettrai dans le garage.

Parlant du garage, tu as vu le ménage que j'y ai fait ?

J'ai répondu :

Mon lit « guimauve », hein ?

Pfff ! Merci de l'avoir gardé

quand même

Je me dirige au garage !!!!

Il est fascinant, ce gars-là. Mais ce qui est surprenant, c'est ce qu'il ME fait. Il se permet d'agir ainsi CHEZ MOI et ça m'emballe !? Rendue dans le garage, j'ai constaté qu'il avait rangé d'un côté tous mes outils et mes babioles non identifiées et, de l'autre, il avait conçu un semblant de chambre d'amis : une table de nuit, une commode et une base de lit, que je gardais sans raison jusqu'à aujourd'hui.

J'ai passé la soirée sur mon balcon fraîchement repeint, à regarder le soleil mourir dans le lac, avec une bière du réalisateur. Il n'est pas revenu et j'en étais fort contente. Tant qu'à être au *shack*, aussi bien profiter de la vie, la vraie, et la respirer à fond avant la grosse semaine qui m'attend à Montréal.

Le soleil couché, j'ai profité du *new techno shack* et je me suis amusée avec les nouvelles installations. J'ai dansé toute la soirée devant la télé, Pierre Lambert sautant sur mes pieds. La face que le réalisateur-tombeur a faite quand je ne lui ai pas offert ni demandé mais SOMMÉ d'amener le chat avec lui ! Quel beau flash de ma part. Pauvre bébé félin, il s'ennuie du grand air ! Il est né au *shack* et appartient au *shack*, Pierre Lambert.

Je suis donc dans SON lit à espérer qu'il ait assez de classe pour ne pas ramener une pitoune ici ce soir

Bonne nuit, cher petit journal, je dois partir demain matin très tôt. Merci d'être de retour dans ma vie.

LE LENDEMAIN

MÉLANCOLIA DIT :
Tu me niaises ?

CHARLO DIT :
Je te jure, il n'était pas là quand je suis arrivée.

MÉLANCOLIA DIT :
Non, je veux dire : tu me niaises, tu lui as prêté le *shack* ?!? Qu'est-ce qui se passe entre vous deux ?

CHARLO DIT :
Rien. Il m'a amenée manger une poutine au parc Jarry après le gala.

MÉLANCOLIA DIT :
Son parc Jarry ?

CHARLO DIT :
Ouep. Pourquoi ?

MÉLANCOLIA DIT :
C'est un peu mythique comme endroit... La première fois qu'il a habité à Montréal, il vivait entouré de coquerelles, de Pakistanais et près du parc Jarry. Il payait son appartement 290 $ par mois, c'était vraiment crade, mais il a habité là pendant quatre ans à cause du parc, où il allait s'évader et assouvir ses besoins de verdure. Il est attendrissant, hein ? Mais fais attention, d'accord ? L'extraconjugal, je m'en fous pas mal, mais Jéricho... c'est mon meilleur ami.

CHARLO DIT :
Mélancolie Belhumeur, ça t'a pris combien de temps avant de juste *penser* à l'idée de peut-être retomber amoureuse et de vouloir un chum ? Quant à moi, si jamais je voulais un amoureux, penses-y, j'essaierais de conquérir l'extraconjugal AVANT le réalisateur-tombeur, mettons.

MÉLANCOLIA DIT :
Hahahahahaha ! Le réalisateur-tombeur, ça fait longtemps que j'ai pas entendu ça. C'était de qui, déjà ?

CHARLO DIT :
De ton animatrice préférée !

MÉLANCOLIA DIT :
Véronique Cloutier ?? :P

CHARLO DIT :
Hihihihihi, t'es conne, mais je t'aime pareil. xxx

MÉLANCOLIA DIT :
Hum… Tu viens toi-même de dire que tu essaierais de conquérir l'extraconjugal avant Jéricho. Bref, tu y penses ?

CHARLO DIT :
C'est sûr que je me demande ce serait comment avec lui, mais c'est pas possible. Un point c'est tout. Pas grave ! Pour de vrai. :)

MÉLANCOLIA DIT :
Protège ton petit cœur, mon amie que j'aime. xxxx
Bon là, raconte ! Dans quelles circonstances tu lui as prêté ton *shack* ??!!!

CHARLO DIT :
Il a sorti des arguments massue au parc : gougounes, champagne et couverture.

MÉLANCOLIA DIT :
Shit, il a mis toute la gomme, le grand frère.

CHARLO DIT :
Il était vraiment à bout, son gala a merdé, mais totalement merdé. La merde intégrale. J'imagine qu'il te racontera…

MÉLANCOLIA DIT :
Je sais, il m'a envoyé un *email* après le gala et, depuis, plus de nouvelles… je comprends pourquoi, là !

CHARLO DIT :
Bref, il était limite dépressif, j'étais soûle de reconnaissance, et j'allais pas au *shack* de toute manière…

MÉLANCOLIA DIT :

C'est vraiment un beau cadeau, de lui permettre de vivre « l'expérience *shack* ». Mais, dis-moi, pourquoi t'es allée là-bas, toi ? Tu l'espionnais, la Clément ?

CHARLO DIT :

Pour faire une histoire courte : Mireille est passée, elle l'a vu en train de peinturer et elle m'a appelée.

MÉLANCOLIA DIT :

Et j'imagine qu'il a exagéré, comme d'habitude ?

CHARLO DIT :

Tellement !

MÉLANCOLIA DIT :

Attends, laisse-moi deviner... télé, jeux vidéo, machine à café ?

CHARLO DIT :

Tu le connais trop bien ! Plus un nouveau lit et un ménage d'enfer. J'hallucine ! Mais c'est qui, ce gars-là ?

MÉLANCOLIA DIT :

Tu te souviens de la dernière émission sur laquelle j'ai travaillé avec lui ? Il était arrivé avec un MacBook rose pour me remercier à la fin du premier show. C'est du Jéricho, ça. Il était où, tu penses, lors de ta visite au *shack* ?

CHARLO DIT :

J'ai ma petite idée... Et toi ?

MÉLANCOLIA DIT :

Parti explorer le potentiel féminin du resto-bar de la rue Principale.

CHARLO DIT :

C'est sûr ! Remarque, j'aurais fait pareil à sa place.

MÉLANCOLIA DIT :

Me semble, oui... Charlotte Clément qui baiserait des inconnus dans les bars de région.

CHARLO DIT :
Pourquoi pas ?

MÉLANCOLIA DIT :
Ben oui, c'est ça…

Pour en revenir à Jéricho, il va finir par s'accrocher ou par s'écorcher le cœur. C'est un grand romantique, tu sais.

CHARLO DIT :
C'est un grand manuel, aussi.

MÉLANCOLIA DIT :
As-tu vu son appart ? Il a tout retapé, c'est magnifique.

CHARLO DIT :
Non, je ne l'ai pas encore vu.

« Encore » ?! Merde, pourquoi j'ai dit ça ? Arrghhhh ! Je vais avoir la Mexicaine sur le dos, maintenant.

#bravoCharlo

#aucunemaîtrisedelaconversation

MÉLANCOLIA DIT :
OK, il se passe vraiment quelque chose entre vous deux. Je le savais !

CHARLO DIT :
Bah non, arrête. J'ai dit ça comme ça. Il habite chez moi en ce moment, alors ce serait normal que je voie son appart un jour, non ?

MÉLANCOLIA DIT :
Je ne te donnerai pas ma bénédiction, ma chérie, ne compte pas sur moi pour te pousser dans ses bras.

CHARLO DIT :
1) Je n'ai pas besoin de ta bénédiction ! 2) Je ne veux pas être poussée dans ses bras. *Anyway*, on jase pour rien, je ne pourrai jamais sortir avec lui, il sera toujours TON Jéricho.

Merci, mes doigts, de taper trop vite ! Grrrrr. Charlo, sois responsable et, à l'avenir, contente-toi de phrases de trois mots. Je n'ai pas le goût de justifier ce que je viens de lancer sans réfléchir… Pas le qui ? Pas le quoi ? Pas le goûûûûûût !

MÉLANCOLIA DIT :
Bon, quoi encore ? C'est lui qui t'a mis ça dans la tête ?

CHARLO DIT :
Je te NI-AI-SE. Je veux juste préciser qu'il ne se passera jamais rien entre nous.

MÉLANCOLIA DIT :
Es-tu fâchée ?

CHARLO DIT :
Moi ? Ben non, voyons ! Soulagée, plutôt !

MÉLANCOLIA DIT :
En tout cas, vous feriez quand même le plus beau des couples. Bonne nuit, mon amie, je t'aime !!! xxxx

Ah, merci, chère Mexicaine adorée… Je n'avais vraiment pas besoin d'une petite phrase de merde comme celle-là, balancée en pleine gueule à la toute fin. T'aurais pu t'abstenir !

GALA DES PRIX VERSEAUX +13 JOURS

J'avais quitté le *shack* deux jours plus tôt, sereine. Nous avions terminé l'enregistrement et j'étais dans ma loge quand un *email* est entré. Comme je suis accro à mon téléphone (je sais, je ne devrais pas, ça donne le cancer... blablabla), s'il fait un son, je *dois* vérifier quelle en est la source. Question de vie ou de mort. Oui, je suis pathétique. Bref, après le fameux bzzzz vibrant, j'ai vérifié mes courriels. Destinateur : mon agent.

> « Allô, ma belle chérie[34] !
> J'ai reçu une offre originale. Tu aurais été référée par quelqu'un pour ce projet. Un mois sur la route, cet été, pour tourner quelques émissions. Ce n'est pas une série, mais un *road*-docu-feuilleton. Tu me connais, ma grande, je n'ai pas posé de questions[35], je leur ai dit que je t'en parlerais. Ce n'est VRAIMENT, mais VRAIMENT PAS payant, mais tu m'as dit de tout te transférer, alors... Regarde le document ci-joint. Ça tombe pile pendant tes semaines de vacances. J'attends de tes nouvelles, ma poulette.
> Ton Bob »

Des contrats du genre, j'en aurais dix dans l'année si je disais oui à tout. C'est pour ça que je paie Bob, pour qu'il filtre les demandes. Habituellement, il accepte les entrevues, les invitations sur les plateaux, mais les contrats d'animation,

---

34. Pour un agent, chérie = vache à lait.
35. *Come on,* Bob, ne te vante pas de ne pas poser de questions, c'est pas une qualité. Non, juste NON !

il les refuse d'emblée. C'était notre entente. *Avant.* Je l'avoue, après la discussion que j'ai eue avec l'extraconjugal, l'autre jour, je lui ai demandé de me transférer *toutes* les offres.

« Salut, Bob !
Je vais aller les rencontrer, je pense. On verra bien.
C xx »

AVERTISSEMENT

(Un lecteur averti en vaut deux !)

Salut !

Je suis la narratrice déesse du roman que tu tiens entre tes mains. On va mieux se connaître dans la partie centrale   Mais, avant, un peu d'exercice.

Tu as lu *Jéricho en solo* ? Oui ? Alors, bienvenue dans la partie centrale ! ;)

Tu n'as pas lu *Jéricho en solo* ?

Hiiiinnnn, mauvaise réponse. Retourne cet objet littéraire de 180°.

C'est bon ? Ça va, les tendinites ?

Si oui, tu ne me lis déjà plus de ce côté.

Bref, bonne lecture !

Mel :)

Le producteur vint chercher Charlotte dans la salle d'attente. Il la trouva hypnotisée par son téléphone, tapant à vive allure sur le miniclavier. Un Papou déraciné de sa tribu, débarqué par hasard au même moment, croirait certainement que cet appareil a droit de vie ou de mort sur elle.

Charlo suivit le producteur en réajustant rapidement son tailleur de couleur neutre. Neutre = beige et blanc, couleurs de prédilection quand on ne sait pas à quoi s'attendre et qu'on ne veut pas avoir l'air trop ou pas assez enthousiaste. La beauté naturelle de Charlotte est frappante (même peu maquillée et sous tout ce beige). Elle a tout pour plaire, surtout en tant que personnage de *chick lit*.

Pardon?????? Un personnage de chick lit, MOI????? Je ne penserais pas, non! Et puis, d'abord, qui parle[1]?

Ben voyons DONC???????!!!!!!!!!!!! Je capote! Je suis dans un roman?????? Mais... Il s'agit tout de même de MA vie... Est-ce que je vais avoir le droit de faire et de dire ce que je veux, au moins[2]? Est-ce que mon agent est au courant de ça[3]?

Cesse tes questions? répéta-t-elle, indignée, sentiment quand même assez rare chez elle.

OK, parce qu'en plus je vais être prise avec une voix hors champ qui décrit toutes mes actions et mes pensées, comme dans une émission pour les non-voyants?

...

---

1. Salut, mon personnage. Moi, c'est Meleblanc, fille de télé, *wannabe more* voyageuse, directrice artistique et ton auteure, ç'a ben l'air! ☺ On me dit sympathique, d'hygiène agréable et... narratrice déesse (équivalent féminin du narrateur dieu).
2. Tu auras le droit de me parler, mais pas trop souvent. L'italique, c'est mortel pour les yeux, à la longue...
3. Non, parce qu'il est tout aussi fictif que toi, ma chère. Bon, cesse tes questions, on a un roman à écrire.

Allô??? Pourquoi tu ne réponds plus[4] ?

Ça va, madame Leblanc, je cesse mes questions à la condition que toi, tu mettes de côté ce ton enfantin. T'es pas obligée de me faire passer pour la meilleure amie de Caillou!

Ah! que je l'aime, Charlotte, quand elle a autant de répartie! Son ton peut sembler bête à certains, mais c'est un mécanisme de défense chez elle.

Bref, une fois Charlotte entrée dans la salle de conférences, son regard s'arrêta d'abord sur l'assiette de fruits «frais», à l'allure plasti-fiée, puis il dévia sur Jéricho.

«Quoi? Qu'est-ce qu'il fait ici, lui? pensa-t-elle. Dire qu'il vient de passer les dix derniers jours dans mon *shack* sans même m'avoir donné un seul signe de vie depuis… Bonjour la reconnaissance!»

Dans la même fraction de seconde, elle ne put s'empêcher de le scanner mentalement: «Il est salement en forme, bronzé, reposé… Il est plus musclé, aussi, peut-être? La magie du *shack* a une fois de plus opéré…»

De son côté, Jéricho appréhendait la réaction de la belle anima-trice. Avec raison. Il se trouvait tellement stupide d'avoir agi en fantôme. «En plus, je n'ai même pas préparé un semblant de phrase d'introduction pour expliquer mon mutisme. Vraiment, mon gars, pas de quoi être fier. Je lui dis quoi? "Surprise!" ou "Tu veux un crois-sant?" ou encore "Tu te demandes ce que je fais ici, hein?"» À titre d'excuse (pitoyable) envers Charlotte, il pouvait toujours sortir l'absence de réseau cellulaire à la maison-fraisinette…

#imbécile

ALLÔ? QUI PARLE? QUI ME TRAITE D'IMBÉCILE[5] ??????????

---

4. Parce que c'est moi qui prends les décisions et que j'ai décidé qu'on continuait l'histoire de ta vie. D'accord? On peut y aller?
5. Ben quoi? Avoue que ton comportement n'est pas des plus glorieux… ☺

Visiblement, Jéricho était alerte…

ENCORE!! ÇA VIENT DE LE REFAIRE[6] *!!!! Oups, désolé. Comment vous faites pour changer la taille des caractères? Laissez faire… c'est épais comme question. Vous êtes qui, vous, madame*[7] *?*

Il prend quelques secondes pour retourner au début du livre et aller lire la fameuse note en bas de page. (Ce ne sera peut-être pas aussi simple que je le pensais, cette histoire de *chick lit*, finalement…)

Eille, je suis un personnage de roman? Wow, c'est ben cool!!!!!!!!! HAHAHAHAHAHAHAHAHAHA! Moi, dans un roman de chick lit. *Je fitte tellement, en plus, je suis un vrai cliché ambulant! Le gars qui fait de la télé, cute, successful… HAHAHAHAHAHAHAHA! Ça veut donc dire que Charlo et moi, on va finir ensemble? Je veux dire, tous les romans de ce genre mettent en scène une fille célibataire qui ne veut pas nécessairement trouver l'amour… mais elle finit tout de même avec le personnage masculin le plus présent dans l'histoire, non*[8] *?*

La lucidité de Jéricho est-elle aussi déstabilisante pour le lecteur que pour l'auteure de ces lignes?

Assis dans la salle de conférences, Jéricho, pourtant passé maître dans l'art de planifier, était conscient de jouer gros. Très gros.

Beaucoup trop emballé, le producteur se mit à vendre sa salade à Charlotte, en lui résumant le concept de l'émission où il l'imaginait

---

6. Oui, et ça le refera encore. Pas besoin de parler en lettres MAJUSCULES!!! Hahaha!

7. Premièrement, tu vas t'empresser d'arrêter de me vouvoyer, j'ai pas soixante ans. Deuxièmement, va voir, dans cette section, la note en bas de page n° 1, tu comprendras. ☺

8. Ça fait à peine trois lignes qu'on converse et tu me tombes déjà sur les nerfs avec tes questions! Oui, vous terminerez sans doute ensemble, mais je ne sais pas encore comment. Vous allez m'aider à vous faire avancer. On verra pour la suite…

en tant qu'animatrice[9]. Le regard de Charlo passait du producteur à Jéricho. Pour elle, la situation était d'une absurde étrangeté. Ce n'était pas net, tout ça, et ça puait le complot.

Elle en vint même à s'imaginer des scénarios invraisemblables, cherchant des yeux les caméras cachées, convaincue d'être victime d'une émission qui piège les personnalités.

Elle se demandait aussi avec qui elle «vivrait heureuse et aurait beaucoup d'enfants», comme dans tout bon roman de *chick lit*. Difficile de savoir qui serait l'heureux élu, sa vie cumulait les chapitres amoureux… Poursuivrait-elle son histoire avec l'extraconjugal? Ou rencontrerait-elle un parfait inconnu dans un taxi? Et pourquoi vouloir se caser à tout prix? Tant qu'à être le personnage principal d'un roman, aussi bien en profiter et goûter à tous les plats du menu! À ce moment, Charlotte se félicita d'être célibataire.

Totalement distraite, un brin désintéressée et, surtout, occupée à analyser la situation, Charlotte prit tout le monde par surprise en demandant:

— Pourquoi il y a une roulotte, sur votre document de présentation?

— Parce que c'est justement le but du show, fit Jéricho, mi-amusé, mi-découragé, mais en gardant le sourire.

Croyant toujours à la supercherie, Charlotte avait posé une question naïve exprès, dans le but d'être une bonne invitée à cette «émission d'humour où on piège les vedettes[10]». «Aussi bien embarquer dans le jeu et aider l'équipe de tournage cachée à réaliser une bonne émission, pensait-elle. D'ailleurs, s'ils considèrent que je suis assez connue pour me faire piéger, c'est flatteur, non?»

---

9.   Précision plutôt inutile, me diras-tu, il n'allait quand même pas lui demander de jouer les toiletteuses pour chiens.

10.   La beauté d'être narratrice déesse, c'est qu'en plus du *power trip* extrême, on n'est pas obligé de TOUT dire à nos personnages (comme le fait qu'ils ne sont PAS à une émission de gags, par exemple…) et qu'on peut les laisser avoir l'air un peu tatas. ☺

— Vous êtes sérieux, alors? Vous m'offrez de partir en voyage avec Jéricho, dans une boîte à chaussures sur quatre pneus?! s'exclama-t-elle sur un ton plus bête qu'elle ne l'avait voulu. Combien de temps allons-nous devoir rester dans la roulotte? On tourne durant la journée et on dort à l'hôtel, c'est ça? On «simule» de faire toute cette route pour de vrai, *right*? Après tout, je connais le «gars des vues», ça devrait pouvoir s'arranger, hein, Jéricho?

Si Charlotte avait vraiment été l'invitée d'une émission qui piège les vedettes, c'est à ce moment-là qu'on aurait entendu les rires en *can*.

Patient devant la belle animatrice dure de comprenure, le producteur répéta ce qu'il s'efforçait d'expliquer depuis le début de la rencontre.

— Charlotte, vous habiterez DANS le motorisé pendant TOUT le tournage, Jéricho et toi. Ça va être génial! Les gens veulent tant savoir ce que tu manges sur tes rôties le matin, à quoi ressemble ton pyjama... ils vont être servis!

Dans la tête de Jéricho, un petit mot de trois lettres (utilisé des milliards de fois à la seconde dans le monde entier) apparut. Ce mot, accompagné d'un écho démesuré, ressemblait à ceci: «NOOOONNNNNNNNNNNNNNNNNN!»

Comment faire peur à une animatrice? En lui disant exactement ÇA. Pendant que Jéricho assassinait mentalement le producteur, Charlo, elle, continuait de chercher Rachid Badouri ou José Gaudet, sous les traits du «faux» producteur.

Sans trop savoir (encore) pourquoi il tenait tant à ce projet, Jéricho se décida enfin à reprendre le contrôle de la situation.

— Je serai seul pour tout faire: la caméra, la prise de son, le montage. L'équipe technique, c'est moi. Ce qu'on te propose, avec ce projet, c'est une bouchée de liberté, une brèche dans ta vie calculée et planifiée. On va engloutir les kilomètres et multiplier les rencontres enrichissantes avec des gens intéressants et passionnés. Le public te suit dans TON *roadtrip*. La recette est simple: toi, les téléspectateurs et la caméra. Intime. Touchant. Pas de maquilleuse, pas de coiffeuse, la vie au naturel, dans toute son authenticité[11].

Jéricho connaît bien les femmes, mais peut-être pas encore suffisamment... Comment faire peur à une animatrice, prise deux? En lui disant qu'elle devra enregistrer ses émissions au naturel, sans coiffeuse ni maquilleuse!

— Jéricho, comment je te dirais ben ça..., hésita Charlotte. Chaque année, *Elle Québec* organise une journée «sans maquillage», et tu sais ce que j'ai fait pour souligner l'événement? Je me suis acheté un cache-cernes invisible, pour ne pas me faire prendre à être maquillée! Tu en connais combien, toi, des filles qui se la joue «au naturel», à la télé ou pas? Même les professeures d'aquaforme bénissent quotidiennement leur mascara *waterproof*. Tout le monde sait ça, voyons! termina-t-elle en éclatant de rire.

L'atmosphère se détendait lentement.

«Enfin, un sourire franc. Enfin, la vraie Charlo est devant nous», songea Jéricho.

— Mais oui, tu vas pouvoir te maquiller! précisa-t-il en souriant, mais il n'y aura pas de maquilleur. Regarde-toi: en ce moment, tu es magnifique et tu portes quoi? Un peu de crème pour camoufler les imperfections, une couche de mascara, un soupçon d'ombre à paupières, un baume à lèvres coloré, mais léger... Tu es parfaitement «au naturel», non?

Comment Jéricho pouvait-il connaître aussi bien les filles? Charlo se mit à souhaiter qu'il n'ait pas un passé obscur, du genre: sa mère était danseuse nue et il a été élevé au milieu de créatures frivoles.

Afin de chasser ces pensées, elle lança sur un ton plus hautain que souhaité:

---

11. En tant qu'auteure, je suis bien consciente de n'avoir aucune crédibilité en disant ça, mais, quand il parle avec ce ton rassurant de grand frère, Jéricho me fait littéralement fondre, je voudrais l'épouser.

— Tu as accepté de réaliser une téléréalité ? Toi ? Ça m'étonne de ta part.

— Ce n'est pas une téléréalité, Charlotte, intervint le producteur. On ne le voit pas comme ça et Jéricho ne traitera pas l'émission de cette façon-là non plus. On découvre une région des États-Unis et, en même temps, on accompagne une animatrice amie du public dans son voyage.

— Ça ne marchera pas, votre affaire. Personne n'aura envie de voir une fille qui fait semblant de vivre seule dans sa boîte de sardines. Les gens ne sont pas stupides : s'il y a une caméra, ils savent qu'il y a aussi un caméraman.

« Non mais, pourquoi est-ce que j'argumente avec eux ? Pourquoi suis-je encore ici, d'ailleurs ? » réfléchit Charlotte, énervée.

— Wow ! C'est génial, comme idée ! s'écria le producteur, de nouveau beaucoup trop emballé. Jéricho sera la voix derrière la caméra, le coanimateur de l'ombre !

Jéricho, perplexe, n'arrivait plus à contrôler la conversation, pas plus que les idées farfelues du producteur. Quant à Charlotte, elle se tortillait de malaise sur sa chaise. Enfin, l'appel tant attendu se fit entendre dans son sac à main. Elle sortit dans le corridor pour discuter librement. C'était Bob, son agent, prétextant un important rendez-vous de dernière minute. Cette supercherie, maintes fois utilisée, fonctionnait à tous les coups et avait souvent permis à Charlotte de se sortir du pétrin.

Quelques minutes plus tard, elle revint dans la salle en catastrophe pour récupérer son manteau et son sac, dans lequel elle fourra le document de présentation de l'émission de télé-bidon-réalité. Affichant son fameux sourire d'animatrice (autre astuce maintes fois éprouvée pour se sortir d'embarras), elle promit de réfléchir à la proposition. Après avoir serré la main à Jéricho et au producteur, elle partit dans un voluptueux nuage d'eau de toilette raffinée.

Comme ça. Bing, bang, bonsoir et merci de l'intérêt porté, elle est partie. Pourtant, Jéricho y avait presque cru… Au début, il la sentait très méfiante, mais elle s'était radoucie, s'était mise à écouter, à questionner. «Maudit idéaliste…, pensa-t-il. J'ai vraiment espéré que Charlotte Clément envisage sérieusement une émission non-payante-non-nécessaire dans sa vie? J'ai probablement tout fait foirer. J'aurais dû la contacter avant cette rencontre beaucoup trop officielle…»

Ce moment de réflexion, gracieuseté de Jéricho, aurait été tellement plus opportun s'il était survenu plus tôt dans la chronologie des événements.

Ouch! Depuis quand les auteures fessent sur leurs personnages comme ça? Je ne suis pas supposé être ton « bébé », ta plus grande fierté? Quelqu'un dont tu es secrètement amoureuse[12]?

Re-ouch! OK, je me tais et te laisse poursuivre…

Dans le couloir la menant à la sortie de l'immeuble, Charlotte marchait lentement. Trop lentement. Après avoir analysé chaque élément de la décoration et avoir gentiment salué la réceptionniste, elle se retrouva sur le trottoir, seule. Pour le moment, aucune équipe de tournage cachée ne la suivait. D'un pas se voulant détendu, elle poursuivit sa marche jusqu'à sa voiture. Toujours rien. Une fois rendue chez elle, elle dut se faire à l'idée qu'elle avait tout imaginé. Elle était sans doute la seule artiste au Québec à regretter de ne pas s'être fait prendre dans une émission de gags.

«Ça veut donc dire que je dois officiellement songer à cette proposition de merde…»

Le sentiment d'avoir été flouée ne la quittait pas. Jéricho avait perdu de la valeur à ses yeux. Tout le long de la rencontre, il avait eu une longueur d'avance sur elle. Il jouait à un jeu dont elle ne connaissait pas encore les règles, ce qui la mettait littéralement en beau fusil[13].

---

12. Aucun danger! Je t'ai créé, donc… je connais toutes tes imperfections ET le nombre de conquêtes qui sont passées dans ton lit. Ç'a de quoi refroidir une fille, auteure ou pas… ☺
13. C'est vraiment beau, un fusil?

Optimiste de nature, Jéricho tentait de s'accrocher à la seule parcelle positive à l'horizon: Charlotte s'était montrée intéressée, sinon elle n'aurait pas posé de questions. L'idée ne lui avait pas semblé bête à cent pour cent. Avant que Charlo parte, le réalisateur avait eu le temps de jouer une autre de ses cartes: mentionner l'apport de Mélancolie au projet. Effet sur Charlotte = sourire en coin = positif.

Jéricho avait-il conscience de l'implication réelle que représentait un tel contrat? Partir avec Charlotte Clément était absolument excitant, mais, on ne se fera pas de cachotteries, les conditions gagnantes n'étaient pas (encore) réunies pour que le résultat soit une réussite. Si elle acceptait, il allait être en présence d'une magnifique princesse vingt-quatre heures sur vingt-quatre et il allait devoir assurer son bien-être avec honneur…

Hum, amie auteure… Pourrais-tu apporter des précisions au mot «princesse»? Enfant, quand on vous appelle comme ça, c'est mignon, c'est rose bonbon, c'est cuuuuuute, *mais passé la vingtaine, ça correspond souvent à un caractère capricieux, voire égocentrique.*

Dans la tête de mon personnage masculin, deux Post-it venaient d'apparaître:

La princesse:

1) ne conduira pas;
2) sera fatiguée et voudra souvent se reposer;
3) ne s'occupera pas de l'entretien du VR;
4) sera insupportable par moments.

La princesse est aussi:

1) Charlotte Clément;
2) amusante;
3) parfaite.

Pourtant du genre à refuser de se prononcer sur l'avenir d'un projet, Jéricho était convaincu du succès à venir de celui-là.

CHARLO DIT:

Tu le savais!!!??!!! MÉLANCOLIE BELHUMEUR, tu le savais et tu m'as rien dit?! T'es pas une vraie amie.

MÉLANCOLIA DIT:

Oui, Charlo, je suis une vraie amie et c'est justement pour ça que je t'ai rien dit: j'avais promis à Jéricho de ne pas t'en parler. Je ne pouvais pas trahir une amitié pour en favoriser une autre. La rencontre s'est bien déroulée?

CHARLO DIT:

J'HALLUCINAIS!!!! Je pensais qu'on me piégeait dans une émission de gags. J'écoutais d'une oreille distraite, mais là, je m'aperçois de l'ampleur du projet.

Au Mexique, une alerte animée apparut sur l'écran de l'ordinateur de Mélancolie: «Jéricho vient de se connecter.»

JÉRICHO DIT:

AHHHHHHHH!!!!!!!!!! MA MEXICAINE FAVORITE!!!!!! Trop content de tomber sur toi!! Comment vas-tu, ma chérie?

MÉLANCOLIA DIT:

Il fait beau, il fait chaud, mon hamac est confo. Bref, tu ne veux pas le savoir, comme d'habitude, parce que ça te fait chier. Alors, tu es soulagé?

JÉRICHO DIT:

Angoissé, plutôt... Tu lui as parlé?

MÉLANCOLIA DIT :
Oui, mais au nom de notre amitié, je te demande de ne plus me poser de questions sur le sujet. Je suis en conflit d'intérêts, moi, là.

JÉRICHO DIT :
Ben là !!!!!!!!!!!!!!!!

MÉLANCOLIA DIT :
Arrête de faire ton *kid*, tu n'as pas huit, mais trente-huit ans. Je ne serai pas la guacamole entre deux tortillas.

JÉRICHO DIT :
WÔÔÔÔ ! Depuis quand tu parles comme une boîte d'Old El Paso ? T'en as d'autres, des expressions à la mexicaine-*con*-chili ? JE SUIS CRAMPÉ !!! T'es foutue, ma fille, à partir d'aujourd'hui, tu seras toujours ma guacamole adorée.

En entretenant deux conversations à la fois, Mélancolie avait l'impression d'être un peu aux côtés de ses amis.

MÉLANCOLIA DIT :
Alors, qu'est-ce que tu as fait ?

CHARLO DIT :
Je suis partie, j'ai *freaké*.

MÉLANCOLIA DIT :
Tu exagères ! Ce n'est pas parce que ce n'est pas *ton* genre que le projet ne vaut rien…

CHARLO DIT :
De quoi tu parles ? Tu sais bien que je ne suis pas comme ça !

MÉLANCOLIA DIT :
Oui, désolée… :(

CHARLO DIT :
C'est plus le comportement de Jéricho qui m'a exaspérée. FRAN-CHE-MENT, me convier à un *meeting* sans m'en parler d'abord, alors qu'il s'est payé du bon temps dans MON *shack* !

MÉLANCOLIA DIT:
PARDON? Il ne t'en avait pas parlé avant? Tu me niaises?

CHARLO DIT:
Tu comprends pourquoi je suis partie en catastrophe? Je n'étais franchement pas à l'aise dans la situation.

MÉLANCOLIA DIT:
Pauvre chérie, c'est très ordinaire. Désolée, je ne suis plus trop au courant de ce qu'il fait et pense, mon faux grand frère. :(

CHARLO DIT:
Ça va, je vais m'en remettre. :) Merci de m'écouter/me lire. ♥

Si Mélancolie avait été à Montréal, c'est derrière la tête que Jéricho aurait reçu sa claque.

MÉLANCOLIA DIT:
EEEEEEEEEEEEEUH, je peux savoir pourquoi tu as attendu de la voir dans une salle de conférences, en présence du producteur, pour lui parler du projet?!?

JÉRICHO DIT:
Pour ma défense, je dois dire que ça s'est fait plus vite que je l'avais prévu.

MÉLANCOLIA DIT:
Ah ouais? Tu l'as quand même pas su quinze minutes avant ton rendez-vous?

JÉRICHO DIT:
OK, OK, je faisais les travaux à la maison-fraisinette et j'ai été un peu con de pas l'appeler, je l'avoue.

MÉLANCOLIA DIT:
Mais pourquoi? C'est tellement pas toi!

JÉRICHO DIT:
J'étais vulnérable, là-bas, c'est bizarre. L'endroit me hante encore, même si je suis de retour dans mon condo. On dirait que c'est chez moi...

MÉLANCOLIA DIT:
La maison-fraisinette te *hante*? Depuis quand tu parles comme une fausse voyante sur le *shift* de nuit à V Télé, toi?

JÉRICHO DIT:
Ça ne s'explique pas...

MÉLANCOLIA DIT:
Alors, Charlo, vas-tu accepter de participer au projet ou non?

CHARLO DIT:
Je ne répondrai pas à cette question sans la présence de mon agent.

MÉLANCOLIA DIT:
Oh, alors tu y penses!...

CHARLO DIT:
Je ne te dirai rien. Tu irais tout raconter à Jéricho, tu favorises votre amitié... :(

MÉLANCOLIA DIT:
Arrête de faire ton bébé, je peux vous écouter tous les deux sans influencer qui que ce soit.

CHARLO DIT:
Pour répondre à ta question: je ne sais pas. Je vais réfléchir. Je ne suis pas super à l'aise à l'idée de partir avec le réalisateur-tombeur. Si seulement je pouvais savoir ce qu'il a derrière la tête... Ça m'encouragerait à refuser son offre ou à mettre les voiles avec lui!

MÉLANCOLIA DIT:
Je ne peux pas t'aider là-dessus. Je ne suis pas certaine qu'il se comprenne lui-même.

MÉLANCOLIA DIT:
Alors, mon beau réalisateur-tombeur, tu fais quoi si ton animatrice vedette n° 1 refuse ton offre?

JÉRICHO DIT:
«Réalisateur-tombeur»? Ça sort d'où?

MÉLANCOLIA DIT:
Ben, euh... une inspiration subite.

JÉRICHO DIT:
Mélancolie Belhumeur, je te connais trop bien, tu viens pas d'inventer ce surnom-là, je le sais. Ça vient de qui?

MÉLANCOLIA DIT:
Sérieusement, j'aurais dû tourner mes doigts sept fois avant de taper.

JÉRICHO DIT:
Charlotte?

MÉLANCOLIA DIT:
Attends, prends-le pas mal, c'est pas méchant. Avoue que la rime est rigolote!

JÉRICHO DIT:
...

MÉLANCOLIA DIT:
Jéricho, honnêtement, sais-tu pourquoi tu t'investis autant dans ce projet-là?

JÉRICHO DIT:
Besoin de partir. De changer d'air. D'essayer autre chose. De prendre des risques. C'est peut-être ça, la crise de la quarantaine. C'est comme un cri primal venant de l'intérieur.

MÉLANCOLIA DIT:
Si Charlo refuse, pars-tu quand même?

MONTRÉAL
Rencontre avec le producteur +24 heures

Mon protagoniste masculin est en train de se farcir une joyeuse crise de foie. Une vraie, calculée, due à une grosse soirée bien arrosée. C'est toujours comme ça quand il va voir les *boys* au Kitchen Galerie. Jéricho a fait de multiples tournages dans ce restaurant et il est devenu ami avec les chefs propriétaires. Ce soir, comme tous les soirs où ils s'y retrouvent, Conrad et lui ont eu droit au service royal. Ils ont été accueillis avec mille cinq cents verres de vin, sans compter le champagne.

Pour que la soirée fasse encore plus «mâle», Jéricho a choisi le repas principal, digne d'un banquet d'Obélix: une tête de porc, communément appelée une «crisse-de-grosse-tête-de-cochon», avec le groin, les oreilles, les dents, la cervelle, la langue, alouette. Lisse, la tête. Laquée. Parfaite[14].

— C'est délicieux! Et l'acte violent de découper la joue pour un morceau de viande, ça fait totalement gars! s'écria Jéricho, à la manière d'un victorieux Viking. Non mais, elle est pas belle, la vie?

— Je suis peut-être soûl, mais pas encore assez pour ne pas voir que tu essaies de changer de sujet. Tu es en train de tomber, mon vieux.

Auteure? Est-ce que Conrad fait aussi partie du roman? Si oui, est-ce qu'il le sait? Parce que, tu comprends, ça influencera ma réponse…

Allô? Y a personne? SUPER! Tu me laisses me démerder tout seul? Je ne pourrai pas mettre ça sur ton dos après? Bon, OK alors, aussi bien continuer d'ignorer ce que Conrad veut me faire admettre.

— Tomber? Non, je t'assure, je supporte bien l'alcool. Demain, je n'aurai qu'à pratiquer une de mes activités favorites. Hum, comment

---

14. Oui, une grosse crisse de tête de cochon peut être parfaite, dans un univers de gars.

ça s'appelle, donc ? Tsé, rester allongé les yeux fermés ? Aide-moi ! Ah, c'est vrai, tu ne sais plus ce que c'est, toi, DORMIR !! s'esclaffa Jéricho en tapotant la joue de Conrad.

— *Fuck you!* Monsieur veut se lancer dans l'humour ? Il existe une école, tu sais, mais ça nécessite un minimum de talent. Gros, arrête de niaiser, j'essaie d'avoir une discussion sérieuse...

— J'ai le goût d'avoir du fun dans ma vie, ces temps-ci. Point. C'est encore permis, tu sauras. Et si pour ça je pense devoir partir sur la route avec une des filles les plus *hot* du Québec, *why not* ?

— On va avoir droit à Jéricho LAMOUREUX, le vrai, j'en suis certain. Ça remonte à quand, ton dernier frisson ? Sybelle Trépanier ?

Jéricho et sa Sybelle sont, encore à ce jour, un couple légendaire aux yeux de leurs anciens collègues du cégep. Sybelle est aujourd'hui une actrice internationale. C'est d'ailleurs son rêve de se voir sur grand écran qui a eu raison de son couple avec Jéricho. Elle a même changé de nom. Sybelle Trépanier, ça n'impressionne personne sur le tapis rouge des Oscars. Non, je ne te dévoilerai pas sa nouvelle identité, mais, pour te donner une idée, la dernière fois qu'elle a perdu un rôle, c'était au profit de Cameron Diaz.

— Gros[15], pour être franc, ce qui me fait le plus peur, c'est la coanimation, mentionna le réalisateur.

— *Wait, wait, wait! Rewind!* s'écria Conrad, abasourdi. TU VAS COANIMER ?

— Ouais... C'est la putain d'idée du producteur.

— Gros, tu vas être *on cam* ?

— Eille, surtout pas ! Ma voix seulement.

— Sans le vouloir, t'es en train de te ramasser avec un contrat d'animateur ! Pouahahahaha ! Monsieur va devenir une vedette !

---

15. Oui, je sais, le vocabulaire a déjà volé plus haut depuis le début de ce livre. Rencontre entre chums de gars soûls oblige.

— Pfff! Tu imagines? Non, je ne veux pas qu'on me voie. L'idée de la voix hors champ n'est pas mauvaise.

— Effectivement. Mais l'animatrice va te nommer, *dude*, tu resteras pas incognito bien longtemps… Tu en connais beaucoup, toi, des Jéricho? souleva Conrad en se fourrant de la cervelle de porc dans la bouche, déjà remplie de langue de porc.

#spectacleunique

— *Fuckin'* prénom.

— Si Charlotte accepte, t'es dans la marde jusqu'au cou, mon gars. C'est une professionnelle. Elle va t'embarquer là-dedans comme un petit poney.

— HAHAHAHAHAHAHAHA! Un poney?

— Arrête d'essayer de changer de sujet.

— Arrête de t'exprimer comme un concurrent d'*Occupation double* et d'inventer des expressions poches!

Son ami n'a pas tort, Jéricho le sait et il :

1) fait le naïf et ça l'arrange;
2) est un peu trop imbibé et ça l'arrange;
3) aime se payer la gueule de Conrad en le faisant enrager[16].

— Un conseil: ne lui donne jamais la caméra et, surtout, ne la laisse pas te filmer avec son cellulaire, la qualité de l'image est trop merdique. Mais là n'est pas la question…

— J'ai posé une question, moi? répondit Jéricho avec son air de parfait innocent.

— Gros, je suis soûl, mais pas cave. Tu veux jouer à ce jeu-là? Parfait, on va jouer à deux et honorer notre réputation de gars colons incapables d'avoir de vraies conversations. C'est ça que tu veux?

---

16. Tu choisis ta réaction préférée, dans celles suggérées. ☺

— Conrad, je suis pas cave moi non plus. Je suis conscient de mon déni, OK? J'ai pas envie d'en parler, mais je te promets que, si Louise Deschâtelets répond pas à ma lettre, dans son courrier du cœur, c'est vers toi que je me tournerai pour partager mes confidences. C'est bon?

— Grosse brute épaisse, je t'aime.

PENDANT CE TEMPS, À L'AUTRE BOUT DE LA VILLE

Pendant un souper en compagnie de ses garçons adorés, Charlo raconta l'événement qui allait désormais s'intituler «la réunion surréaliste», puis elle avoua être victime d'une faiblesse temporaire.

— Une faiblesse du genre «j'ai succombé et je me suis claqué un morceau de gâteau au chocolat»? s'enquit Ludo, fier de sa blague.

— Arrête de rire de moi! fit semblant de se fâcher Charlo en lui donnant une tape sur le bras.

— C'est justement parce que c'est toi que je peux m'en permettre, ma chérie, ajouta-t-il en l'embrassant sur la bouche[17].

— As-tu fini de l'interrompre, fatigant? le chicana Réjean. Je veux connaître la suite de l'histoire, moi!

— Une faiblesse par rapport à mon travail… Avant-hier, j'ai demandé deux jours de congé. Une première pour moi! Mon

---

17. Oui, on fait ça, nous, jeunes femmes modernes, embrasser nos amis gais sur la bouche. À moins que ce soit juste moi?

producteur a dit oui, alors toute l'équipe a mis les bouchées doubles pour *booker* deux émissions dans la même journée.

— Bravo ! Tu vois ? Il n'y a pas eu mort d'homme. Tu as le droit de te permettre une pause, même si tu t'appelles Charlotte Clément, souleva Fafa. Deux jours, c'est pas la mer à boire.

Pour la première fois de sa carrière, Charlot avait l'impression d'être à côté de la *track*. Depuis des années, la vie la poussait à une vitesse folle et elle se laissait aller, à l'aise de surfer sur cette vague, mais voilà qu'elle se sentait essoufflée tout d'un coup…

— C'est merveilleux que tu aies pris un long week-end de repos, nous sommes tous fiers de toi, mais la vraie question reste en suspens : as-tu pris ta décision pour le *roadtrip* en VR ? TU PARS OU PAS ???? s'écria Jesús, complètement hystérique.

— JE. NE. SAIS. PAS. OK ? répondit Charlo en criant à son tour, ce qui provoqua un silence instantané.

Le genre de silence de treize secondes qui semble durer treize heures. Le genre de silence se terminant souvent par un fou rire général de treize minutes.

— Aucune idée de pourquoi je n'ai pas refusé catégoriquement… C'est pas dans mes habitudes. Et ça me bouleverse.

Charlotte ressentait le besoin urgent de retrouver son lac, son *shack*, sa forêt, et elle en fit part à ses amis.

— Penses-tu que Jéricho y sera ? Il t'a remis la clef ? la questionna Ludo.

— Non, il l'a encore… Je me suis poussée tellement vite du *meeting* que j'ai oublié de la lui demander. J'ose espérer qu'il aura pas le culot d'y retourner après la réunion surréaliste ! S'il est là, il est mieux d'avoir d'excellentes bouteilles de vin et des explications tout aussi excellentes. Je vais le cuisiner et me transformer en vrai Josélito Michaud, avec beaucoup de questions en profondeur sur les raisons qui l'ont poussé à m'embarquer dans son projet de fou. Je me sens d'attaque, il va en baver !

Sans trop savoir d'où lui venait cet élan de vengeance, Charlo se prit à adorer le *feeling*.

LANAUDIÈRE
Rencontre avec le producteur +3 jours

Ne voyant pas trop de quel droit il pourrait continuer à habiter la charmante maison-fraisinette après les événements du début de la semaine, Jéricho s'y rendit pour ramasser les derniers trucs lui appartenant. Il savait que Charlotte ne s'y trouverait pas ; à cette heure, elle enregistrait sa quatrième et dernière émission de la semaine[18].

Après quatre nuits à Montréal, il revenait dire adieu à « son » lac et à « sa » maison-fraisinette, bouteille de téquila, de rhum, et nécessaire à mojitos en main.

Sur la route, il avait eu le temps de tout planifier pour que sa dernière présence ne laisse aucune trace. Soixante minutes, c'est tout ce dont il avait besoin pour sacrer le camp en beauté. Il voulait rédiger trois ou quatre gentils Post-it de plus, pour essayer de se faire pardonner sa mauvaise attitude de la semaine. Ensuite, il s'installerait sur le quai, devant le coucher de soleil, pour boire ses amies originaires du Mexique et de Cuba. Enfin, les adieux faits, il partirait ni vu ni connu.

Il venait tout juste d'arriver lorsqu'une voiture se fit entendre dans le rang. Elle ralentit en approchant de la maison-fraisinette, entra dans la cour et se stationna derrière la Jérikoto.

---

18. Toi et moi, ami lecteur, on sait que Charlotte n'anime pas ce soir, mais pas lui ! Hi hi hi.

— Merde, c'est Charlotte[19]! Je fais quoi, là, maintenant? se demanda Jéricho à voix haute.

En mode panique, il voyait tous ses plans se sauver pour aller doucement se noyer dans le lac.

Lorsqu'elle franchit le seuil du *shack*, Charlo le surprit en train de courir dans tous les sens, avec un sac en cuir luxueux aussi grand qu'une poche de hockey dans les mains.

#leréalisateurtombeursesauveavecclasse

Quand il la vit, Jéricho figea telle une araignée au plafond, incapable de s'enfuir devant le mouchoir tendu qui s'apprête à lui enlever la vie. Bref, il ne bougea pas, attendant d'elle le premier mot.

— C'est vraiment très beau ce que tu as fait au *shack*, commença-t-elle d'une voix remplie de sincérité. Personne ne s'est jamais autant investi ici avant…

— Bah! C'est rien. Je voulais me tenir en forme et l'endroit avait besoin d'un sérieux coup de peinture, répondit un Jéricho on ne peut plus nerveux.

«Dans ta putain de maison-fraisinette, je me sens fondre. Pffffiittt! Quand je suis ici, le réalisateur-tombeur disparaît et il laisse la place au romantique…» pensa-t-il.

— Je suis venue pour la fin de semaine, précisa Charlotte. Pour passer du temps avec moi-même, dans ma tête…

— Bonne idée. Je m'en vais, je venais juste chercher mes affaires. Je ne pensais pas que tu débarquerais aujourd'hui, je m'excuse.

— Tu pouvais pas savoir… On a fait un préenregistrement de mon show de demain, alors j'ai un long week-end juste pour moi.

— *Nice*!! C'est cool, ça… La maison-fraisinette est toute à toi, belle animatrice.

---

19.   Ben oui, bel innocent, tu t'attendais à voir qui? Nicki Minaj?

— La maison-fraisinette? répéta-t-elle avec un sourire à la fois curieux et surpris.

En réalité, si elle n'avait pas joué de *game* et fait la fille indépendante, elle se serait exclamée: «Le *shack* est devenu la maison-fraisinette? C'est donc bien *cuuuuuute*!! J'adoooooooooooooore!»

Hello? Je demande un droit de parole. Honnêtement, madame l'auteure, je n'«adore» pas ce surnom… Je crois que tu ne me connais pas si bien que ça, finalement… Est-ce que tu es obligée de me faire passer pour une Aurélie Laflamme de quinze ans? Tu vois, je ne suis PAS un bon personnage de chick lit[20]!

OK, ça va. Tu le sais, je déteste perdre la face en public… J'ai le droit de dire que tu me tombes royalement sur les nerfs, madame l'auteure?

Quand même, je dois te remercier d'avoir laissé ma dernière pensée. Ça démontre un grand sens de l'autodérision et une intelligence marquée[21].

— Avant que tu partes, on devrait s'asseoir dehors et boire un verre ensemble, proposa Charlotte. Ça te dit?

À quel point un gars peut-il être faible et peureux? Dans sa tête, Jéricho déclinait l'offre et s'en allait. Bye-bye, bonsoir la visite! Par la fenêtre, il vit la voiture de Charlo faire la bise au derrière de la Jérikoto, leurs deux pare-chocs excessivement collés. Stationnement stratégique? Elle avait donc décidé de ne pas le laisser partir?

— Madame, si vous voulez boire, nous le ferons avec décorum. Je vous invite à déguster une téquila rapportée illégalement du Mexique, par Thérèse, la mère de Mélancolie.

En trois minutes, il prépara la téquila, les verres, le sel et les quartiers de citron, puis il l'invita à le suivre dehors, sur la galerie, face

---

20. Charlotte, Charlotte, Charlotte… Voici une définition d'un personnage de roman de *chick lit*: jolie héroïne œuvrant dans le domaine des communications ou de la publicité, avec une vie sociale active, un cercle d'amis colorés et ayant un penchant marqué pour certains vices comme l'alcool, la drogue ou la cigarette.

21. Tu es donc bien téteuse, toi, tout d'un coup!

au lac. Monsieur était maintenant à l'aise. Très à l'aise. À la fois dans la maison *et* dans la situation. Charlo se demanda combien de temps ça lui avait pris pour se sentir «chez lui».

Avant de s'asseoir, en parfait gentleman, Jéricho attendit de voir où Charlo allait s'installer, pour ensuite prendre la deuxième chaise la plus confortable.

Le regard perdu au loin vers les arbres de l'autre côté du lac. Non. En fait, vers les arbres de l'autre côté des arbres de l'autre côté du lac. Tu comprends à quel point il évitait le regard de Charlotte?

Après de longues minutes de silence, il se permit de respirer pour la première fois depuis l'arrivée impromptue de la belle animatrice. Elle ne l'avait pas encore engueulé. Ne l'avait pas encore giflé. Il pouvait donc boire en paix, avec le lac, le ciel, les castors, elle et lui-même.

Il s'alluma une cigarette et, sentant qu'elle le jugeait, précisa:

— Oui, je fume… En fait, je fume juste ici… toi aussi, je pense?

— Oui. Et tu le sais déjà, parce que tu as trouvé mon paquet et l'as vidé[22]. Il y a juste ici où je peux vraiment être moi-même, sans censure. Ça me fait drôle de ne pas être seule…

— Je comprends… Je vais partir et te laisser l'endroit juste à toi, ma belle, répondit-il en se levant prestement.

— Pour l'instant, tu ne vas nulle part. C'est à mon tour de mener le jeu.

Elle avait réfléchi à son plan de match, la belle animatrice! Jéricho ne lui avait pas rendu la semaine facile, alors la vengeance s'annonçait douce.

— D'accord, oui, très bien, OK, oui, pourquoi pas…, balbutia nerveusement le réalisateur. Je nous sers un premier *shooter*, tu permets?

---

22.   Tu vois, quand Charlotte n'ajoute pas ses «hihihi», son ton est meurtrier!

Il était foutu et il le savait. Secrètement, il souhaitait que la première gorgée de fort rende la Clément plus clémente…

— Un *shooter*, une question. Tu aimes les *deals*, toi, non? lança-t-elle du tac au tac.

— Ouf! Si tu supportes l'alcool comme une vraie fille, mes chances sont bonnes quant à la courte durée de mon supplice!

— Tu penses ça? J'ai IN-VEN-TÉ la téquila! Elle aiguise mes idées…, lança-t-elle en lui faisant un clin d'œil aussitôt regretté.

Jéricho aimait quand Charlotte Clément faisait sa tannante. Sa pupille rieuse, son sourcil agace et son clin d'œil coquin se soldèrent par une fulgurante érection. Madame la V ne l'avait pas vue venir…

«En plus d'être inconfortable, je suis cassé… C'est une vraie pro, celle-là. Totalement en contrôle de son image. Dans un futur coma éthylique, me voici prêt à mourir au fond des bois…», pensa-t-il.

En réalité, Charlotte avait joué la carte de la séduction, mais, pour elle, la séduction n'était pas sexuelle. Plutôt amicale, dans le cas présent. Tout le contraire de Jéricho…

— Monsieur le réalisateur, commença Charlotte pendant que Jéricho avalait son premier *shooter*, je me demandais…

— Mauvaise formulation.

— Pardon?

— Madame l'animatrice, je crois que vous auriez dû dire: «Monsieur le réalisateur-tombeur…»

— Colie t'en a parlé?! Ah, la traître!! Elle t'en a raconté beaucoup d'autres, comme ça, la Mexicaine d'adoption?

— Non, pas grand-chose d'autre… Comme à toi, j'imagine.

Même si Jéricho avait habité le chalet de Charlotte pendant trois semaines, même après leur échange de Post-it, il y avait encore cette réserve des premières rencontres, entre eux.

— Hum… Bon, je continue. Je me demandais, monsieur le réalisateur-tombeur, à quoi trinquons-nous, exactement?

Quoi? C'était tout? Houlala, la vengeance cruelle… *NOT!*

— À la beauté du lac! répondit-il sans hésitation.

Pendant qu'elle cherchait à quoi elle voulait trinquer, Jéricho la détailla de la tête aux pieds. Simplement vêtue, elle portait un pantalon cargo kaki à taille basse et un chandail jaune ample au tissu léger. Jamais homme n'avait été aussi jaloux d'un morceau de tissu. Aux yeux du réalisateur, celui-ci n'en dévoilait pas trop et la rendait encore plus belle: il pouvait *imaginer* le galbe de ses seins, sa peau effleurée par le tissu…

Cue, Charlotte, arrête de niaiser et trouve une réplique au plus vite!

— Moi, je bois à la paix dans le monde.

Non? Vraiment? Était-ce possible? Nous demandons confirmation. Charlotte Clément venait-elle vraiment de prononcer cette phrase digne de la plus clichée des reines de beauté? Tous les deux éclatèrent de rire et l'ambiance devint d'un coup plus vivable. La téquila remplissait lentement sa promesse.

— Le prochain *shooter* est en l'honneur de monsieur Ouaouaron, qui devrait nous faire un *cheer* dans les prochaines minutes, fidèle à son habitude, annonça Jéricho en remplissant de nouveau les verres.

— Tu connais les habitudes du ouaouaron du coin? pouffa Charlotte. Tu en as d'autres, des amis comme ça?

— Tu as des nouveaux voisins, tu savais? Un p'tit couple de castors. Ils ont mis deux semaines à construire leur barrage. Je ne suis pas vétérinaire, mais, selon moi, la femelle est enceinte.

Dans ta face, Charlotte Clément! Jérichovila connaît sa forêt, tu sauras. Jérichovila est un vrai, un pur, un dur, il construit des maisons à même les arbres, déracinés avec ses molaires. Tiens, il a même vu des lucioles…

— Il n'y en a pas tous les soirs, reprit notre coureur des bois. Si on est chanceux, on pourra en capturer dans un bocal.

Dans la tête de la belle blonde, ça *spinnait* à toute vitesse : elle savait que Jéricho savait ce qu'il faisait et qu'il savait qu'elle le savait[23]. Bref, il se la jouait « petit gamin » volontairement, réflexe inné chez lui en présence d'une fille.

Dans la tête du beau coco bronzé, ça *bad tripait* : « Gros, ressaisis-toi, tu as trente-huit ans ! »

— Pierre Lambert adore chasser les lucioles... Il ne t'a pas causé trop de problèmes ? demanda Charlotte.

— Non... Il a été super tranquille. On se faisait un petit 5@7 tous les soirs puis il repartait chasser comme il était venu. Attends, c'est bien de ton chat qu'on parle ? C'est vraiment ça, son nom ? J'hallucine... moi qui l'avais surnommé Le Chat sans savoir, justement parce qu'il me faisait penser à Pierre Lambert !

— Tu me niaises ?! Je t'avais pas dit son nom ? *Come on*, Mélancolie te l'a dit. Ne me prends pas pour une crêpe, s'il te plaît ! Je ne crois pas aux coïncidences...

— Je te jure, elle ne m'a rien dit. Il a ce surnom depuis la première seconde où tu as mis sa cage dans mon auto et qu'il a pleuré, miaulé, craché, pissé et vomi sa vie sur ma banquette arrière.

— Je sais, il est insupportable en voiture ! C'est un peu pour ça que je voulais que tu l'amènes... je vais me taper le trajet avec lui juste une fois ! Hihihi.

— Ratoureuse.

— Je l'appelle Le Chat en l'honneur de mon fantasme d'adolescente, Carl Marotte. Combien de fois je l'ai imaginé en train de me dire : « Sacrament, Charlotte ! » au lieu de le dire à Ginette. Mais c'est quoi, cette histoire de ?

— Tous les soirs, je prenais un verre pendant qu'il mangeait sa bouffe à mes pieds.

---

23. Si quiconque arrive à comprendre cette phrase, qu'il m'écrive un courriel, svp.

— Tous les soirs ? Je comprends pourquoi il a maintenant plus l'air d'un béluga que d'un chat ! lança-t-elle, mi-outrée, mi-crampée. Je songeais justement à l'inscrire à une téléréalité pour félins obèses en voie de perdre du poids…

Jéricho éclata de rire et Charlotte en profita pour poursuivre sa discrète observation du réalisateur. Son bronzage lui donnait des airs d'Italien. Il avait rasé ses cheveux, depuis le gala. Le regard de Charlotte glissa sur les pectoraux de Jéricho sous son t-shirt noir, si agréablement ajusté. Sans parler de ses bermudas, autrefois à motif d'armée, couleur kaki devenu gris, bermudas trop grands, vieux, d'adolescent, mais terriblement sexy.

— Bon, ça suffit, la téquila. J'ai ce qu'il faut pour nous concocter de sympathiques mojitos, proposa Jéricho.

— Ce serait une belle alternative. Pendant que tu prépares ce gentil cocktail qui ne demande qu'à être bu bien froid, j'ouvrirai cette bouteille de bourgogne aligoté. La pauvre, elle se meurt d'ennui au fond de mon sac.

Charlotte s'arrangeait pour être soûle avec le réalisateur-tombeur.

#situationimparfaitevoiredangereuse

Elle s'éclipsa un moment pour aller à la salle de bains. Les fesses sur la porcelaine, son corps décida de prendre la situation en main à ce moment précis. Tsé quand ton utérus donne l'ordre de commencer une « semaine de fille » ? Visiblement, le corps de Charlo était parfaitement maître de son *timing* et il avait décidé de lui casser son party. Ses ovaires et ses hormones se firent un petit *meeting* où elle n'était pas invitée.

— *Fucking* « loi de Murfille » à' marde ! grogna-t-elle.

Mise en contexte n° 1 : tu rêves d'un sac de *chips*, tu vas au dépanneur, tu as l'air du diable et c'est là que tu tombes sur ton voisin-trop-désirable nouvellement célibataire. Pourquoi, tu penses ? Pour-quoi ?

OUI, MADAME. « Loi de Murfille » !

Mise en contexte n° 2 : un soir de semaine, tu es trop lâche pour te faire à souper, tu commandes de la bouffe en écoutant *Glee*, avec un masque capillaire et des bandelettes de cire chaude sur les mollets. Le livreur arrive et qui est-ce ? Ton *kick* du cégep que tu épouserais encore sur-le-champ. Pas de danger que ça arrive un soir où tu es présentable, ben non. Pourquoi, tu penses ?

OUI, MADAME. «Loi de Murfille»!

Ce soir, Charlo n'aura pas de sexe. Pourquoi, tu penses ? «Loi de Murfille.»

Mojitos en main, Jéricho l'invita sur le bord du quai, décidé à lui faire la plus belle de toutes les récoltes de lucioles.

— Madame, je ne pourrai jamais assez vous remercier de m'avoir permis d'habiter ici, fit-il solennellement en lui tendant son pot fluorescent, une dizaine de minutes plus tard.

— Et moi, je ne pourrai jamais vous remercier assez pour toute l'exagération dont vous avez fait preuve en retapant le *shack*. Ça va, maintenant ? Nous sommes quittes, côté remerciements ?

Comment pouvait-elle être aussi belle, distinguée, parfaite et... bête ? Jéricho avait peine à y croire. L'animatrice-vedette n'était pas toujours gentiment exemplaire. Pas forcément méchante, mais disons plutôt prompte. Charlotte Clément allait droit au but et parfois, aussi, «dans ta face». À la télé, ce côté de sa personnalité ne transparaissait jamais et ça déroutait Jéricho.

Quant à Charlo, elle prenait conscience au même moment de son ton assez bête, merci. C'était vraiment précipité, comme réplique. Pourquoi, tu penses ? «Loi de Murfille», c'est ta faute, salope !

— J'ai acheté le *shack* – ou devrais-je dire la petite maison-fraisinette – avec mes premiers cachets d'animatrice, raconta Charlotte en radoucissant le ton.

— Pas «petite», juste «maison-fraisinette», la reprit Jéricho.

— Ouh, pardon, monsieur!

— Ouin, je m'excuse, j'exagère…

— Le *shack*-fraisinette, c'est *cute* aussi!

— Adopté.

«C'est si simple avec elle», pensa-t-il. «Il faut qu'elle accepte qu'on parte ensemble en VR!»

— J'habitais encore chez mes grands-parents, pour économiser, mais je venais ici dès que je le pouvais. C'est devenu ma tanière.

Elle venait de lui faire une révélation de fille un peu soûle: il était une des rares personnes à avoir eu accès à son antre.

Ils finirent la bouteille de blanc sans penser à manger une bouchée, ce qui eut pour résultat: une Charlotte en état d'ébriété, dans le lac froid, en sous-vêtements.

Comment s'étaient déroulées les minutes précédant cet acte irréfléchi de sa part? Elle n'en avait plus aucun souvenir une fois rendue dans l'eau. S'était-elle déshabillée devant lui? Sans doute.

#applaudissementssvp

Voici comment Jéricho, lui, avait vécu les fameuses minutes précédant le plongeon de Charlotte. À la question «Quand est-ce que tu t'es baigné pour la dernière fois?» il répondit «Il y a deux jours.» Elle l'envoya chier de jalousie et enleva son immense chandail jaune au tissu toujours non identifié. Elle plongea ses iris mauves dans ceux de Jéricho et, sous une lumière de coucher de soleil enveloppante, fit tomber son pantalon cargo sur le quai. Le réalisateur lut «pas *game*» sur ses lèvres, avant de la voir plonger. Il attendit que la tête de la belle animatrice émerge de l'eau avant de commencer à se déshabiller à son tour.

Charlotte faisait du surplace, s'interdisant de manquer le spectacle. Quand Jéricho enleva son t-shirt, elle ressentit une secousse sismique dans ses trompes de Fallope, devenues farandole. Définitivement trop imbibée (et désinhibée), elle laissa une de ses mains s'aventurer jusqu'à son intimité. Elle remercia la vie d'être sous l'eau.

Expert pour identifier une «nage sur place d'une seule main», Jéricho ne perdit pas une seconde du spectacle. Il trouva Charlotte impressionnante et incroyablement désirable. Comble du hasard, il s'agissait pour lui d'une journée *boxerless*. Du coup, dès qu'il fit tomber son bermuda, il présenta Madame la V aux premiers rayons de lune.

Dans le lac, la «loi de Murfille» fut de nouveau invoquée par Charlotte, accompagnée de nombreux sacres.

— Tu te promènes toujours le trio McDo à l'air? Je le savais tellement! s'écria-t-elle. Après, tu t'étonnes de ton surnom de «réalisateur-tombeur»!?

— Je n'avais plus de boxers propres, ce matin, lança-t-il en guise d'excuse, totalement à l'aise. Ça te dérange?

— Non, pas vraiment. J'en ai vu d'autres et, si la vie continue d'être bonne avec moi, j'en verrai des dizaines d'autres encore.

— Le premier arrivé au centre du lac! la défia-t-il en sautant.

— Tu veux jouer à ça, le grand? *Game on!*

Il s'arrêta bien avant d'arriver au centre du lac. Jérichovila avait surestimé sa nouvelle forme physique... Quant à Charlotte, elle s'y rendit le plus aisément du monde, effectua un virage en U, le dépassa et donna son maximum jusqu'au quai, décidée à sortir de l'eau en premier. De retour sur la terre ferme, elle courut à l'intérieur pour prendre une serviette et se rhabiller.

En jeans et torse nu, Jéricho coupait des légumes sortis des sacs de provisions de Charlo lorsque celle-ci revint dans la cuisine.

— Je me suis permis, si ça te dérange pas? On devrait croquer un petit truc avant d'ouvrir une autre bouteille...

Elle coupa un poivron rouge et, pendant qu'elle ouvrait le pot de trempette, il lui en vola une moitié. Il s'approcha de l'évier et remplit le légume d'eau fraîche, avant d'en prendre une gorgée et d'en offrir une à Charlotte.

— Hahaha! s'esclaffa-t-elle de bon cœur. Viens-tu juste de me faire la scène d'Élise Guilbault et de Daniel Thomas, dans *Deux frères*?

«C'est bon d'entendre son rire», pensa Jéricho. «Elle est de moins en moins sur la défensive…»

Attention de ne pas se méprendre quant aux désirs de notre tombeur: il n'avait pas du tout l'intention de passer la nuit dans la maison-fraisinette et d'abuser d'une belle jeune femme soûle. Surtout pas si elle s'appelait Charlotte Clément. Il ne fallait pas jouer trop gros et risquer de tout perdre pour un *one-night*.

Ça te ferait si mal de dire que je fais ça par respect, amie auteure? Là, je passe pour un macho opportuniste[24]!

Charlotte mit la table dans le désormais *shack*-fraisinette et toutes ses nouvelles installations. C'était à la fois cool et bizarre de sentir la touche personnelle de quelqu'un d'autre dans sa tanière. Jéricho avait l'air tellement à l'aise dans *sa* cuisine… elle se surprenait presque à l'envier. Il possédait l'espace, nettoyait tout à mesure et se mouvait comme un chef de renom, en lui préparant son fameux «poulet aux olives et tomates sur lit de pâtes à l'huile d'olive et au parmesan».

Charlo souhaita simplement qu'il ne remarque pas le filet de bave au coin de sa bouche, provoqué par les effluves embaumant le *shack*-fraisinette, mais aussi par la nuque tatouée et appétissante du cuisinier. Jéricho a le plus *cute* des tatouages de la taille d'un timbre: les fameuses *color bars* de la télévision. Tsé, la rangée de barres verticales multicolore qui annonçait, dans le temps, la fin des émissions?

Il vient toujours un moment où toute fille normalement constituée pèse le pour et le contre avant de prendre une décision. Charlotte eut donc une conversation avec sa conscience: «Oui, son corps est

---

24.   Poser la question, c'est un peu y répondre, non? ☺

susceptible de faire changer d'orientation la plus gouine des lesbiennes. Oui, dans d'autres circonstances, j'aurais profité de la situation. Mais il y a ce projet d'émission de télé. Ma décision n'étant pas encore prise, je ne *dois* rien tenter. J'attends la même chose de sa part.»

#danstesdentsloideMurfille

Ils s'installèrent à table et Jéricho en vint, enfin, aux aveux.

— Je vais être franc, je ne sais pas encore pourquoi j'ai accepté ce contrat-là ni pourquoi je t'ai suggérée comme animatrice. J'avais demandé à la vie de m'envoyer un projet où je renouerais avec le vrai «moi» et, à la question «Avec qui souhaitez-vous travailler?», mon inconscient a parlé et t'a nommée, toi. Voilà, tu sais tout.

— Merci de ta franchise. Je l'avoue, je n'ai pas encore pris ma décision. Ça représente beaucoup de travail et, honnêtement, j'envisageais plutôt mes vacances ici. Mais ça me tente aussi de sortir du Québec. D'aller rencontrer des inconnus qui ne critiqueront pas ma nouvelle tête.

— Comment ça? T'as eu des commentaires là-dessus?

— Des commentaires, tu dis? Le service à l'auditoire a explosé au lendemain du gala! Et que dire de ma page Facebook… J'ai eu droit à la totale, de «Tu as pensé à ton public qui t'aime et qui a voté pour toi?» à «Moi aussi, j'ai eu un cancer et j'ai dû porter une prothèse capillaire.» Il y a même une dame qui m'a demandé de faire voter le public pour voir si les gens préféraient comme elle mon ancienne coupe. Les gens l'ont vraiment pris personnel! La majorité a aimé, mais les commentaires positifs ne suffisent pas à éliminer les méchancetés.

— Ben qu'ils aillent s'acheter une vie au dépanneur! Franchement, j'en reviens pas!!! Comme si ton image leur appartenait!

— Je sais, c'est ridicule, mais c'est comme ça. Je ne regrette pas mon geste, c'est ça l'important!

— Si tu le dis… Bon, revenons à notre projet télé. Cinq émissions de trente minutes, ce n'est pas la fin du monde, j'ai plutôt peur de l'immensité du territoire à couvrir. Tout ce que je filmerai sera diffusé, comme ça on gagnera du temps et de l'énergie.

— Non, surtout pas !! Je n'ai pas envie… euh… je n'*aurais* pas envie d'avoir l'air d'une folle avec tous les *bloopers* que je peux fournir.

« Oh ! le beau lapsus ! La décision de Charlotte serait-elle déjà prise ? » pensa aussitôt le réalisateur.

Jéricho l'invita à aller terminer la conversation au bord du feu. La soirée était parfaite : Charlotte était semi-cocktail ET en bonne compagnie… elle se sentait bien.

— Je dois mettre quelque chose au clair, cher réalisateur-tombeur, lança-t-elle d'emblée dès qu'ils furent assis sur leurs chaises Adirondack d'un brun douteux. On ne baisera pas. Oublie ça tout de suite.

Il lui avait cuisiné le plus succulent des poulets et ils passaient un bon moment. Enfin… c'est ce qu'il croyait avant qu'elle lui envoie ce direct de la droite.

— OK… Parce que, pour toi, c'est automatique ? Feu = baise ? Je n'ai pourtant pas parlé de faire griller des saucisses, mais seulement des guimauves !

Dans les circonstances, après le choc de la phrase assassine de Charlotte, penser à cette blague douteuse était le mieux qu'il ait pu faire.

— Tu peux partir le feu… Oublie ce que je viens de dire, c'était stupide, fit-elle avec un sourire coupable. Tu es super gentil, super respectueux. Je ne sais pas pourquoi je suis aussi bête et sur la défensive. Mais j'en ai pour de vrai, des saucisses dans le congélateur, si tu en veux.

— Rectification : tu *avais* des saucisses dans ton congélateur… avant que je m'installe ici.

— Hahahaha !! s'esclaffa Charlotte en laissant du même coup tomber son armure.

Jéricho proposa de ressortir la couverture du parc Jarry et ils s'y allongèrent. L'instant de quelques respirations silencieuses, couchés sous le ciel étoilé à côté du feu, ils eurent la même pensée : « Faites que cet instant ne s'arrête jamais… »

— Ça, c'est ce que j'appelle des étoiles…, murmura Charlotte.

Puis, elle vit supposément une étoile filante. Pas Jéricho. Il aurait tant voulu en voir une… Elle refusa de lui dire son vœu. Lui aurait-il dit le sien ? Non. De peur qu'elle se moque de ses sentiments. Il se les avouait à peine lui-même ! Il avait beau être dans un roman de *chick lit*, l'idée de se faire écraser le cœur par une fille pendant encore une centaine de pages ne lui apparaissait pas des plus agréables.

La lune avait doucement suivi sa trajectoire et, bientôt, il n'y eut plus de feu pour les réchauffer. En parfait gentleman, il annonça qu'il allait dormir dans sa voiture[25].

Pas du tout ! J'aurais vraiment dormi dans la Jérikoto[26] !

— Tu as construit cette chambre d'amis toi-même, dans le garage, l'honneur de l'inaugurer te revient.

— Je suis ton ami ?

Ces quatre petits mots, prononcés avec la naïveté d'un garçon de six ans, atteignirent Charlotte droit au cœur. Il sait viser, mon Jéricho. Il l'a eue. Elle éclata de rire. Un vrai rire, sincère, un peu gêné aussi.

— Oui, gros con, tu es mon ami.

Le lendemain, à son réveil, Charlotte était seule. Jéricho était parti, lui laissant des Post-it dans la cuisine et dans le garage. Il s'était levé à l'aube, quand la brume recouvrait encore le lac, au son du chant des premiers oiseaux.

---

25. J'avoue que là, il en faisait peut-être un peu trop…
26. D'accord, si tu le dis… ☺

Sur la porte du frigo :

MERCI pour la belle soirée.

Sur l'établi :

En espérant que, la prochaine fois qu'on se retrouvera au bord d'un feu, ce sera dans un camping nowhere, au cœur de l'Amérique profonde…

Charlotte l'avait devancé. En pleine nuit, elle était allée glisser le plus prometteur de tous les Post-it sous les essuie-glaces de l'auto de Jéricho :

Tu vas devoir apprendre à vivre avec mes caprices de fille, mes inquiétudes d'animatrice angoissée et mes bibittes pas encore diagnostiquées. À tes risques et périls, copilote !

JUIN

Jéricho était arrivé vingt-quatre heures plus tôt que Charlotte à Vancouver, pour ramasser l'équipement technique avant d'aller chercher le VR en compagnie de l'animatrice.

Vancouver, ville où habitait Sybelle.

Durant cette attente bien involontaire de sa part, le réalisateur déterra quelques vieux souvenirs enfouis et il écrivit à son ex pour lui signaler sa présence en ville. Il n'espérait pas réellement pouvoir la voir, avec son horaire de star hollywoodienne, mais il tenta sa chance.

Surpris, il reçut un appel d'elle, une heure plus tard.

— Tu croyais quand même pas que j'allais te laisser dormir à l'hôtel ? lança sa belle Sybelle, exactement avec la même attitude que lorsqu'il l'avait connue, vingt ans plus tôt. Ma maison est la tienne !

Elle habitait dans un rêve de mille six cent cinquante mètres carrés. Six chambres, sept salles de bains, autant de foyers, des dizaines de télévisions, plus de fenêtres que de murs et LA vue la plus spectaculaire, celle d'un vingt et unième étage donnant directement sur les montagnes et la mer.

#pasbanal

Prix à l'achat : cinq millions. Estimation actuelle : quinze. Le mari de Sybelle, devenu un homme d'affaires prospère, se spécialisait dans l'achat et la revente de maisons de luxe. Honnêtement, bien que le bonhomme[27] fût sympathique, Jéricho n'avait pas mis les pieds sur le luxueux plancher de marbre de la demeure dans le but de faire sa connaissance.

Devant lui, Sybelle. Pour lui, elle représentait un heureux mélange entre une star du cinéma, une vieille amie, une mère aimante et une des plus belles femmes du monde. Combien de gars la considéraient comme un fantasme ? Combien de fois Jéricho l'avait-il

---

27. Il a seize ans de plus que Jéricho, alors c'est permis de l'appeler «le bonhomme». ☺

lui-même regardée dans un film, rêvant de sa bouche délicieuse, jadis si souvent embrassée?

#botoxfree

Il ne l'avait pas revue depuis dix ans. La dernière fois, elle tentait de faire sa place dans le milieu et, aujourd'hui, elle en était à sa troisième nomination pour un Oscar.

— Oui, mais je n'ai toujours pas gagné... M'as-tu déjà vue remporter quelque chose? Je suis bonne dans plein de domaines, mais je n'excelle dans rien.

— Hoooon, mais tu fais don' pitié! Est-ce que je cours rapporter cette déclaration aux paparazzis qui font le guet dehors ou j'attends, pour laisser la primeur au *Vanity Fair*?

— Ça fait tellement du bien de te voir. Vraiment.

Sybelle s'approcha de lui, le serra fort dans ses bras et posa sa tête sur son épaule. Les enfants étaient couchés et son mari était dans son bureau, c'est-à-dire à trois kilomètres de la terrasse où Jéricho et elle buvaient un verre de cognac à cinq cents dollars la goutte. Il mit sa main sur la cuisse de son ex, naturellement, comme il avait l'habitude de le faire dans le temps.

— Mon corps se souvient du tien, ça me fait drôle, admit Sybelle. Je suis bien...

Elle avait toujours parlé de ses émotions spontanément, sans réfléchir. C'était une des premières choses que Jéricho avait aimées, chez elle.

— Regarde-toi, tu es magnifique! Le bronzage, les muscles, aucune once de gras... Tu vas me faire avoir une émotion! s'esclaffa-t-elle.

— Parlant d'émotion, c'était vraiment nécessaire d'en ajouter deux grosses dans ton soutien-gorge?

— Ah, t'es con! J'étais jeune et stupide. Ça m'a quand même permis d'avoir plus de rôles à mes débuts... Et puis, tu sauras que j'en ai fait enlever, depuis le temps!

— Pour qui tu me prends ? J'avais remarqué ! C'était juste avant le film de Spielberg, où tu avais une magnifique scène de nu. Oui, je plaide coupable d'avoir acheté le DVD et de l'avoir usé.

Le regard coquin, Sybelle avança sa main vers l'entrejambe de Jéricho. De toute évidence, elle se souvenait de quel côté tendait Madame la V.

— Rafraîchis-moi la mémoire, s'il te plaît, dit-il en interrompant la progression de sa main, c'est bien avec ton *mari* que nous avons soupé, tantôt, non ?

— Effectivement. Mais on a un petit arrangement, tous les deux…

— Ah bon ? De quel genre ?

— J'ai droit à de parfaites retrouvailles, disons… Il m'a trompée il y a deux ans et j'ai décidé de passer par-dessus son infidélité en me disant qu'un jour, ça pourrait bien être mon tour. Nous pouvons être quittes aujourd'hui, lui et moi, ça ne dépend que de toi…

— Avec plaisir ! s'exclama Jéricho en soudant leurs bouches.

Wow.

WOW.

WOW.

« MERCI, LA VIE !!!! » s'écria-t-il mentalement.

Merci, la vie ???? Non, madame l'auteure, je refuse. Y a juste Marc Hervieux qui peut dire ça !

Son ex avait gagné en assurance, sexuellement parlant, et Jéricho le remarqua. Elle releva sa jupe, laissant l'exploration tactile possible, avant de renouer contact avec Madame la V. Elle agrippa la rampe du balcon de la main droite, gardant la gauche occupée.

La baiser pendant toute la nuit, c'est permis comme retrouvailles ? Madame l'auteure, je t'aime !!

— Jéricho Lamoureux, wowww!!! Moi qui pensais que tu avais un certain talent au lit, du temps qu'on était au cégep, je n'avais rien vu!!! GOD[28]!!

Wôôôôô, la narratrice déesse, je ne suis pas d'accord! Elle n'a peut-être pas hurlé que j'étais le meilleur baiseur, mais elle n'était pas non plus blasée, quand même! Pfff!

Restons-en aux faits. Voici ce que Sybelle a réellement dit:

— Promets-moi qu'on recommencera au moins une fois avant que tu ailles chercher ton animatrice à l'aéroport, d'accord?

HA! Qu'est-ce que je disais? Elle en redemande! Je suis un parfait baiseur!

Sybelle rentra alors dans la maison et en ressortit quelques minutes plus tard avec sa petite «boîte à idées».

— Non, tu me niaises? C'est la même que dans le temps? Tu l'as gardée?

— Oui, monsieur. Si tu savais combien de personnages elle m'a aidée à intégrer pour mes rôles…

Elle ouvrit la vieille boîte de chocolats en carton tout usé, premier cadeau de Saint-Valentin offert par Jéricho, et en retira une pipe de bois et un carré de hasch gros comme une barre de savon.

En faisant des ronds de boucane, ils rattrapèrent le temps perdu. Jéricho aurait pu être le père des enfants de Sybelle. Constat des plus bouleversants, pour lui.

---

28. Ça, c'est dans l'imaginaire de Jéricho, qui se croit un peu trop… En réalité, Sybelle a dit: «Je te ressers un peu de cognac?»

— La vie savait ce qu'elle avait à faire…, conclut Jéricho. Regarde comme elle te réussit bien.

— Ta position n'est pas trop déplaisante non plus, mon bel ex.

— Honnêtement, j'ai trouvé la dernière année particulièrement éreintante. Oui, je suis en santé, j'ai un appart vraiment cool – même si c'est une boîte d'allumettes à côté d'ici – , d'excellents amis, de bons contrats… mais, à force de me demander ce que je pourrais faire de plus, j'ai ressenti le besoin urgent de revenir à l'essentiel.

— Crise de la quarantaine, mon coco…

— Je n'ai jamais sorti l'excuse de la «crise» pour justifier le fait de me taper des minettes début vingtaine, je ne vais pas commencer aujourd'hui. C'est l'excuse qu'ont trouvée les hommes qui se décident sur le tard à écouter leur queue, voilà tout[29].

— Tu souhaites quelque chose de nouveau, mais tu as déjà tout! Tu ne veux pas d'enfants, tu as voyagé partout dans le monde, tu as des dizaines d'amis… vraiment, ta vie est parfaite.

— Je peux quand même lui donner une petite *twist*, non? D'où l'idée de participer à ce *roadtrip* avec Charlotte… Tu la connais?

— J'ai beau être canado-états-unienne, je regarde encore notre télé québécoise, tu sauras. Je sais très bien qui est Charlotte Clément. Un seul conseil: mon chéri, permets-toi de retomber en amour!

Elle est totalement inconsciente d'être un personnage de roman, n'est-ce pas, madame l'auteure?

…

ARRRRGGGHHHHHHHHHHH! Je déteste quand tu ne me réponds pas!!!

---

29.   N'oublions pas que Jéricho est un gars, après tout. Il a beau être dans un roman de *chick lit*, une petite rechute est possible de temps en temps.

— Laisse-toi aller, mais lentement, reprit-elle aussitôt. Prends la vie comme elle vient, en gardant la tête bien vissée à la réalité. Réapprivoise le vrai Jéricho Lamoureux.

#petitrappel: Jéricho Lamoureux = homme tendre et romantique fini. Un pur qui donnerait son aorte pour son amoureuse. En amour, il est trop, tout le temps.

— Je suis déjà tombé sous le charme de Charlotte, c'est clair. Mais je ne suis pas stupide non plus… Tu peux garder tes conseils, je me connais mieux que personne. Je ne veux plus voir mon cœur partir sur une dérape, comme tu en as été témoin dans le passé. J'ai eu trop mal…

Pour la première fois depuis longtemps, Jéricho n'avait pas le plein contrôle de ses sentiments et ça lui foutait la chienne de sa vie.

— Quand on sortait ensemble, tu me disais souvent que j'étais trop «intensément amoureux», émit-il. Tu disais étouffer…

— *Honey*, tu prends tellement l'amour à cœur! C'est pas moi qui te l'apprends…

Cas de conscience dans l'esprit de Jéricho: comment faire pour ne pas redevenir ce gars-là, en couple?

Madame l'auteure, connais-tu la réponse? Comment laisser paraître juste ce qu'il faut, en amour? Comment apprendre à doser pour garder notre cœur intact tout en restant soi-même?

Eh oui, en bel imbécile heureux et amoureux, Jéricho perd le contrôle.

Précision exigée: je trouve ça très moyen, moi, perdre le contrôle. S'il te plaît, je t'implore d'être soft avec moi et mon petit cœur dans les pages à venir.

— Tu crois que c'est une maladie? demanda-t-il à Sybelle. Que ça se soigne?

— Quand tu aimes, tu le fais pas à moitié, c'est vrai, mais, je te rassure, c'est pas un cas de médication. Sois prudent et prends ton temps, c'est tout.

— De toute façon, je ne *veux* pas être amoureux.

— Alors, ne la touche pas. Si tu baises avec elle, c'est foutu. Tu flancheras, c'est sûr.

— À ce point- là ?

— Tu n'as pas vu ton regard s'illuminer, tantôt, quand tu m'as annoncé à quelle heure son avion atterrissait… Encore ! Tu viens de refaire ton petit sourire gêné que tu camoufles si mal ! Tu es cuit.

— Wow… Même après tout ce temps, tu me décodes les yeux fermés… OK, je suis prêt à *essayer* de ne pas baiser avec elle. Non mais, tu m'entends parler ? Je ne me reconnais pas. Si Conrad était là, on serait déjà en train de faire une liste des positions sexuelles possibles dans un VR…

— *Sorry, honey*, mais t'es ici, avec moi, ton plus grand amour à ce jour. Et ça fait remonter en toi des souvenirs émotifs.

— Et moi, suis-je ton plus grand amour aussi, ma belle star des montagnes ?

— Tu seras toujours mon premier grand amour, répondit Sybelle en posant la tête sur la cuisse de Jéricho.

Naturellement, il se mit à jouer dans ses cheveux jusqu'à ce qu'elle ait la mauvaise idée d'ouvrir une bouteille de bulles. Champagne + cognac = cocktail suicidaire. Tous les deux sont tombés archi-ivres en précisément trente minutes, mais personne n'a dormi.

Ils ont passé le reste de la nuit à se dire adieu dans une des quatre chambres d'amis du château de Sybelle. Puis le réalisateur est parti en taxi, complètement paf, avec la caméra, le trépied, les piles, sa valise, son portable et une sale gueule.

#professionnalisme = 0

MONTRÉAL
Même moment

— Tu ne pensais quand même pas qu'on te laisserait partir sans un petit surprise-party, grande folle ? s'écria Ludo en tapant des mains énergiquement.

À l'arrivée de Charlotte chez son ami, où elle laissait Pierre Lambert et Kodak en pension, ses garçons étaient tous là, avec des bulles et un *kit* de survie complet pour son «expédition» en VR. Ils lui avaient TOUT acheté.

— Moi, je te donne une petite trousse de premiers soins pour que tu puisses soigner ton beau réalisateur, précisa Réjean avec son ton paternel caractéristique.

Fafa tendit ensuite à Charlotte un sac sur lequel étaient imprimés des dizaines de modèles de chaussures à talons hauts.

— Wow, je peux garder le sac ?!?

— Niaiseuse, c'est juste l'emballage ! Bon, ouvre-le…

À l'intérieur, une trousse porno digne de la plus prolifique actrice XXX. Du lubrifiant, un vibrateur, des condoms à la tonne[30], de l'huile à massage, des romans érotiques, le *Kamasutra* et l'incontournable bobette mangeable.

— MERCIIIIII !!!! s'exclama Charlotte en riant aux larmes.

— Voici pour toi, ma chérie, une belle collection de mignonnettes. Ces superbes minibouteilles d'alcool se dissimulent très bien dans un sac à main ou dans un soutien-gorge ! lança Jesús quand vint son tour.

— Je ne réussirai jamais à tout apporter ça avec moi !

— Tu as combien de valises ?

— Neuf.

---

30. Conseil épargne du jour : fais-toi tout de suite un ami homo qui se tient dans les bars gais, là où les capotes sont gratuites !

— NNEEEUUUFFF???? (Exclamation en chœur, typiquement gaie.)

Une valise, deux valises c'est pas assez
Il m'faut ma 9 piece luggage set
Une valise, deux valises c'est pas assez
Il m'faut ma 9 piece luggage set

9 Piece Luggage Set
@laradioradio

— J'exagère… j'en ai quatre! précisa-t-elle avec un clin d'œil.

— Super, alors tu vas pouvoir semer tes mignonnettes un peu partout.

— Jesús, tu en as acheté soixante! s'exclama Charlotte, l'air faussement excédée. Pas le choix, je vais devoir en boire quelques-unes tout de suite…

Joignant le geste à la parole, elle but cul sec une vodka.

Charlotte, tu ne te rappelles pas que: alcool + avion = NON? Tsé, la fois où tu as fait une chute de pression en plein vol, parce que tu n'avais pas dormi depuis vingt-quatre heures et que tout ce que tu avais ingéré était du rhum?

Du calme, madame, ça va, j'ai compris. C'est pas nécessaire de me caler davantage en ressassant de mauvais souvenirs[31].

---

31. Ah non, tu ne commenceras pas ça toi aussi? Déjà assez de l'autre qui intervient à tout bout de champ… Hors de question que je devienne «Tourette» et que mes personnages se mettent à prendre le contrôle de mon récit!

« L'autre », c'est qui ? Jéricho ? Comment ça se fait qu'il intervient dans MON récit de vie ? Ce n'est pas un roman de filles que tu écris ?

...

Allô ? Arrgghh !!!!! J'en ai marre ! Je déteste qu'on ne me réponde pas. Je te souhaite le syndrome de la page blanche jusqu'à la fin du livre[32] !

— Alors, laquelle des trousses de survie vas-tu utiliser en premier ? demanda Ludo, impatient. Avoue que tu rêves d'essayer les capotes !

— Il faudra que tu nous racontes TOUT ! ordonna gentiment Fafa.

— Ah oui ? Je dois *tout* vous raconter ? Désolée, je ne savais pas... Vous êtes en retard dans les nouvelles, j'ai vu son pénis...

— PAAAARRRDON ???

— KKKKKEEEEEEOOOOIIII ??

— TU ME NIAISES ?????

Difficile d'affirmer qui avait dit quoi dans ce débordement de décibels.

— On a nagé nus dans le lac, au *shack*. Tout ça parce que j'ai nourri mon vice alcoolique, une fois de plus, précisa Charlotte.

— Depuis quand tu oublies de nous dire que Jéricho et toi êtes allés au *shack* ?!? se fâcha Fafa.

— Je suis dé-so-léééééééé, les implora-t-elle. J'ai été vraiment dans le jus avant mon départ... J'ai oublié de vous tenir au courant. Pour votre information, l'endroit a été rebaptisé : c'est rendu le *shack*-fraisinette.

Charlotte prit quelques minutes pour leur raconter comment Jéricho avait transformé les lieux, comme investi d'une mission.

---

32. Derrière un clavier, dans l'environnement cliché de l'auteure qui écrit dans son chalet, isolée de tous en pleine forêt, on entend un grand rire éclater. Se faire envoyer chier par son personnage : *done* !

— Il n'a pas fait tout ça pour rien, il te veut dans sa couchette à roulettes, c'est sûr! lança Jesús, tout fier de son «jeu de rimes».

— Justement, pourquoi je n'en profiterais pas un peu, hein? Une fille a bien le droit d'avoir envie du corps d'un aussi beau gars?

— *That's my girl*! fit Ludo, enthousiaste. Un point pour l'animatrice cochonne!

— Il était temps que tu l'admettes! renchérit Réjean. On en parle tout le temps, entre nous, et on le sait que t'attends juste ça!

— Est-ce que ça vous arrive d'avoir d'autres sujets de conversation que ma vie sexuelle?

— On finit souvent par parler de pénis, il faut l'avouer, mais là, on va pouvoir parler de celui de ton beau réalisateur! renchérit Réjean.

— Et l'extraconjugal, lui, qu'est-ce qu'il a dit de ça, que tu partes pendant un mois? demanda Ludo.

Les adieux avaient eu lieu la veille et les garçons attendaient patiemment qu'elle leur en parle. Cette histoire était terminée et elle leur annonça la nouvelle sans détour. À son retour des USA, elle emménagerait (enfin) dans son nouveau condo et elle n'avait pas prévu de donner sa nouvelle adresse à l'extraconjugal. Il resterait un souvenir de son ancienne demeure. Après tout, il appartenait aux murs, en quelque sorte, et il n'aurait pas sa place dans sa future maison.

Les mots n'avaient pas été nécessaires, entre eux. La petite face piteuse de son amante avait dévoilé ses intentions à l'homme marié. Il avait aussitôt demandé, l'air résigné:

— C'est la dernière fois qu'on se voit, hein?

— …[33]

— Je savais que ça s'en venait…, avait-il ajouté tristement. Une nouvelle vie s'ouvre à toi.

---

33. Insérer ici une deuxième petite face piteuse de Charlotte.

— Ça va faire drôle de ne plus te revoir, mais c'est mieux comme ça, tu serais sûrement tombé amoureux, de toute façon, avait-elle soupiré avec un demi-sourire, en lui flattant tendrement la joue d'une main.

Ce disant, elle avait pensé: «Moi aussi, je serais tombée amoureuse de toi si je n'étais pas partie...». Mais elle ne lui avait pas parlé de ses sentiments, car elle avait pris conscience d'avoir franchi le point de non-retour.

«Point de non-retour»? Houla, pourquoi utiliser trois mots au lieu d'un seul? «Situation impossible», ça ne te tentait pas[34]?

Voilà, tout avait été dit entre eux. La dernière page de leur histoire venait d'être écrite.

Wôôôô! Tu peux mettre la pédale douce sur le roman-savon, l'odeur de lavande et les papillons qui virevoltent? Je peux te l'assurer: je ne serais pas tombée amoureuse de lui[35].

Il est MA-RI-É, tu le sais, c'est toi qui l'as créé, ce personnage-là, non[36]?

Non, il ne l'aurait pas laissée parce qu'ils ne les laissent JAMAIS. Pas besoin d'être dans un livre pour savoir ça...

---

34. Être auteure, c'est aussi accepter de ne pas toujours être traitée gentiment par ses personnages, mais continuer de nourrir pour eux un amour inconditionnel.
35. Ah bon? Qu'est-ce qui te fait dire ça?
36. Il aurait peut-être fini par laisser sa femme?

VANCOUVER
Lendemain matin

À l'aéroport, lorsque Jéricho vit Charlotte et son chariot rempli de valises, ses jambes lâchèrent. Sérieuse faiblesse. «L'évacuation de l'alcool de mon sang serait souhaitée, *right now*. Merci, mon cher corps, d'enregistrer ce commandement et de l'exécuter», pensa-t-il.

— Ça va, Jéricho? Tu as les yeux tout rouges! On dirait que tu as pleuré…

Voici ce que l'animatrice pensa vraiment: «Je rêve ou il a bu?»

— Non, non. Excuse-moi, j'ai eu une grosse soirée.

— Tu veux qu'on s'assoie un peu?

— Surtout pas, c'est ridicule, tu viens de passer cinq heures assise. Laisse-moi seulement aller à la salle de bains deux minutes, OK? Je reviens tout de suite…

L'heure était grave et une mesure extrême s'imposait.

Deux doigts au fond de la gorge, Jéricho se retrouva penché au-dessus d'une toilette publique: image glorieuse, s'il en est une…

#affreux

Il se sentit vite mieux. Brossage de dents intensif + jet d'eau froide dans le visage = air plus présentable. Charlotte parut soulagée de le voir revenir en meilleur état. Dans le taxi les conduisant à leur VR, il lui raconta sa soirée de la veille, omettant bien sûr certains détails concernant la tournure sexuelle de ses retrouvailles avec Sybelle.

Puis le sujet bifurqua sur leur projet télé. Jéricho étant habitué, par son travail, à prendre le contrôle, et Charlotte, à suivre les directives, ils n'eurent pas à discuter longuement du rôle qui leur revenait dans cette «association».

— Après avoir récupéré le VR, on devra arrêter faire l'épicerie, annonça Jéricho. Là, on commencera à tourner.

— Quoi ?! C'est intéressant de me voir choisir mes tomates ?

— J'ai bien peur que ce soit en partie le but de l'émission, d'entrer dans ton intimité, tu te souviens ?…

— C'est vrai… mais est-ce qu'on peut aller faire une première épicerie normale, sans caméra ? Et, si on manque de matériel à un moment donné, on y retournera, OK ?

— Ça peut s'arranger, tout dépend du réalisateur, lança-t-il avec un clin d'œil. Mais je dois filmer le moment où tu entres dans le VR pour la première fois.

— T'es sûr ? Je suis exténuée et cernée à cause du stress des derniers jours… On ne peut pas passer une soirée relax à s'installer et à se faire un petit souper ? On tournera la scène demain, comme si de rien n'était, et j'aurai la parfaite réaction de surprise en voyant ma nouvelle « maison » !

— *Deal !* En plus, la lumière sera meilleure.

Rusée, Charlotte savait orienter l'émission à son avantage. L'adorable princesse connaissait son métier…

« Elle sera parfaite. Ça va marcher fort, tout le Québec voudra la voir dans sa télé. On aura des cotes d'écoute débiles… On pourrait même viser l'international[37] ! »

#enthousiasmedébordant

De son côté, assise sur la banquette inconfortable du taxi, Charlotte était dans un tout autre état d'esprit. Dans sa tête, des questions fusaient à la tonne. « Ça se conduit comment, un Winnebago ? » « Est-ce qu'on va avoir chacun notre chambre ? » « Ça fonctionne comment, les toilettes ? » Pertinentes questions… qu'elle aurait dû poser avant de dire oui au projet. Au travers de toutes ces interrogations, la voix de sa grand-mère adorée lui fit part d'une de

---

37. Et si on commençait par arriver au camping et par mettre la clef dans le VR, avant de se la jouer international ?

ses fameuses expressions inventées : « Ce n'est pas une fois que tu en as jusqu'à la taille que c'est le temps de te demander si l'eau de la rivière est froide, ma petite-fille ! »

Prête à avoir l'air un peu niaiseuse, elle se risqua à demander à voix haute :

— Où est-ce que je vais prendre ma douche ?

— Tu vas avoir deux choix : soit dans le VR, soit dans les douches publiques des campings où nous nous arrêterons. As-tu apporté des gougounes pour éviter d'attraper des verrues, sur tes petits pieds sexy ?

— Ça y est, je vais vomir !!!! s'écria Charlotte, dégoûtée.

Sa réaction suscita un éclat de rire instantané chez le réalisateur.

BAM ! L'animatrice princesse venait de comprendre d'un coup la réalité dans laquelle elle vivrait pendant quatre semaines : pas de douche, pas de place, pas de confort, pas d'intimité. Rien de familier.

MÊME JOUR, FIN PM
RV Park

Le spectacle d'un « camping » de VR fait peur. Très difficile de décrire la réaction de quiconque en voit un pour la première fois. C'est à l'opposé de tout ce qu'avait pensé Charlotte.

— Il est où, le camping ? demanda-t-elle à Jéricho en voyant la centaine de motorisés stationnés en rang d'oignons sur un terrain vague asphalté. On est dans un stationnement de démonstration de VR, c'est certain !

— Je suis triste de t'annoncer qu'on est *vraiment* au camping réservé par Colie. Veux-tu aller au bureau d'accueil pour nous enregistrer ?

Jéricho sortit une caméra grosse comme un téléphone de sa poche et ajusta différents réglages.

— Le cabanon beige à côté de la machine à liqueurs ?

— J'imagine… je vois rien d'autre qui pourrait s'apparenter à un bureau dans les environs.

Charlotte revint deux minutes plus tard, brandissant une enveloppe brune à son nom, tout sourire pour la caméra braquée sur elle. Tant qu'à avoir accepté d'embarquer dans cette folle aventure, aussi bien donner aux téléspectateurs ce qu'ils voulaient voir !

— Il n'y a même pas UN seul arbre à des kilomètres à la ronde ! Pas de gazon non plus ! Rien, juste de l'asphalte. Moi qui pensais courir après les lièvres demain matin… Hahaha !!!

Jéricho arrêta de filmer pour ouvrir l'enveloppe, dans laquelle il trouva un courriel imprimé.

Salut, mes deux collègues adorés !! J'ai hâte que vous voyiez le Winnebago et que vous me disiez à quoi il ressemble.

Alors, Charlo, comment trouves-tu le camping ? Ça fesse, hein ? Pffffittt ! disparue, la forêt enchantée ! Vois ça du bon côté, ma chérie : OUT, l'idée d'être dévorée par un ours !

Demain, une belle journée d'activités vous attend grâce à moi, alors ne vous couchez pas trop tard et, surtout, ne faites pas de bêtises que je ne ferais pas moi-même.

Je vous aime et j'attends de vos nouvelles !

Mélancolia xxx ♥

Charlotte éprouva alors son premier malaise. À quoi avait-elle pensé? Ce n'était pourtant pas son genre d'accepter un projet les yeux fermés, sans trop s'informer d'abord... Elle avait bien reçu par courriel tous les rapports de recherche de Mélancolie, la liste de ses contacts, les activités sélectionnées... Avait-elle ouvert ces courriels et regardé les photos envoyées? Non. Elle avait fait aveuglément confiance. Oui, le travail sera somme toute simple. Mais l'adaptation, elle?

À bout de nerfs, fatiguée et submergée par une foule d'émotions contradictoires, l'animatrice s'écria, à mi-chemin entre l'hystérie et l'hilarité:

— J'ai-tu l'air d'une fille de parking, moi?

Fille de parking. Le titre du premier épisode de la série venait d'être trouvé.

La soirée se déroula à peu près comme Jéricho l'avait imaginé. Tranquillement, Charlotte et lui apprivoisèrent la vie de colocs, d'abord en décidant où ranger la bouffe, l'alcool et les vêtements dans le VR.

Sitôt le pied posé dans le véhicule motorisé, le réalisateur installa son système de son sans fil, qu'il relia à leurs iPod respectifs. Pendant que Charlotte vidait encore sa première valise, il termina de fixer deux caméras permanentes à l'intérieur.

— Jéricho, il n'y a pas de garde-robe de grandeur normale, ici! Et j'ai assez de chaussures pour remplir tous les motorisés des alentours! Qu'est-ce que je vais faire?

En vérité, il n'y a pas grand-chose de taille «normale» dans un VR. Même si l'engin fait trente pieds de long et qu'on rage quand on essaie de le stationner ou de changer de voie dans le trafic, tout y est minuscule. La chambre de Charlotte (c'est vite dit... parlons plutôt d'un lit double placé derrière une porte accordéon) était à l'arrière du véhicule. Quant à Jéricho, il dormait dans un lit ne permettant aucun mouvement, situé en haut du cockpit.

La quoi? Salle de bains?? Ha ha ha, j'adore ta belle naïveté, cher lecteur! Dans un VR, la «salle de toilette» est grande comme un frigo et, quand tu es assis sur la toilette en gros plastique beige, les genoux t'accotent dans le lavabo, de la taille d'une assiette. À dessert. La douche? En dehors de la «salle de toilette», dans le minicouloir (traversé en trois pas), collée sur le vrai frigo.

Jéricho ne fut pas surpris le moins du monde par le commentaire de la belle animatrice concernant la taille de la garde-robe. Il savait comment réagir avec doigté.

— Il y a plusieurs coffres de rangement, à l'extérieur, répondit-il avec candeur. Tu peux les utiliser si tu veux...

Mentalement, Charlotte faisait de gros efforts pour ne pas être trop chiante et se concentrer sur le positif. L'offre que Jéricho venait de lui faire tombait donc à point.

— Tu me laisses *tous* les coffres extérieurs?

— Moi, deux tablettes pour mes vêtements et je suis heureux. Il me faut aussi une partie de la garde-robe pour le matériel technique, qui doit rester à l'intérieur. J'ai trop peur de la pluie et des vols.

— *Yeah!!!!!!!!!*

La vie redevint vivable d'un coup. Le Winnebago se transforma en *walk-in* sur roues de Charlotte. Elle occupa rapidement tout l'espace. À un point tel que Jéricho, voulant prendre une pile, ouvrit une armoire et paf! se prit «malencontreusement» un tas de soutiens-gorge au visage.

— J'aime ma job! lança-t-il, reconnaissant, en admirant les dessous en dentelle de la belle animatrice.

Charlotte passa la demi-heure suivante à essayer de comprendre le fonctionnement de la toilette. Elle n'avait aucune idée de la façon de tirer la chasse et était trop gênée pour le demander à son coloc. Une fois la petite pédale sous le siège repérée, elle l'actionna trop rapidement. Le papier coinça dans la trappe et la toilette l'éclaboussa avec son propre fluide.

— AAAARRRRKKKKEEEEEEE!!!!!!!!!!!

— Quoi? Mes pâtes au pesto sentent si mauvais? fit Jéricho, amusé.

Riant de découragement, l'animatrice sortit du microscopique espace, la frange mouillée, en s'exclamant :

— OK, j'ai besoin d'un verre de vin !!!!!

Le souper servi, Charlotte ouvrit une bouteille derrière Jéricho, c'est-à-dire (espace restreint dans un VR oblige) le visage carrément sur sa nuque.

Les syllabes «mi-nus-cu-le» flottaient dans l'esprit du réalisateur quand il pensait à leur espace vital des prochaines semaines. Peu importe où elle se trouvait dans le motorisé, Charlotte restait dans son champ de vision. Dans le VR depuis seulement trois heures, il avait déjà remarqué deux mimiques faciales de sa coloc, promiscuité aidant.

1) Elle bouge le nez comme un petit lapin quand elle est indécise ;

2) Ses sourcils se froncent quand elle s'interroge. (Surtout, ne jamais le lui dire, elle aurait peur des rides prématurées.)

Ils s'installèrent dehors pour manger, sur la table à pique-nique, à la lueur d'une chandelle à la citronnelle.

— À cette aventure, Jéricho Lamoureux ! lança Charlotte, souriante, en levant son verre.

— C'est la première fois que tu dis mon nom au complet…

— On est colocs, maintenant, faut bien que je m'y habitue.

— Il est si laid que ça, mon nom ?

— «Si» ? Déjà que «Jéricho», c'est surréaliste, «Jéricho Lamoureux», ça devrait être illégal.

— À ta santé aussi, Charlotte Clément ! J'ai une idée… On devrait filmer toutes les fois où tu me casses avec tes répliques assassines et en faire un palmarès pour les téléspectateurs. Un genre de bonus pour le dernier épisode…

— «Assassines» ? répéta-t-elle, surprise. T'exagères pas un peu ?

— Non. Désolé, mais, maintenant qu'on est colocs, c'est zéro *bullshit* entre nous. Changement de sujet : as-tu réussi à ranger toutes tes cochonneries, finalement ?

— Eille, je n'ai apporté AUCUNE cochonnerie, tu sauras ! Oups… Tu as raison, mon ton peut être parfois assez bête. Je ne m'en rends pas toujours compte. C'est comme si mon cerveau n'envoyait pas à ma bouche la bonne intonation à prendre. J'ai appris à le contrôler quand j'anime, mais le naturel revient vite.

Pour la première fois, Charlotte formulait à voix haute cette réflexion. Elle mettait son âme à nu avec Jéricho… zéro *bullshit*.

— Tu es une grande dame, Charlotte Clément, et j'honore ta franchise. Je te remercie d'être vraie avec moi.

WÔÔÔÔ !! Que tu fasses de moi un romantique fini, d'accord, je n'ai rien à y redire. J'accepte même de passer pour un « kouétaine » au cœur mou, mais je ne suis jamais aussi téteux ! « J'honore ta franchise » ?! Vraiment ? Faudrait quand même se garder un peu de crédibilité ! Moi, je dis ça pour toi, c'est toi l'auteure, c'est toi qui auras à défendre tes personnages[38].

De « nous » laisser le droit de parole ? Alors, Charlotte sait qu'elle est dans un roman[39] ?

— Tu es une grande dame, Charlotte Clément, ~~et j'honore ta franchise~~. Je te remercie d'être vraie avec moi.

Oui, c'est mieux, merci. Tu ne répondras pas à ma dernière question, hein[40] ?

Conscient d'en avoir dit un peu trop, Jéricho changea prestement de sujet :

---

38. Je me doutais bien que c'était une mauvaise idée de vous laisser le droit de parole, aussi !
39. Tiens, je change la phrase. C'est mieux comme ça, monsieur le personnage capricieux ?
40. Tu me connais déjà si bien… ☺

— As-tu pensé à apporter de l'alcool ?

— Oh oui, monsieur ! J'ai réussi à faire passer plusieurs minibouteilles dans mes valises.

— Ce serait permis de fouiller dans votre réserve, madame ?

— Avec plaisir, elles sont derrière vous.

— Dans ce coffre-là ?

— Oui.

Un rire éclaboussant de mâle retentit au centre de la forêt de VR. Sans le savoir, Charlotte avait mis son alcool dans le coffre où sont rangés les tuyaux servant à faire la vidange d'eaux usées. «De toute évidence, elle ne connaît rien à rien aux VR ! » pensa Jéricho avant d'expliquer patiemment à l'animatrice l'absurdité de son geste.

— Quoi ? Il faut vider les toilettes ? C'est dégueulasse !!! Oh non, mes pauvres mignonnettes vont sentir la mar... AAAHHHHH !!

Pour la calmer, Jéricho lui resservit du vin et s'empressa d'aller chercher une boîte à l'intérieur pour y mettre les bouteilles.

— Onnnnhh ! Celle-là ne rentre pas, on va devoir la boire, fit-il avec une fausse mine désolée après avoir rempli la boîte.

Plusieurs autres mignonnettes ne «rentrèrent pas» et ils firent des ravages dans le minibar de l'animatrice. Et ce n'était que le premier soir !

Engourdie par l'alcool, Charlotte se coucha dans son nouveau lit inconfortable et recouvert d'une épaisse housse de plastique.

#joiededormiraveclimpressiondêtreàlhôpital

Quant à Jéricho, il savait s'adapter à n'importe quel environnement. C'était même sa plus grande qualité. Par le passé, il avait eu à dormir dans des tentes, sur des racines peu accueillantes, dans des hamacs de la taille d'un linge à vaisselle, sans parler des chambres d'hôtel «coquerelles incluses». Étonnamment, le divan-lit du VR battait tous ces rois de l'inconfort absolu. Un panda y avait probablement fait une sieste pendant les six derniers mois. Si Jéricho se couchait sur le ventre, ses fesses venaient saluer sa nuque et son corps prenait des allures de banane.

Mais ce n'était rien à côté de l'ultime surprise :

«Non, c'est pas vrai!! C'est bien elle que j'entends? Charlotte Clément RONFLE??? Madame l'animatrice n'est pas parfaite? Comment un bruit aussi fort peut-il être produit par un visage si angélique?»

Sur son lit d'hôpital, la «porte» de la «chambre» fermée, Charlotte *bad tripait*. «C'est quoi, ce moteur d'avion? Il ronfle? Qu'il me traite de princesse au petit pois s'il veut, mais, demain, je lui achète des bandes autocollantes pour le nez. Non mais, ce n'est pas permis, être aussi beau et bruyant à la fois!»

VANCOUVER
Lendemain matin

Dans la douche commune du camping, Jéricho fit connaissance avec les grosses fesses de messieurs ses voisins. «*Nice!* À cet âge-là, moi aussi je vais pouvoir laisser Madame la V sécher au grand air et économiser sur les serviettes», pensa-t-il.

À son retour, sa coloc était déjà sur son iPad, en train de lire à voix haute le dernier courriel de Mélancolie.

Salut, mes amis! C'est aujourd'hui que la grande virée commence. Bienvenue à Charlo en Winnebago.

— Pffff, *Charlo en Winnebago!* Elle est vraiment niaiseuse, la Colie, se moqua Charlotte en levant les yeux au ciel. D'ailleurs, c'est quoi, le titre de l'émission? Est-ce que vous l'avez trouvé?

— Euh… ben, c'est ça, là… elle vient de te le dire.

— Noooon!?! Vous me niaisez, tous les deux, hein? *Please*!! Réponds oui!!

— Hé hé! Oui, je te niaise, le titre n'a pas encore été trouvé. On va sûrement avoir un flash ensemble pendant le tournage.

Charlotte poursuivit sa lecture du courriel.

JOUR 1 – ÉPISODE 1

7 h 00	Lever et préparation du matériel technique.
8 h 00	Départ du camping.
8@10	Tournage dans le Winnebago. Charlo nous fait faire le tour de sa nouvelle maison et elle conduit pour la première fois.

— Super! Je n'ai même pas fini de déjeuner et on serait déjà supposés avoir deux heures de matériel d'enregistrées! soupira Charlotte, un peu irritée par l'horaire matinal de Mélancolie.

Heureusement pour elle, Jéricho n'est pas du genre *rushant*. Il reste cool en tout temps. Pourtant, il aurait eu des raisons de s'énerver. Après tout, il avait la totale paternité de l'émission et la réussite de celle-ci reposait sur ses épaules. Charlo avait beau être la plus sympathique des animatrices, si la recherche entourant l'émission était médiocre, si le montage n'était pas efficace, elle n'y pouvait rien. Son travail d'animation avait ses limites, au contraire de celui de réalisation.

— On doit quand même essayer de s'activer un peu, j'ai tellement hâte qu'on commence! lança Jéricho avec enthousiasme. Je me sens comme un petit gars de quatre ans devant ses cadeaux de Noël encore emballés.

— Haha, t'es *cute*! J'avoue que moi aussi, j'ai hâte de partir… Aussi bien y aller, alors! Pour le meilleur et pour le pire.

> *Me revoici au commencement*
> *Au début de l'action, du mouvement*
> *Sur la ligne je danse, tout est possible, je pense*
> *Et je coche présent*
>
> *Je sais rien de ce qui m'attend*
> *Je fais le vide je regarde devant*
> *C'est le moment je m'avance sur la ligne je danse*
> *Et je me lance maintenant*
>
> *Ohhhh et c'est un départ*
>
> *Et à fond et à fond et à fond et à fond*
> *Je file comme un météore*
> *Et c'est fort et c'est fort et c'est fort et c'est fort*
> *Ce retour à nulle part*
> *Et si c'est long de rebâtir l'histoire*
>
> *Ben c'est un départ*

Et c'est un départ
 @vvallieres

Ça devait bien être la vingtième fois qu'ils chantaient la chanson de Vallières, criant à s'en décrocher la mâchoire. Charlotte pour se donner du courage, Jéricho pour se détendre.

Pourtant, au départ du camping, l'ambiance dans le cockpit avait été tendue. Tous deux avaient hésité entre parler, laisser le silence s'installer ou écouter de la musique. La troisième option s'était imposée toute seule.

Jéricho avait filmé chaque seconde du grand départ de Charlotte derrière le volant.

— Vous allez assister, en même temps que mon coloc réalisateur, Jéricho Lamoureux, à ma première expérience au volant d'un VR! avait commencé Charlotte. T'es prêt, copilote? On va faire un beau tour de machine!

La toute première scène était à peine tournée que déjà, après neuf mots, elle avait nommé le nom complet de Jéricho. Pendant une seconde, il l'avait détestée.

#aurevoiranonymat

— Mesdames et messieurs, bienvenue à *Un beau tour de machine*[41]! lança Jéricho à la blague.

Tu vois, j'ai longuement réfléchi… NOT! Si Charlotte est pour être aussi parfaite dans son rôle d'animatrice, aussi bien embarquer moi aussi.

— Haha! Je vous l'avais bien dit, hein, qu'on finirait par entendre sa voix chaude et suave? se moqua Charlotte en s'adressant aux futurs téléspectateurs. Ouiii! Ce sera le titre de l'émission!

Au premier virage prononcé, on entendit une multitude de trucs tomber à l'arrière du véhicule.

— Oh non! Est-ce que mon iPad est tombé, Jéricho? s'écria Charlotte, paniquée. Je ne peux pas regarder!!!

— Euh, sûrement. *Tout* est tombé, répondit-il, hors champ. Arrête-toi pour qu'on aille ramasser…

Jéricho prit le temps d'arrêter la caméra, cette fois, avant de reprendre la parole:

---

41. Cette réplique masculine est bien de toi, mon cher personnage? La caméra tourne, pourtant… Tu es conscient de prendre du plaisir à la coanimation?

— N'oublie pas que je fais du montage et que ce n'est pas exclusivement réservé aux scènes ratées de la comtesse Clément.

Après avoir remis les objets à leur place dans les armoires de la cuisine, Jéricho entreprit d'empêcher les portes de se rouvrir.

— Regarde-nous! Deux débutants en VR! Ça devrait être ça, le titre du show! Hehehe!

Elle prit la caméra portative et se filma à la blague.

— Maintenant, mesdames et messieurs, bienvenue à *Charlo ramasse dans son Winnebago*!

— Va donc faire un tour dans le frigo, juste pour le fun... ça doit avoir bougé là-dedans aussi. Attention d'ouvrir lentement la porte, si tu ne veux pas avoir du jus de *pickle* sur tes Jimmy Choo à quatre cents dollars!

VANCOUVER à VICTORIA
GPS : 112 km / 3 h 01
Temps réel : 143 km / 4 h 40[42]

Le lendemain après-midi, le duo arriva à Victoria. Charlotte n'avait pas été difficile à convaincre quand Jéricho lui avait proposé un petit détour dans le Canada, juste pour aller voir la mer. Après avoir réussi l'épreuve du traversier haut la main, l'animatrice demanda aussitôt à arrêter à la pharmacie, au grand bonheur de son coloc, qui allait pouvoir s'acheter des bouchons pour mieux dormir la nuit venue.

— Est-ce que c'est gênant, ce que tu as à acheter? s'enquit-il. Parce qu'on pourrait filmer...

— Ça peut être gênant pour certaines personnes, mais pas pour moi..., laissa-t-elle planer avec un sourire en coin.

---

42. En VR, n'importe quel trajet prend plus de temps à être parcouru.

Jéricho la suivit donc à travers la pharmacie, ramassant discrètement ses bouchons au passage. Il préférait ne pas informer Charlotte de ses disgracieux ronflements de princesse.

«Alléluia!» pensa-t-il quand il la vit s'arrêter devant les bandes antironflements. «Elle est consciente de son problème!»

C'est à ce moment précis que l'animatrice se tourna pour s'adresser à la caméra:

— Vous savez, avoir un coloc – dans un VR ou ailleurs –, c'est devoir apprendre à vivre avec ses petits travers. Ne vous faites pas de fausses idées à mon sujet, ces bandes nasales ne sont pas pour moi, mais plutôt pour monsieur le réalisateur aux ronflements bruyants. Tiens, Jéricho, essaies-en une, je pense que c'est ta taille, le nargua-t-elle en riant.

— Attends, je pensais que c'était toi qui ronflais! Regarde, j'ai même pris des bouchons!

— Quoi? Tu me pensais capable de produire autant de décibels? rétorqua Charlotte mi-offusquée, mi-crampée. Donc, je constate avec stupéfaction que voyager en VR, c'est aussi dormir dans le même lit que ses voisins de camping!

DÉPART +6 JOURS
Victoria, Colombie-Britannique, à Seattle,
Washington
GPS: 172 km / 4 h 24
Temps réel: 243 km / 6 h

Les jours se suivaient, les kilomètres aussi. Rapidement, Jéricho et Charlotte s'habituèrent à répondre aux questions répétitives des gens rencontrés: «Vous allez où?» «Quelle est votre destination favorite jusqu'à maintenant?» Les plus curieux s'aventuraient à leur demander s'ils formaient un couple. Au début, ils répondaient illico en chœur: «Non!» sur la défensive. Avec le temps et l'habitude, ils en étaient venus à répondre seulement par un hochement de tête négatif, avec le sourire.

La routine s'était installée et l'ambiance était *chill*. Aux yeux de Charlo, Jéricho était le parfait copilote, le parfait réalisateur, le parfait… *lover*? Cette dernière question n'avait pas encore été élucidée dans son esprit. Des fois, elle avait l'impression qu'il ne la voyait pas, s'il n'avait pas la caméra devant l'œil. Elle aurait voulu plus, mais ne savait pas comment s'y prendre. Étrange sentiment. Rarement s'était-elle sentie aussi dépourvue devant un gars.

Autant leur relation était platonique, autant ils agissaient de plus en plus comme un couple. Et un couple n'est pas toujours d'accord sur tout…

Un exemple: Jéricho ramassait toutes les traîneries de Charlotte à la seconde où elle les déposait quelque part dans le VR et ce petit côté paternel tapait royalement sur les nerfs de la princesse.

Pour sa part, Jéricho considérait le motorisé comme un espace de travail. «Après tout, quand il pleut, on doit faire les entrevues à l'intérieur!» se disait-il. L'ordre devait donc y régner en tout temps. Concept que la belle animatrice bordélique n'avait pas encore intégré…

Ce jour-là, ils venaient de s'envoyer en l'air. Au sens propre, pas au figuré… Jeu de mots facile pour dire qu'ils avaient sauté en parachute. Le vertige de Charlo s'est joint à eux dans l'avion au mauvais moment, juste comme elle allait sauter. Pour la caméra, elle donnait dans l'autodérision, mais, en réalité, elle mourait de peur!

De retour au VR, Jéricho était mort de fatigue et Charlotte, elle, était irritée/irritable/exténuée/toutes ces options. Ingrédients à ne pas mélanger… Mélancolia allait avoir de ses nouvelles!

— Je rêve ou la Mexicaine me prend pour une marionnette? J'ai l'impression qu'elle me garroche dans les pires activités juste pour le fun! Si je fais du parachute au troisième épisode, ça va être quoi pour le reste du show?

— Je vais lui parler pour qu'elle se tranquillise l'activité.

— Jéricho, c'est correct, tu peux prendre un *break* du ramassage, dit-elle sèchement en le voyant ENCORE plier ses vêtements éparpillés sur le sofa.

— No-non, t'es fatiguée, va prendre une douche. Et dans le VR, en plus; je te gâte… Je viderai le réservoir demain matin.

— S'il te plaît, laisse tout ça là, OK? insista-t-elle.

Comment lui dire qu'il en avait besoin pour se réfugier dans sa tête? Pour permettre à son cerveau de se reposer un peu, si son corps, lui, n'y arrivait pas?

— Charlo, je suis comme ça… j'y peux rien. Quand j'arrive ici et que je range, c'est parce que ça me fait du bien. Ça me rend zen. J'accepte tes qualités comme tes défauts, alors accepte que je ramasse tes cochonneries, lui répondit-il sur un ton bête pour la toute première fois.

— EILLE, CE SONT PAS DES COCHONNERIES!! JE VAIS T'EN DONNER, DE LA ZÉNITUDE, MOI!!! s'époumona-t-elle en jetant par terre tout ce qu'elle trouvait sur son passage.

Sans un mot, il passa derrière elle et ramassa chaque objet à mesure qu'il touchait le sol. Rapidement, Charlotte se sentit stupide et arrêta, consciente du ridicule de la situation. En temps normal, sans la fatigue et le souvenir désagréable de sa journée, elle aurait ri et se serait excusée. Les filles étant ainsi faites, elle se mit plutôt à pleurer.

— Pis en plus, regarde tous tes maudits Post-it PARTOUT! Tu fais une obsession des listes… J'ai l'impression de vivre dans un cahier Canada! s'écria-t-elle à travers ses sanglots.

En effet, avec le temps, les murs du motorisé avaient été peu à peu tapissés de Post-it. Fidèle à ses habitudes, Jéricho en avait collé, disons, beaucoup. C'est qu'en plus d'aimer faire le ménage, le réalisateur aimait rédiger des listes. Normal pour quelqu'un qui passait sa vie à en faire pour le travail. Listes d'équipes, listes d'idées, listes de plans de tournage… Dans le VR, cette manie se traduisait comme suit: sur chaque porte d'armoire, on pouvait lire la liste de son contenu.

Ce qui passait pour une obsession aux yeux de Charlotte n'était en fait qu'un moyen d'avoir la paix… Jéricho ne pouvait pas lui dire que c'était la seule solution pour qu'elle arrête de poser un millier de questions à la seconde.

Exemples:

— As-tu vu mes lunettes de soleil?

— Dans la salle de bains, à côté du lavabo.

— Est-ce qu'il reste du fromage?

— Dans le tiroir du centre du frigo, dans un sac de plastique blanc.

— As-tu vu mon cell?

— Tiens, prends le mien et appelle-toi.

— J'ai encore perdu mon micro et je pense qu'il était allumé… les piles vont être à plat demain!

— Je l'ai trouvé, l'ai éteint et je te le redonnerai au moment de tourner.

Essayer de responsabiliser Charlotte Clément = mauvaise idée ET perte de temps! Ce que Jéricho ne savait pas: Charlotte trouvait ça beaucoup plus simple (et moins long) de lui demander carrément ce qu'elle cherchait plutôt que de lire les deux cent quatre-vingts Post-it…

Résultat de leur dispute? Avant aujourd'hui, Jéricho était presque certain de taper sur les nerfs de Charlotte; il en avait maintenant la preuve. Et vice versa.

DÉPART +9 JOURS
Seattle, Washington

Certains jours, Charlotte aurait bien voulu prendre une pause de son rôle d'animatrice. Elle avait sous-estimé le nombre d'heures par jour où son esprit serait réclamé par la caméra et ses interlocuteurs. Heureusement, cette expérience lui apportait une nouvelle liberté qui lui faisait oublier tout le reste. Depuis le début du tournage, elle se la jouait «Charlo au naturel», *groundée*, très simple, vraie. Sa nouvelle vie étant si remplie, elle n'avait même pas eu le temps de donner de ses nouvelles à ses garçons d'amour et à sa grand-maman. Chaque soir, une fois leurs folles aventures (gracieusetés de Mélancolie) terminées, elle n'avait plus la force physique de prendre son ordinateur et de leur écrire. Tout ce dont elle rêvait, c'était de retrouver son nouveau duo de voyage : linge mou et verre de blanc.

Si celles de Charlotte étaient bien remplies, les journées de Jéricho n'avaient pas de fin. Entre la vérification des cartes de tournage, les transferts d'images sur l'ordinateur et la préparation des scènes à venir, il s'accordait peu de pauses. Conscient de la fatigue de la belle animatrice, il se sentait redevable. Alors il conduisait lors de la majorité des déplacements, sauf lorsqu'il devait filmer. Après tout, c'était en partie sa faute si elle se retrouvait dans cette situation…

Un humain normalement constitué n'aurait pas pu continuer à ce rythme très longtemps, mais, en présence de Charlotte, Jéricho jouait les superhéros. S'il avait pu, il aurait même repoussé la date de retour pour rester plus longtemps avec elle.

DÉPART +13 JOURS
Seattle, Washington, à Portland, Oregon
GPS : 328 km / 3 h 40
Temps réel : 400 km / 6 h

— *Welcome to Portland !!!!!!!!!* se réjouit Charlotte avec un petit cri aigu en voyant la pancarte de bienvenue.

Pour la première fois, ils venaient de se frapper le nez à une pancarte *No vacancy* au camping où Mélancolie leur avait indiqué d'arrêter. Ce n'était pas si grave ; ils trimballaient leur maison avec eux. Sauf que vivre en toute liberté, même en grosse machine, ça signifie aussi ne pas pouvoir se stationner n'importe où pour dormir. Ils poursuivirent donc leur route, en pleine heure de pointe, pour découvrir que se balader au beau milieu d'une grande ville au volant d'un engin de près de quatorze mètres, ça se fait moins bien qu'en MINI Cooper.

— Charlo, je vais te laisser le volant, annonça Jéricho. Ça peut être drôle de te voir conduire la machine au beau milieu des bouchons de circulation.

— D'accord, je vais t'en donner pour ton argent. Tu veux que je pleure ?

— Euh… T'es vraiment *game* de conduire ? Je disais ça pour blaguer, moi !

— Je l'avoue, j'ai la chienne. Vas-tu reprendre le volant quand on aura tourné assez d'images ?

— Avec plaisir.

Les quinze minutes qui suivirent s'inscrivirent parmi les meilleures scènes de la série. Charlotte était quasiment hystérique !

— Au secours, j'ai peur !… Non, il fait quoi, lui ? Tu ne vois pas que je mesure cinq fois ta taille, petite voiture stupide ?… Tu penses aller où, là ? NON !!… Arrêtez de me couper, ça ne freine pas comme un dix-vitesses, cette grosse boîte de tôle-là !… Moi aussi, je suis capable de klaxonner, tu sauras !!

«Peut-être qu'elle en fait trop?» se dit Jéricho en riant à s'en étouffer. La caméra bougeait dans tous les sens et plus il riait, plus elle en rajoutait. Ne jamais donner un surplus d'attention à une animatrice…

Leurs recherches pour trouver un endroit où passer la nuit les conduisirent finalement dans le stationnement d'un centre commercial en périphérie de la ville.

Eh oui, un centre commercial. Existe-t-il une destination de voyage plus *glamour*? Comment faire pour rendre un centre commercial excitant? Le visiter en compagnie de Charlotte Clément!

— JE ME SUIS ENNUYÉE DE LA VILLE!! s'exclama Charlotte aussitôt le pied posé sur l'asphalte brûlant. L'odeur du smog, les sirènes de police, les gens qui ne te regardent pas dans la rue…

— Moi aussi! Je me sens presque de retour à la maison! Ne sors pas le gars de la ville – ou la ville du gars – qui veut.

Tous deux étaient des amants de la nature, ils adoraient se régaler de paysages bucoliques, mais… à petites doses. Ils préféraient de loin la vie trépidante du béton.

— Il va falloir que je me sacrifie et que j'aille magasiner pour évaluer les magasins du coin… Onnnnh! lança l'animatrice, faussement désolée.

— Est-ce qu'on t'achète tout de suite une valise de plus, ou on attend de voir la quantité de vêtements que tu mettras sur ta carte de crédit? la taquina-t-il avec son sourire craquant.

— J'ai perdu deux soutiens-gorge…, commença Charlotte.

— … et trois culottes dans les buanderies de camping, je sais. Il y a donc urgence magasinage!

— Tu n'oublies absolument rien de ce que je dis, hein?

— Déformation professionnelle, ma chérie. J'ai la mémoire aussi grosse que le derrière du VR. Veux-tu connaître mon hypothèse quant à leur disparition? Je suis convaincu que de vieux bonshommes pervers te les ont volés. Bon, pendant que tu vas acheter tes culottes, je vais aller faire un tour du côté des restos.

— Oh non, monsieur! Pas question que tu manges des mets chinois-canadiens-bruns de centre d'achat sans moi. D'ailleurs, peux-tu m'expliquer pourquoi, même si je passe des heures assise sur mes fesses à me laisser conduire, j'ai constamment faim?!? Pfff…

— Comment tu sais que j'aime les mets chinois-canadiens-bruns de centre d'achat?

— J'ai lu une entrevue, dans une revue, avant le gala. Je retiens tout. Déformation professionnelle, mon chéri. J'ai la mémoire deux fois plus grosse que le derrière du VR.

En se rendant aux restos, ils croisèrent…

— UNE PATINOIRE[43] !!!!!!!!!! s'étouffa presque Charlotte, huit ans. Viens, je vais te faire une petite performance, tu filmeras!

Ayant passé son adolescence sur des patins, Charlotte arrivait encore à faire certaines pirouettes qu'Alain Goldberg saurait nommer. Sa camisole et son minishort la rendaient déjà on ne peut plus désirable, aux yeux de Jéricho, alors, patins en plus, ça devenait indécent. Le réalisateur la filma, passionnément. Il aimait «travailler» avec elle. Leur relation professionnelle était facile… comme s'ils faisaient équipe depuis vingt ans.

Après avoir mangé, ils profitèrent de la soirée pour visiter la ville. Portland, Oregon: un de leurs plus grands coups de cœur.

— Je veux acheter un appartement dans cette ville! rêva Jéricho à voix haute. La vie ici est simple, saine et tellement tripante.

---

43. Enthousiasme de personnage beaucoup plus intense que celui de son auteure.

Se baladant dans les rues, ils arrêtèrent dans tous les bars où il y avait un spectacle *live*, c'est-à-dire à chaque trois pas. Partout, des groupes émergents. Avec l'impression d'assister à la naissance d'un nouveau courant musical, notre duo savoura chaque note de musique… et l'alcool pas cher.

— T'as raison, c'est magique ici! Ça me fait penser à Montréal, mais en plus vert et plus paisible. C'est bizarre, parce que je ne m'ennuie pas de chez moi pour autant…

— Même chose pour moi. Imagine, je n'ai donné aucune nouvelle à mes amis, depuis notre départ. Ils me connaissent, ils comprendront que je suis débordée.

— Oui, d'ailleurs je voulais t'en parler… t'en fais beaucoup trop. J'ai l'impression que tu te sens responsable de moi, de mon bonheur, mais tu ne l'es pas. J'ai décidé d'embarquer avec toi dans ce *trip*-là, Jéricho, je ne le regrette pas et je ne reviendrai jamais sur ma décision. J'aimerais ça que tu te laisses un peu aller.

— Je te rassure tout de suite, je vais bien. C'est un fait: c'est de la job en sale, mais pas à cause de toi! Tu ne peux rien faire de plus que de continuer d'être la parfaite animatrice que tu sais être.

Semblant satisfaite de sa réponse et l'alcool aidant, elle lui prit le bras en marchant. Enfin, elle se permettait un premier contact physique.

De retour dans le VR, le cerveau de Charlotte oublia qu'il était trop fatigué et, par le fait même, oublia de se servir de son jugement… Elle n'eut alors qu'une seule envie: sauter sur son coloc, là, tout de suite. Juste *frencher*. Passer à l'action. GOGOGOGOGOGOGOGOGO!

Cette fois, la «loi de Murfille» aurait été la bienvenue. Elle aurait pu fournir à l'animatrice quelques phrases clefs du genre: «Je suis crevée», «J'ai trop bu», «Le *momentum* n'est plus là», «On est amis et ça gâcherait tout», etc.

Mais Charlotte avait bu comme une débutante, alors… Elle entra dans sa chambre avec la discrétion d'un troupeau de chevaux sauvages, avant de s'affaler sur son lit avec l'agilité d'un sumo sur une poutre de gymnastique[44].

Elle cria le nom de son coloc, du fond du VR. Son appel ressembla plus à une plainte qu'à une invitation sexy. Quand il la rejoignit, Jéricho la découvrit couchée en étoile, directement sur le plastique du lit[45].

#positiontoutsaufexcitante

— Relève-toi, ma belle, on va replacer le drap. Tu m'as appelé ?

— Je voulais savoir par quoi on commence, demain matin, réussit-elle à dire, la voix pâteuse.

— On en reparle demain, OK ? Bonne nuit, ma belle, fit-il en lui donnant un bisou dans les cheveux.

Dans sa tête de gars, Jéricho se répétait : «Ne la déshabille pas même si elle te le demande. Seul le regard est permis. Sois fort.»

— Dis-moi-leeeee !

— Visite d'un vignoble à dix heures, soupira-t-il. Dors bien, je mets un bol juste ici, à côté de ta tête, au cas…

— Un vignoble ? Eurk ! s'exclama-t-elle, avec une profonde nausée. Pitié-je-ne-serai-pas-capable. Oh, merci pour le bol, mais je pense que ça va aller.

Elle utilisa le bol plus tôt que prévu, finalement.

---

44. Abus d'images disgracieuses.
45. Tu sais que tu es en VR quand tu dois refaire ton lit dix fois par jour. À cause des virages et du lit plastifié, les draps et les oreillers se retrouvent partout, sauf sur le lit.

Le lendemain, une drôle d'ambiance planait dans le VR. Dans ces moments de malaise, Charlotte et Jéricho s'en remettaient à leurs fidèles amis les Post-it pour communiquer. L'idée leur était d'abord venue parce qu'ils trouvaient énervant de toujours devoir baisser le volume de la musique (qui jouait à tue-tête) pour se parler. Ils avaient donc commencé à s'écrire et à coller leurs messages sur le tableau de bord. Ils trouvaient leur idée géniale, en pensant que, si c'était interdit de texter au volant, ça ne l'était pas encore d'écrire !

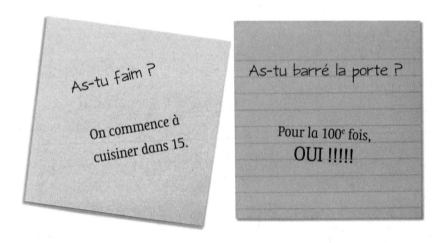

Charlotte avait une phobie des portes de VR déverrouillées. En conduisant, comme il y avait toujours un (ou des) objet qui finissait immanquablement par tomber par terre, si la porte était ouverte ils risquaient de perdre quelque chose d'essentiel, comme son *gloss* préféré, par exemple.

Sur le tableau de bord, on pouvait aussi trouver en permanence un Post-it pour chaque demande possible de la part du conducteur.

Leur plus gros « vendeur » demeurait sans contredit :

Chaque matin, ils essayaient de retarder le plus longtemps possible le moment où le conducteur s'emparerait du glorieux Post-it caféiné. C'était même devenu un jeu. Jéricho pouvait s'amuser pendant des heures à prendre le papier jaune et à le recoller ailleurs, sans que ce soit à l'endroit précis où faire sa demande. Il regardait Charlotte du coin de l'œil, sachant qu'elle avait *besoin* de sa dose quotidienne de caféine, mais qu'elle détestait devoir faire elle-même le café. C'est périlleux à préparer, sur la route ! Ça prend toute une technique !

Mais, comme Jéricho faisait tellement attention à elle depuis le début de leur *roadtrip*, c'était la moindre des choses qu'elle lui retourne l'ascenseur et lui octroie à l'occasion ce petit bonheur matinal.

J'aimerais bien lui faire tout plein d'autres genres de petits bonheurs matinaux, moi… Vas-tu laisser cette réflexion-là, madame l'auteure ?

#horny

DÉPART +16 JOURS
Eureka, Californie

Ce jour-là, pour la première fois, ils se séparèrent. Jéricho devait tourner quelques plans de la côte ouest afin d'agrémenter ses montages, Charlo, elle, avait une montagne de linge à laver. Deux belles excuses pour se retrouver seul sur leur ordinateur, elle en conversation avec Mélancolie, lui avec son meilleur ami.

MÉLANCOLIA DIT :
Allô !!!!!!!!!!!! Tu t'es enfin souvenue qu'il y avait un bouton *ON* sur ton *laptop* ?! Je pensais que tu me boudais !

CHARLO DIT :

Pourquoi tu dis ça ? À cause du saut en parachute à six heures du matin ou du vol en montgolfière à trois heures ? :@

MÉLANCOLIA DIT :

Exagère pas, j'ai pas *booké* de montgolfière... mais tu me donnes des idées ! :)

CHARLO DIT :

Excuse mon silence. C'est l'expérience la plus épuisante de toute ma vie, mais aussi la plus enrichissante !! Mes doigts tremblent sur le clavier en ce moment. On arrive de surfer. Si je peux dire ça... J'ai tenu en équilibre trente secondes avant de tomber en pleine face dans l'eau glacée pour la millième fois !

MÉLANCOLIA DIT :

Je pensais que c'était hier matin, le surf ?

CHARLO DIT :

C'était hier matin, aussi. J'y suis retournée ce matin pour ma leçon privée. ;-)

MÉLANCOLIA DIT :

WAHOUUUUUUU !!!!!! Alors, comment tu l'as trouvé, le beau *surfer boy* que je t'ai déniché ?

CHARLO DIT :

Tu l'avais vu ?

MÉLANCOLIA DIT :

Tu te demandes vraiment pourquoi le « hasard » t'a fait tomber sur Kurt et non sur Peter, son coloc au physique... disons... débordant ?

CHARLO DIT :

Ah merci, Colie !!!! *OMIGOD*, Kurt est salement en forme. J'ai léché son torse ferme et salé sur des kilomètres.

MÉLANCOLIA DIT :

NOOOOON !?! Bravo, mon amie, je suis fière de toi. Jéricho était où, lui ?

CHARLO DIT:
Avec la cousine de Kurt, Kelly, la parfaite surfeuse. Le genre qu'on aime ben, ben gros, toi et moi... pfff!

MÉLANCOLIA DIT:
Parle-moi-en pas! Je vis avec ce genre de filles tous les jours, ici. Mais l'important, c'est que toi, tu te sois farcie le *beach bum* typique de la côte ouest! TRÈS COOL!!

CHARLO DIT:
Ahhhh! Je rêve encore de ses beaux cheveux longs *bleachés*, comme ceux de Patrick Swayze dans *Point Break*... Le genre de gars qui ne convient nulle part ailleurs que dans son environnement naturel!

MÉLANCOLIA DIT:
Longs cheveux blonds? Sérieux? Sur sa photo, il était rasé! C'est encore mieux! Arrgghhhh, je veux aller vous rejoindre!

CHARLO DIT:
Toi, occupe-toi du torse tatoué de ton Pablo Picasso et laisse-moi mon *beach bum*, veux-tu?;-) Parlant de tatouage, houla... tu devrais voir le morceau de planche de surf, grandeur nature, qu'il a tatoué sur son flanc gauche. MA-GNI-FI-QUE. J'en ai suivi les contours mille fois avec mon index. Attends, je t'envoie une photo.

MÉLANCOLIA DIT:
Wow, malade! Je vais montrer ça à Pablo! Raconte, il t'a fait jouir sur sa planche de surf?

CHARLO DIT:
La totale, ma chérie.

MÉLANCOLIA DIT:
Oh, l'animatrice cochonne!!!

CHARLO DIT:
À notre première soirée à la plage avec Kurt, Kelly, leurs amis et leur famille, on a fait un giga BBQ collectif. Ils ont tous été tellement accueillants et on a vraiment eu du fun! D'ailleurs, la plus belle partie du voyage, depuis le début, ce sont les rencontres. Et la plus grande part de surprise, aussi. Je m'attendais à rencontrer le cliché du gros États-Uniens et me voilà avec de nouveaux amis. Kurt

et sa cousine surfent ensemble depuis leur naissance, tu le savais ? Ils sont physiquement harmonieux, ces deux-là, ils formeraient le parfait couple.

Au même moment, sur un autre ordinateur, se tenait une conversation semblable, mais entre gars[46]...

CONRAD DIT :

Sacrament, y était temps ! J'ai l'air d'un vrai psychopathe à force de vérifier mon cellulaire toutes les deux secondes, dans l'attente d'un courriel de toi ! Une vraie fille !

JÉRICHO DIT :

T'en fais pas, je vais bien.

CONRAD DIT :

Je le sais que tu vas bien ! C'est le moindre de mes soucis, gros cave ! AS-TU FOURRÉ ?

JÉRICHO DIT :

Comment je te dirais ben ça... on vit des expériences enrichissantes. On a rencontré un couple de surfeurs de notre âge, qui sont cousin-cousine. Kelly et Kurt.

CONRAD DIT :

Kelly et Kurt ? Bâtiment ! Ils sont cousins mais ils ont la même mère, c'est ça ?

JÉRICHO DIT :

HAHAHAHAHAHAHAHAHAHA ! Crisse que ça fait du bien de te parler, vieux con ! Kelly est vraiment tripante. Elle a fait le tour du monde grâce à des concours de surf.

CONRAD DIT :

Calvaire, veux-tu me lâcher avec tes concours, on s'en torche ! *Get to the point !*

---

46. Avertissement : à la lecture des lignes suivantes, les pupilles chastes risquent d'être un peu ébranlées. Nous désirons vous en avertir.

JÉRICHO DIT :
Tout ça pour dire que j'ai beaucoup apprécié me coller sur une si jolie fille. Dans le VR, c'est pas permis...

CONRAD DIT :
Charlotte t'a repoussé ?

JÉRICHO DIT :
Je me suis pas essayé, on n'en est même pas là... Mais oui, elle me repousserait, je pense. Elle me voit comme un coloc, un frère, genre. Je fais partie des meubles laids et plastifiés du VR. *Anyways*, elle est tellement bordélique, j'hallucine, mon gars !

CONRAD DIT :
BOOOOOOORING ! Raconte-moi quelque chose qui va me convaincre que j'ai bien fait d'attendre tout ce temps-là avant de te parler.

JÉRICHO DIT :
Hier, sur la plage, j'étais avec Kelly, et Charlo avec Kurt. Je la trouvais encore plus belle dans les bras d'un autre, c'est bizarre, hein ? Elle me regardait avec des yeux... différents.

CONRAD DIT :
Comment je te dirais ben ça, don'... JE M'EN FOUS, DU REGARD DE LA CLÉMENT !!!!!!!!

JÉRICHO DIT :
OK, OK... J'arrivais justement à la partie *soft porn*. Kurt a commencé à jouer le taquin avec Charlo et il a dit : «*That's a bad thing you guys are not a couple.*» Ce à quoi elle a répondu : «*I guess that's a bad thing that you guys are cousins.*» *Man*, peux-tu croire ?... Elle a répondu ça !

CONRAD DIT :
Euh... c'est pas un sous-entendu de «si vous étiez pas cousins, on ferait un *foursome*», genre ? T'aurais dû lui répondre : «Queue bandée, pas de parenté.»

JÉRICHO DIT :
I KNOW !!!!!!!!!!!!!!! Elle a vraiment ouvert la porte à un *trip* à quatre !!!!!!!!!!!!!!!!!!!!!!

175

CONRAD DIT:

Ça va, la surabondance de signes de ponctuation, t'es pas dans un livre de filles !

Est-ce que je peux lui dire, Mel[47] ?

JÉRICHO DIT:

Bref, on s'est retrouvés tous les quatre sur une couverture, au bord du feu, sur la plage, les vagues à quelques centimètres. J'ai « attaqué » la cousine en premier.

CONRAD DIT:

That's my bro ! Pendant une seconde, j'ai eu peur que t'aies sorti un jeu de Scrabble... t'as l'air rendu tellement plate !

JÉRICHO DIT:

Fuck you.

À un moment donné, ma bouche s'est retrouvée tout près de celle de Charlo. J'avais le goût de la *frencher, live.*

CONRAD DIT:

Quoi ? T'as rien fait ? Qu'est-ce qui se passe avec toi ? Mesdames et messieurs, Jéricho Lamoureux *is back.*

JÉRICHO DIT:

Ta yeule. Je voulais pas profiter de la situation.

CONRAD DIT:

Voilà ! C'est ce que je disais... Monsieur Lamoureux nous fait l'honneur de sa présence. Continue !

JÉRICHO DIT:

J'ai pris la main de la surfeuse et je l'ai guidée vers Charlotte...

CONRAD DIT:

Attends ! Ma fille arrive en pleurant, je vais aller la recoucher. Bouge surtout pas.

---

47.   Vaudrait mieux pas, ça prendrait trop de pages ! ☺

JÉRICHO DIT:
#supersupersuper

CONRAD DIT:
Désolé, vieux, continue. Il s'est passé quoi, encore, sur la couverte?

JÉRICHO DIT:
Fuck off, je suis plus dans le *mood*.

CONRAD DIT:
Va chier! Crisse, c'est ce que j'ai entendu de plus excitant depuis six mois! Elle a réagi comment, la vedette?

JÉRICHO DIT:
Dis pas «la vedette», c'est tellement pas elle... *Anyway*, elle a rendu la pareille à Kelly, timidement, en me frôlant le bas du ventre au passage. Chaud, mon gars, t'as pas idée! C'est là que je me suis mis à penser à toi.

CONRAD DIT:
Ark! T'es ben dégueulasse!

JÉRICHO DIT:
Je voulais surtout pas être le premier à déclarer *game over*, comprends-moi! Et ta grosse face a été des plus efficaces, alors merci! Les filles sont venues presque en même temps et moi, j'ai *closé* le quatuor, perdu dans les yeux mauves de Charlotte.

CONRAD DIT:
Donc, techniquement, vous n'avez pas baisé ensemble... C'est un peu comme si tu t'étais masturbé à côté de ta mère endormie.

JÉRICHO DIT:
Calvaire! *Worst* comparaison *EVER*!!! NON! Ouache! Tu m'inquiètes, *man*... Est-ce que ça va, toi et Corinne?...

CONRAD DIT:
Ouais, mais je n'aurai jamais rien d'aussi excitant à raconter!

JÉRICHO DIT:
Conte-moi ça.

CONRAD DIT :
Je suis déménagé, même si y a encore de la job en sale à faire. On recommence à se *dater*, Corinne et moi, on se texte... *Man*, ça fait du bien de ne pas avoir les filles quelques jours par semaine.

JÉRICHO DIT :
OK, déjà la garde partagée, ça va vite !

CONRAD DIT :
Dude, ça fait deux grosses semaines que t'as pas donné de nouvelles...

JÉRICHO DIT :
I know et, là, il faut que j'arrête d'en donner pour aller faire des images.

DÉPART +17 JOURS
Eureka, Californie, à Red Lodge, Montana
GPS : 2098 km / 21 h 57
Temps réel : interminable

De retour dans le VR après sa leçon privée de surf, Charlotte prit sa douche et ils partirent en direction de Red Lodge, Montana. Jéricho était beaucoup trop concentré sur sa conduite, et elle, elle faisait semblant de lire beaucoup trop attentivement le programme des activités à venir. La musique était, comme à l'habitude, sur le mode *shuffle*. En temps normal, le matin, ils parlaient peu, et ce matin-là ne fit pas exception. Pas un mot sur l'événement chaud de la veille, avec les surfeurs.

Mara Tremblay se chargea de détendre quelque peu l'atmosphère :

Laisse-moi me perdre
Dans tes bras
J'veux me r'trouver
Tout nue avec toi
Est-ce que dans ta tête
Tu penses tout bas
Que t'aimerais être
Tout nu avec moi

Ils éclatèrent de rire à en pleurer des yeux et du nez. Charlotte se mit à hurler en chœur avec Mara.

Serre-moi très fort
Prends-moi encore
Prends-moiiiiiiiiiiiiiiiiiii

Tout nue avec toi

 @maratremblay

— Écoute, Jéricho, amorça-t-elle lorsque la chanson fut terminée, c'est surréaliste ce qui s'est passé hier.

— Aussi surréaliste que ce qu'on vient d'écouter ! poursuivit-il. Oui, j'aimerais ça qu'on prenne le temps d'en parler, mais, pour l'instant, est-ce que c'est correct pour toi si on se concentre sur l'énorme journée devant nous ?

— Si tu me jures qu'on va prendre le temps, un de ces quatre, de tuer le gros éléphant blanc présent avec nous dans le cockpit.

— WOHHH, t'es de bonne heure sur les images animales ! Oui, je te le promets, d'accord ?

— Merci, t'es vraiment un chic type.

— Ça te dérangerait si on roulait sans s'arrêter pour la nuit ? On a beaucoup de route à faire et on peut très bien dormir à tour de rôle. On sera dans le Montana dans vingt heures…

Charlotte conduisit durant six heures sans arrêt. La faim eut raison du sommeil de Jéricho et ça se mit à sentir bon derrière elle. Son coloc apparut dans le cockpit avec un *wrap* au poulet grillé, des chips et deux Bloody Cæsar. Ils échangèrent quelques banalités et Jéricho se retint pour ne pas entamer la fameuse conversation tant repoussée. Il avait peur, ne sachant pas jusqu'où son cœur pouvait se dévoiler.

— Charlo, j'ai quelque chose d'important à te dire.

Ben voyons, madame l'auteure! No way! Je ne vais pas utiliser ce ton froid et clinique de chirurgien annonçant à une femme angoissée que son mari n'a pas survécu à l'opération! Laisse-moi aller, sur ce coup-là, je sais parler aux filles, OK[48] *?*

— Tu sais, coloc, d'un point de vue organisationnel, ce serait plus pratique qu'on couche ensemble, toi et moi. On partagerait la grande chambre, et le divan deviendrait un genre de *lounge*, idéal pour réaliser nos entrevues[49].

— La «grande» chambre? Tu parles du carré de sable où je dors? Hahahahahahaha! Tu disais… un *lounge*, hein? C'est une super bonne idée, on aurait dû penser à ça avant, hihi!

Tu vois? Je savais qu'elle réagirait comme ça[50]*.*

… répondit Charlotte le regard taquin et avec un sourire en coin.

---

48. Arrrgh!! Tu m'énerves!! *JE* m'énerve!! Une vraie dingo qui entend des voix, leur répond et leur obéit en modifiant son roman à leur convenance…

49. Épais! Tu vois ce qui arrive quand je te laisse le clavier? Il sait parler aux femmes, ouais, mon œil…

50. Ah bon? Et tu peux être plus précis quant à sa réaction? Sur quel ton, avec quelles intonations?

— Tu dois savoir que, si on couche ensemble – et je ne parle pas seulement de dormir –, je ne le ferai plus avec d'autres.

Pas vrai, je n'ai pas dit ça à voix haute ? Nooooon ! C'est tellement loser de dévoiler son jeu, comme ça, entre une bouchée de sandwich et une chips[51].

— En tout cas, moi, j'étais sûre qu'on se sauterait dessus dès le premier soir du *roadtrip*. Coudonc, me trouves-tu désirable ?

Le pire malentendu entendu par le réalisateur dans sa courte existence. Il s'en voulut à mort d'avoir agi en fille, d'avoir réfléchi avec sa tête, pour une fois, et non avec Madame la V.

— Paaaardon ? Désirable, mets-en ! Je ne sais pas comment expliquer pourquoi c'est jamais arrivé… Ça n'a juste jamais été le bon moment, émit-il en faisant un clin d'œil pour cacher sa nervosité.

— C'est pas sain, notre affaire ! Mais, pour l'instant, j'ai pas envie de me poser de questions. Pas le goût ni l'énergie.

— J'aime ça quand tu penses en gars, ça me plaît !

— Parfait, on se fera un concours de rots, demain soir, à la microbrasserie.

— Hiiii, c'est beaucoup d'informations dans la même phrase. 1) Tu rotes ? 2) Microbrasserie ?

— 1) Oui, je fais même des concours de rots avec mes fifs. Et 2)…

— PAR-*FUCKIN'*-DON ? Toi, la princesse Clément, tu fais des concours de rots avec tes amis gais ?? Je t'adore.

Charlotte entreprit ensuite de lire à Jéricho le programme de la journée, envoyé le matin même par Mélancolie.

---

51. Je te sors de ce pétrin seulement si tu la fermes.

Arrivée	Visite de la microbrasserie Red Lodge Ales.
Dîner	Au Sam's Tap Room (bar de la place), en compagnie de Doug et Sam, les proprios.
Activités	Vélo de montagne, rafting et bière, bière, bière, bière !

Salut, mes cocos ! J'ai hâte que vous rencontriez Doug et Sam. Ils sont TEL-LE-MENT cool ! Vous pouvez rester dans le Montana aussi longtemps que souhaité, mais je vous suggère maximum trois jours, sinon vous ne repartirez plus jamais !

Je vous aime et je vous laisse entre bonnes mains. Je vous ai dit que je vous détestais de rencontrer toutes ces personnes incroyables ?

— Je trouve ça dommage qu'elle ne soit pas avec nous…, soupira Charlotte. On a vraiment de la chance de vivre une telle expérience. Depuis la première journée, il n'y a pas eu une seule seconde où j'ai regretté d'avoir dit oui.

Charlo serait-elle devenue gentille ? En avait-elle conscience ? *NOT !*

— *Same for me !* Ce sont des États qu'on n'aurait probablement JAMAIS visités de notre vie. Tu aurais pensé prendre des vacances dans le Montana, toi ?

Ils roulèrent en direction de la microbrasserie, sur les petites routes étroites de montagne, trop heureux de voyager de nuit et de découvrir le paysage enchanté sous la lumière blanche de la lune.

— J'ai vu un Bambi !!!!!!!!!! s'exclama Charlotte, la tête sortie par la fenêtre du côté passager. J'ai vu un Bambi, j'ai vu un Bambi !!!!

— Sa mère ne doit pas être loin, je vais ralentir.

Au tournant d'une courbe, ils tombèrent sur la famille de cervidés au grand complet, bien installée au bord de la route et mâchouillant peinarde son pique-nique de verdure vierge.

— Hiiiiiiiiii !! Qu'est-ce qu'on fait ?! fit l'animatrice, la voix perchée dans les aigus.

— Un gigot de cerf ? Hahahahaha ! WOW ! J'en ai jamais vu autant… De quoi on parlait, déjà ?

— On disait qu'on aime nos jobs !!!!!!!!!!!!!

En posant le pied dans la microbrasserie, notre duo fut rapidement accueilli par Sam, le propriétaire, avec une pinte de bière bien froide. Puis Charlotte eut la surprise de sa vie.

— Comme tu donnais pas souvent de tes nouvelles, on a décidé de venir à la source !

LES FIFS !!!!! *SES* FIFS !!!! Du moins une partie, puisque Réjean avait été retenu à Montréal pour le travail.

— AHHHHHHHHHHHHHHHHHHH !!!

Le cri hystérique de Charlotte et de ses amis fit sursauter Jéricho, qui renversa sa bière sur la belle animatrice. Dans l'hilarité générale, Ludovik tenta de le rassurer :

— T'en fais pas, mon beau p'tit noir ; moi, j'ai arrosé sa robe de boulettes à la sauce tomate juste avant un show et c'est devenu ma meilleure amie.

— Vous m'excuserez, mais, comme j'ai ma garde-robe à portée de la main – le rêve !!!! –, je vais aller me changer ! Hahaha !

— ON TE SUIT !! s'écrièrent d'une seule voix Fafa, Ludo et Jesús.

Charlo n'aurait jamais pensé trouver la présence de ses garçons aussi réconfortante. En leur parlant, elle s'aperçut qu'ils lui avaient terriblement manqué. Avec eux, elle pouvait enfin se permettre de réagir à tout ce qui lui était arrivé depuis le début de cette aventure et d'analyser chaque situation.

— Tu ne répondais jamais à ton téléphone ni à nos courriels, la gronda gentiment Ludo. On a eu peur que tu sois en train de craquer !

— Je sais, je suis une mauvaise amie. Sérieusement, on est tellement brûlés, le soir, qu'il me reste à peine assez d'énergie pour manger et me coucher.

— «On» est tellement brûlés ? Tu parles déjà au «on» ? l'agaça Jesús.

— «On» habite ensemble, «on» se tombe sur les nerfs et oui, «on» parle au «on», puisqu'on est colocs ! Pas de quoi s'énerver…

— Fais-nous faire le tour du proprio ! s'impatienta Fafa.

— Ben… vous y êtes. D'ici, vous voyez toute ma vie : la cabine de pilotage, la salle de toilette, la chambre, le lit de Jéricho, la cuisine.

— C'est tout ? Pas de bain tourbillon ou de lit *king* ? s'étonna Jesús-la-chochotte. Comment as-tu pu survivre tout ce temps !?! Dire que je vais dormir ici ce soir et…

— Arrêtons de tourner autour du pot, l'interrompit Ludo. IL. SE. PASSE. QUOI avec le beau réalisateur-tombeur ?

— Rien. On n'a même pas frenché.

— Vous faites quoi de vos temps libres, alors ? demanda Fafa, incrédule.

— J'ai peur qu'il soit amoureux de moi et refuse de se l'avouer.

— Raison de plus pour qu'il te saute dessus, non ?! dit Jesús.

— C'est comme si on avait trop attendu et qu'une ambiance antilibido s'était installée dans le VR… J'ai essayé, pourtant, mais je suis INCAPABLE de me lever au beau milieu de la nuit pour aller le rejoindre dans son lit. Et, si j'y arrivais, j'ai l'impression qu'on ne ferait rien d'autre que dormir en cuiller, pour profiter de la chaleur et du réconfort de l'autre. Rien de mieux pour amplifier le malaise, hein ? Voilà. Vous en savez autant que moi.

— Oh putain, vous agissez comme des petits vieux, mariés depuis soixante ans ! déclara Fafa, l'air dramatique.

— Je ne l'aurais pas dit comme ça… mais force est d'admettre que oui. Allez, on y retourne, sinon Jéricho va se douter de quelque chose…

Dans la microbrasserie, le réalisateur s'était assis avec Sam et ses amis. Sachant que les garçons ne comprenaient et ne parlaient pratiquement pas l'anglais, Charlotte les installa à une autre table, un peu plus loin. Elle passa son temps à se promener d'une table à l'autre, ne voulant négliger personne. Elle était contente de voir ses amis, mais elle aurait plus profité de leur présence-surprise ailleurs…

Quand elle se leva pour aller à la salle de bains, Charlotte croisa Jéricho sur son passage. Sans un mot, il lui prit la main et la fit tournoyer au centre des tables, au rythme de la musique jazz ambiante. Le temps se suspendit un instant. Puis il lâcha doucement sa main et se dirigea vers les amis de la belle animatrice.

Voyant qu'il se joignait aux garçons, Charlotte leur envoya un texto en direct des toilettes :

Que j'en vois un lui dire quelque chose.

Jéricho vit aussitôt l'écran des trois téléphones s'illuminer en même temps. Il éclata de rire et lui envoya un texto à son tour :

Hahahahaha toi et la subtilité = 2 ! BTW, ils ne me parlent pas de toi…

Elle revint quelques minutes plus tard, avec un air piteux.

— T'en fais pas, la rassura d'emblée Jéricho, s'il était ici, Conrad n'aurait pas le droit de parler en mon absence lui non plus. Alors, on se fait-tu un concours de rots ?

— Hahahaha !! Tu m'as vraiment crue, alors ?! HAHAHA, *fuckin'* drôle !!

Le Sam's Tap Room, annexé à la microbrasserie, ferma ses portes à deux heures du matin[52], ce qui sonna la fin de la soirée.

— Bonne nuit, madame l'animatrice, lança Jéricho. Tu vas pouvoir te balader toute nue dans le VR, car je vais aller dormir à l'extérieur et laisser la place à tes amis. Vous m'excuserez, messieurs, de ne pas terminer la soirée avec vous…

— Tu ne sais pas ce que tu manques ! répliqua Ludo du tac au tac[53], provoquant une énième hilarité générale.

— Je vous cède mon inconfortable divan-lit avec plaisir et moi, je vais rejoindre Cassandra, la jolie serveuse qui m'a dit vouloir apprendre le français cette nuit. On se voit demain matin !

— Parfait, mais est-ce que je vais pouvoir prendre une douche ? demanda Charlotte avant qu'il parte.

— Oui, j'ai branché le boyau et on a l'eau courante, t'as juste à partir la génératrice. Bye, tout le monde ! fit-il avec un empressement mal dissimulé.

---

52. Il n'y a pas qu'au Canada anglais que les bars ferment tôt…
53. Pour ma part, cette expression me ramène automatiquement à Michel Forget dans *Du tac au tac*, avec sa moustache touffue et son complet carreauté. Générique d'ouverture, svp :

— Tu dois lui demander la permission de prendre ta douche ? s'enquit Ludo.

— Mais nooon ! Y a plein de boyaux à brancher quand on arrive quelque part et je ne sais pas comment ça fonctionne.

Pendant qu'elle installait ses amis pour la nuit, Charlotte combla le silence, sachant que les jugements sur son coloc viendraient bien assez vite.

— Je suis tellement contente que vous soyez là ! Vous allez voir un peu comment je vis…

— Hum, hum… les priorités d'abord, l'interrompit Fafa. Il fait ça souvent, le réalisateur-tombeur, t'annoncer qu'il s'en va baiser une autre fille ?!

— C'est la première fois… Jusqu'ici, j'avais quelqu'un de mon côté et lui du sien. Je n'ai jamais été laissée pour compte, disons.

— Merci, DIEU DU CIEL, ça signifie que tu as utilisé au moins une capote !!! s'emballa Jesús .

— Bien sûr, qu'est-ce que vous croyiez ? répliqua Charlotte en se donnant une petite tape sur la fesse, déjà vêtue d'un pyjama en polar rose.

— Tu portes *ça* tous les soirs ?? demanda Fafa en pointant l'affreux pyjama. Demande-toi pas pourquoi tu n'as pas encore baisé avec lui…, soupira-t-il.

— Pour qui tu me prends, Fabrice Proulx ?! On vient d'arriver dans les montagnes et c'est la première nuit où la température baisse sous zéro. Jusqu'à hier, je portais ÇA, dit-elle en sortant quelque chose de sous son oreiller.

Pour sa part, ce soir-là, le réalisateur n'était pas fâché de ne pas avoir à gérer la vue du petit short blanc, trop court, trop sexy, mini, *itsy-bitsy*, mais «tellement confortable», comme le clamait sans cesse Charlotte.

— Allez, on se couche, les cocos, demain sera une longue journée.

— Est-ce qu'on fera de la télévision ? demanda Ludo.

— Si ça vous tente !

— Oui, oui, oui !!!!

— On va jouer à la chasse à l'ours ? répliqua Jesús. Quoique… J'en ai vu un ou deux auxquels je n'aurais pas fait mal, tantôt, avec leur belle barbe longue et leur dos poilu…

— Le plan, c'est d'aller en vélo s'il fait beau, et en rafting s'il pleut.

— Du rafting sous la pluie ??!! Chérie, c'est quand, la dernière fois où tu as tourné dans ces conditions-là ? voulut savoir Fafa. Au cégep avec ta caméra amateur ?

— Ça n'arrive jamais, je sais.

— Et pourquoi ? Parce que tu DÉ-TES-TES la pluie au point de ne pas sortir de chez toi quand on annonce des orages !! termina Ludo.

— C'est la nouvelle moi, les garçons !!

— Tu devras continuer de vivre avec l'image de cette «nouvelle toi» à ton retour à Montréal, tu le sais ?

— Fafa, depuis quand t'es aussi terre à terre que Réjean, toi ? Oui, j'en suis pleinement consciente. Est-ce que je suis si hideuse que ça pas maquillée, les cheveux ondulés à cause de l'humidité ?

— Je ne sais pas, je ne t'ai jamais vue sans mascara ! s'esclaffa Ludo.

— Est-ce que je dois y aller avec vous ? se plaignit Jesús. Vous savez que j'haïs ça, le sport. En plus, je suis sûr que le gilet de sauvetage n'ira pas avec mon teint, je vais avoir l'air d'un malade aux soins palliatifs. Ils les font en rose, tu crois, Charlo ?

Le lendemain, devant la caméra, le trio gai fut PARFAIT. Ça faisait changement de les voir dans le paysage. En plus, Mélancolie leur avait planifié le *trip* de vélo le plus cool au monde : monter en montagne pendant une heure dans un autobus scolaire kaki, et redescendre à vélo pendant deux heures.

— Je viens de trouver mon sport favori ! s'exclama Jesús. C'est trop facile, on a juste à se laisser aller sans donner un coup de pédale ! Remarquez que moi, donner un coup de pédale, c'est ma spécialité, fit-il avec un clin d'œil à la caméra.

Charlo rit à en avaler une mouche. Le destin du pauvre insecte fut même filmé. Du bonbon pour la lentille !

Le petit groupe de fanfarons eut même le temps de faire du rafting, au grand bonheur (!) de Jesús.

— C'est ça, tout mon maquillage va disparaître dans la rivière !! criait-il comme une mauviette en essayant de se cacher le visage derrière sa pagaie.

Une journée idéale, avec la gang idéale. En voyage, on se reconnecte à notre enfant intérieur. Tout est simple. On jase, on prend une bière, on est entre amis. La vie dans sa plus belle simplicité.

À la nuit tombée, juste avant d'aller rejoindre Cassandra, Jéricho sentit la nostalgie s'emparer de lui. Il prit conscience qu'à quarante ans, il n'aurait jamais assez d'une vie pour voir tous les pays dont il rêvait et encore moins pour revenir habiter à Red Lodge pendant quelques mois, comme il le souhaitait…

C'est gentil de me rappeler mon FUTUR âge (je précise), comme ça, PAF ! Un avertissement serait apprécié, la prochaine fois, narratrice déesse de mon cœur[54].

---

54. D'accord, personnage de mon cœur. La leçon de charme n'était pas nécessaire, mais tout de même appréciée. ☺

DÉPART +19 JOURS
Red Lodge, Montana, à Cœur d'Alene, Idaho
GPS : 835 km/ 8 h 50
Temps réel : 8 h 45 houla !

Après avoir fait leurs derniers au revoir aux fifs, notre joli duo reprit la route. Les quarante-huit heures à venir, sans caméra et sans entrevues, frappaient enfin à la porte du VR.

— Te connaissant, je sais que tu vas t'ennuyer pendant ces deux jours de congé, lança Charlo.

— Impossible, on s'en va au camping cool que Mélancolie nous a *booké !* Il y a une piscine et un jacuzzi !

— Y a pas juste la petite Mexicaine qui peut faire des surprises…

— Ohhh, tu m'intrigues !

Charlotte avait tout prévu : elle leur avait réservé des chambres douillettes dans un hôtel de luxe, au centre-ville de Cœur d'Alene, dans l'Idaho. Là, enfin, ils allaient pouvoir décrocher pour de vrai ! Moment d'excitation profonde.

Clefs en main, courant dans les couloirs de l'hôtel comme des gamins, ils s'arrêtèrent devant leurs chambres, voisines et communicantes.

— Je te jure que je n'ai pas demandé que nos chambres soient côte à côte ! pouffa Charlotte, un peu gênée.

— Wow, c'est la plus belle surprise de ma vie ! Merci, merci, merci !! Si je ne me retenais pas, je baiserais tes pieds.

— Peux-tu baiser tout le reste ?

PARDON ??????????? Je n'ai pas VRAIMENT dit ça, hein ? Dis-moi que non[55] *!*

55.　Ben non, t'as pas dit ça, je te niaise !

Ouf! Merci, auteure de ma vie! Je ne serai plus jamais méchante avec toi, c'est promis!

En riant, ils se firent une accolade et pénétrèrent dans leurs havres de paix respectifs.

Après s'être déshabillé, Jéricho s'affala sur le lit, sur le ventre. Cette belle grande étoile musclée, bronzée et nue s'endormit illico dans la même position.

Quant à Charlotte, elle était bien trop excitée pour dormir. En chantonnant de bonheur, elle retomba rapidement dans sa bonne vieille habitude de parler seule:

— Une douche, une vraie de vraie de vraie douche. Et un bain!!!!!! Et hop! Un traitement capillaire, deux masques, une pédicure, une manucure, un exfoliant corporel. Je veux que ça dure toujours!

Elle relatait chacune de ses découvertes ou de ses gestes, exactement comme si elle était encore devant la caméra.

— Une robe de chambre moelleuse. Blanche. Comme dans tout bon hôtel qui se respecte. Un minibar, une bouteille de blanc et... LA TÉLÉVISION!!!!!

Quelques heures plus tard, Charlo somnolait de bonheur sur un vieil épisode de *Sex and the City*[56] lorsque, prise d'un étrange malaise, elle sauta sur son iPad pour appeler Colombe sur Skype. Elle trouva sa grand-mère adorée différente, un peu éteinte. Colombe faisait comme si de rien n'était, ce qui inquiéta davantage Charlotte.

— Bonjour, mon chou, je suis contente que tu appelles ENFIN.

— Je suis désolée... Tu as reçu mes textos au moins?

---

56. Eh oui, cette série est déjà considérée comme «vieille», même si elle est toujours criante de vérité. Déjà presque dix ans qu'elle est en rediffusion! Mais toute auteure de *chick lit* se DOIT de mentionner le génie de notre marraine à toutes, Candace Bushnell.

— Oui, mais j'aime mieux te voir et t'entendre. Est-ce que ma webcam est bien ajustée?

— Oui, Colombe, et je constate avec horreur que tu es retournée voir la coiffeuse de ta résidence pendant mon absence!

— Est-ce que j'ai eu le choix? Ce n'est sûrement pas ta mère qui va me sortir d'ici…

— Je reviens bientôt, grand-maman, on va arranger ça.

— Oui, reviens vite, ma chérie…

À son réveil, trois heures plus tard, Jéricho était en sueur. Après avoir trouvé son maillot, il fila à la piscine. Charlo s'y trouvait, somnolant sur une chaise longue. Vêtue d'un bikini aussi mini *itsy-bitsy* que son short pour dormir.

WOW.

Juste WOW.

Lorsqu'elle ouvrit les yeux, Jéricho lui faisait de l'ombre, dégoulinant de chlore, deux *drinks* à la main.

— Désolé, je ne voulais pas te réveiller.

— Non, merci de l'avoir fait.

Ce sourire-là, quand elle se réveille, Jéricho le voyait pour la première fois. Elle sortit alors un vingt-cinq sous de son porte-monnaie et le lança au milieu de la piscine.

— Le plus rapide garde le *cash!* cria-t-elle en riant.

Ce jeu lui rappelait son enfance. Les après-midi d'été avec ses amies, dans la piscine familiale. Ils plongèrent en même temps, mais, dans l'eau, Charlotte le devança. Une vraie déchaînée. Elle fit semblant de chercher la pièce, mais Jéricho n'était pas dupe; elle l'avait déjà ramassée depuis longtemps.

— BRAAAAVVVOOOOOOOO! cria-t-il de toutes ses forces sous l'eau, dans un nuage de bulles.

Pour seule réponse, Charlotte s'approcha et elle se mit à le frencher goulûment.

Il ne goûta pas vraiment sa langue. Seulement les quarante-cinq mille litres d'eau chlorée de la piscine. C'était chimiquement doux et délicieux. Leurs langues n'avaient pas l'intention de se lâcher, même si, pour cela, leurs poumons devaient exploser. Finalement, à bout de souffle, ils sortirent de l'eau.

Étendus sur une chaise longue, ils continuèrent de s'embrasser, se fichant du spectacle qu'ils donnaient. Charlotte ne manqua rien de la bosse qui se formait dans le maillot de Jéricho.

— Ça te rassure ? Toi qui te demandais si je te trouvais désirable, tu en as la preuve phallique !

— C'est flatteur, ricana-t-elle, heureuse d'être une fille et de mieux pouvoir cacher son état d'excitation. Est-ce qu'on rentre ? J'irais bien prendre une douche pour enlever ce goût de chlore.

— C'est une invitation ?

— D'après toi ?

Charlotte courut dans sa chambre chercher la bouteille de blanc du minibar. Puis elle traversa chez Jéricho avec deux verres.

Premier besoin masculin à combler : la soif. Il cala son verre de vin. Deuxième besoin masculin à combler : l'appétit. Il dévora Charlotte. Entière. Toute crue. Goûtant à chaque parcelle de son corps merveilleux. Avec elle, il refaisait l'amour comme aux premiers temps, comme avec sa gardienne et avec Sybelle. Lamoureux *was unfortunately back*.

«Reste juste à le gérer…», pensa Jéricho.

Si

Simple

À

Dire.

Ils n'ont pas revu la piscine, ni le reste de l'hôtel, avant le lendemain soir.

Je ne veux surtout pas avoir l'air de la nunuche de film américain qui baise avec son meilleur ami en espérant combattre l'amour, mais qui finit par tomber inévitablement dans le panneau[57].

Je le sais!!!!!!!!! Et je DÉTESTE cette sensation de n'avoir aucun contrôle sur ma tête et sur mon cœur. Mais, je dois te l'avouer, la scène à la piscine était fuckin' INTENSE. Merci!!!!!!

— Est-ce qu'on peut se dire que ce qui se passe dans la grosse machine reste dans la grosse machine? osa-t-elle demander à Jéricho.

— Quoi, t'as peur que ça se sache?

— Je pensais plutôt au retour, une fois à Montréal.

— On doit absolument discuter de ça, maintenant, tout de suite, pendant que j'essaie de te procurer un douzième orgasme? la taquina-t-il, autrement qu'avec sa langue.

La mise en garde de Charlo, loin d'être claire, voulait à peu près dire ceci: «Baisons, mais attends rien en retour.» Une vraie phrase de gars. Jéricho l'avait lui-même si souvent servie. Pour la première fois, c'était à son tour de la recevoir.

— Dans le fond, ça veut juste dire qu'on baise chaque fois comme si c'était la dernière… non? douta-t-elle.

— Tu veux que je te baise comme si c'était la dernière fois?

— Oui, monsieur, s'il vous plaît.

Il a joué le jeu. Soyons honnêtes, c'était loin d'être pénible. Soyons honnêtes, ce n'était pas vraiment un jeu non plus. Du moins, pas pour lui…

---

57. Je ne te l'ai jamais caché, ma chérie: tu n'es pas dans un film, mais dans un livre… c'est ben pire! Mouhahaha.

Tous deux vêtus de leur robe de chambre blanche d'hôtel, ils terminaient leur dernier souper avant le dur retour à la vie de VR lorsque le cellulaire de Charlotte sonna.

— 450 641-2387, tu connais? lui demanda Jéricho, qui était plus près de la table de chevet.

— Hein? C'est ma mère! Allô, maman? Qu'est-ce qui se passe?

La belle princesse fondit en larmes, complètement démunie devant l'annonce faite au téléphone.

— Je suis à l'hôtel, mais je vais aller demander au concierge de me réserver des billets d'avion. Je te tiens au courant demain matin. Appelle-moi s'il y a du nouveau! Bonne nuit à toi aussi…

Colombe avait eu des ennuis de santé et on l'avait hospitalisée d'urgence.

— Ma mère me ment sur son état de santé, je le sais, confia Charlotte à Jéricho. Elle ne m'aurait pas appelée si ce n'était pas vraiment grave. Elle le savait, hier, ma Colombe, quand je lui ai parlé. Elle m'a demandé de revenir vite… Ça ne se peut pas, elle ne va pas me lâcher comme ça, pendant que je suis à l'autre bout du continent! Noooon!!

Les chutes Niagara version chambre d'hôtel. «Un déversement massif de muqueuses sur un si joli visage, ça devrait être interdit», pensa le réalisateur. En parfait Jéricho, il prit la situation en main.

— Je rentre avec toi. Pour le Winnebago, je demanderai à Sam d'aller le porter à Vancouver. Je suis certain que ça lui fera plaisir de nous rendre ce service-là.

— Non, non, reste ici, sanglota-t-elle. Continue de tourner des images pour le montage, je vais peut-être pouvoir revenir.

— Hors de question. De toute façon, on a assez de matériel pour terminer les épisodes. Si on prend des billets d'avion pour demain en fin de journée, ça nous laissera tout l'avant-midi pour faire nos bagages et vider le VR. Ça te convient?

Étonnamment, les sanglots de Charlotte redoublèrent. Mais Jéricho la connaissait maintenant par cœur :

— Je sais, t'avais pas pensé à la partie «faire les bagages», hein?…

— Ça va me prendre deux jours!!!!!!!!!! Je ne pourrai jamais retourner voir ma grand-mère!!!!!!!!!!

— Veux-tu qu'on s'y mette tout de suite? Ça me prendra vingt minutes pour ramasser le matériel technique et mon linge, je pourrai t'aider pour tes choses.

— Non, je préfère noyer ma peine. Est-ce qu'il reste du vin?

— Euh… Non. Mais on a encore de la téquila dans la machine.

Ils se retrouvèrent donc là où tout avait commencé – téquila oblige –, pour une dernière soirée.

— Je vais m'ennuyer de cet inconfort, soupira Charlotte en regardant autour d'eux.

— Je ne vais PAS m'ennuyer de vider les toilettes.

Jusqu'à tard dans la nuit, ils énumérèrent ce qui leur manquerait – ou pas – une fois de retour à Montréal. Puis le tant désiré «baiso-drome» sur roues devint l'endroit où ils dormirent en cuiller pour la première fois…

Après deux minuscules heures de sommeil, ils se levèrent pour vider leur cher VR de tout son contenu, tristes de le faire de manière aussi précipitée.

— En d'autres circonstances, ç'aurait été cool de te voir faire tes valises, souleva Jéricho.

— Oh! On va le faire! Désolée, je suis tellement dans ma tête… j'en ai oublié le show!

— Non, c'est plutôt moi qui devrais m'excuser de te l'avoir demandé… C'est pas le moment de filmer.

— On tourne une petite conclusion, vite fait. Mes adieux à chaque pièce du VR, je vide les coffres… Ça va nous prendre, quoi, quinze minutes ?

— Dix.

En souvenir de leurs matinées silencieuses, Jéricho prit un dernier Post-it où il gribouilla :

Mimosa sans jus d'orange ?

Oui!

Pendant que Charlotte faisait ses bagages avec empressement, Alex Nevsky se mit à chanter dans les haut-parleurs.

Donne-moi ta tête
Je changerai en ivoire
Tes craintes éléphantesques
Et quitte à ne plus rien y voir

Je plongerai ma lune
Dans tes songes noirs
Je troquerai ma plume
Contre ton histoire

Donne-moi ton cœur
Je ferai ce qu'il faut
Pour le peupler de fleurs
Qui ne manqueront jamais d'eau

Femme de verre
Au sable mort à l'intérieur
Je sonde ta vaste mer
De ton corps sombre jaillit lueurs

Femme d'étreintes
Femme sueurs
Flamme maintenant éteinte
Qui ne fut que femme d'une heure

Donne-moi ton cœur
Donne-moi ta tête
Je changerai en bonheur
Les mots « pleurer » et « être »

Je ferai ce qu'il faut
@alexnevskyalpin

Parfait choix musical de la part du réalisateur. C'est toujours plus facile de s'exprimer avec des paroles déjà composées…

« Mais… c'est une déclaration d'amour, ça, non ? » se demanda Charlotte en prêtant attention aux paroles. Exagérait-elle de penser ainsi ? Et s'il avait fait jouer Alex Nevsky « juste comme ça » ?

La chanson terminée, l'animatrice répliqua avec un choix musical de son cru.

Je grille une cigarette
Je suis du bois d'allumette
Qui se consume et je présume
Que tout chemin se termine
Autant pour prince que vermine
La vie est ainsi faite

Or que tout est bête
Que tout est vain et inutile
Lorsqu'épuisé, fatigué
Le corps n'est plus qu'un autre projectile
Propulsé depuis matin
Jusqu'au soir en bus, en train
Je sais qu'un cœur peut s'arrêter pour moins

Imparfait
Le monde est imparfait
Imparfait

Le monde est imparfait
Le vent est si tendre sur midi
Tu es septembre sur Paris
Je pense à toi, ça me fait du bien
Toi dans ta ville et moi transsibérienne
Qui t'aime et qui t'adore…

Imparfait
 @moffattariane

Ahhhhh! J'avais oublié que les paroles de cette chanson-là parlaient d'amour!! Merdemerdemerde. Amie auteure, s'il te plaît, peux-tu effacer le dernier couplet?

…

Jamais de réponse quand on a besoin de toi!! AAARRRGGGHHHHH!

Charlotte appuya aussitôt sur « pause », appréhendant la réaction de son coloc à l'extérieur du VR. Pour toute réponse, il repartit la chanson là où elle l'avait arrêtée, mais dans sa version masculine, l'originale : celle de Daniel Bélanger.

… Et qui se hait d'aimer si fort
L'amour est comme je le redoutais

Imparfait
L'amour est imparfait
Imparfait
L'amour est imparfait

Imparfait
Daniel Bélanger

À l'aéroport, Charlotte était distante, distraite, les yeux rivés sur son téléphone. Dans l'avion, après avoir pris un médicament contre les nausées, elle dormit tout le vol. Jéricho la «perdit» pour quelques heures.

Quand elle se réveilla pour boire une gorgée d'eau, elle remarqua le regard du réalisateur, posé sur elle. Depuis combien de temps la regardait-il dormir?

— On va arriver à l'hôpital avant que les heures de visite soient terminées, lui annonça-t-il sur un ton rassurant.

— Tu viens la voir avec moi?

— Euh... je n'y avais pas vraiment réfléchi... mais... ça va de soi, non?...

— C'est gentil. Merci.

Elle se rendormit et il revit ses iris mauves deux heures plus tard, à l'atterrissage.

Dans le taxi, Charlotte appela à l'hôpital. Colombe elle-même répondit.

— Grand-maman? Comment tu vas?

— Ça va aller, ma grande fille. Ne t'inquiète pas. Tu es où, là? Dans quel État?

— En état de panique! J'arrive dans vingt minutes.

— Quoi?! Tu es à Montréal? Tu es revenue pour moi?

— Qu'est-ce que tu penses, vieille folle!!!!

— Hé, un peu de respect pour ta...

— ... grand-mère, fit Jéricho en *background*, en même temps que Colombe.

À l'hôpital, le réalisateur constata que les deux femmes étaient des copies conformes. Il eut l'impression d'être en présence de Charlotte avec cinquante ans de plus, et en plus polie.

— Vous m'excuserez, monsieur, je ne savais pas que vous seriez là. Je n'ai même pas pris le temps de me regarder dans le miroir.

Coquette, la Colombe !

— Arrêtez ça tout de suite, vous êtes aussi magnifique que votre petite-fille, même avec un décor verdâtre et une jaquette bleue.

— Il est parfait, celui-là ! s'exclama Colombe à l'intention de Charlotte, sans l'ombre d'une quelconque subtilité. Tu penses qu'il a appris ça dans les livres ou alors il a vraiment de bons parents ?

Charlotte voulut rire des farces de sa grand-mère, mais l'inquiétude ne la quittait pas. Elle n'aimait pas le nouveau teint du visage de sa Colombe et elle cherchait la petite étincelle dans ses yeux. Elle y était, pourtant, avant son départ…

JUILLET

De retour à la vie normale depuis dix jours, Charlotte eut de la difficulté à remettre le cap sur son quotidien. Sa grand-mère finit par sortir de l'hôpital, mais, en lui rendant visite pour la première fois depuis, ce jour-là, Charlotte constata qu'elle n'était plus la même. Sous les yeux, elle avait une Colombe amorphe et affaiblie. Une Colombe qui parlait comme si elle voyait la grande finale, droit devant elle.

— Arrête de dire que tu vas bientôt mourir, ça me fait de la peine !

— Ma grande fille, tu vas devoir te faire à l'idée, ta grand-mère ne sera pas toujours là.

— C'est NON. Pas tout de suite, jamais tout de suite.

— Je le sais, ma chérie…

Colombe perdit la parole, sous l'émotion.

— … Avant de partir, j'ai envie de passer du temps, toi, ta mère et moi. Une activité entre filles.

— Tu sais ce que « activité entre filles » signifie pour ma mère ? Te sens-tu assez en forme pour affronter un mur d'escalade ?

— Tu vois, je pensais plutôt à une manucure-pédicure.

— Visiblement, tu planes encore sur la morphine ! sourit Charlotte. Ma mère n'a pas besoin de ça, elle aime « ses extrémités au naturel », comme elle le répète fièrement. Mais, pour toi, je peux bien essayer de la convaincre.

Dans son appartement trop cher du Plateau, Jéricho était en plein montage des épisodes de leur émission. Avec les échéanciers serrés que lui avait donnés le producteur, son client, il était dans le potage jusqu'aux épaules. Il allait avoir juste assez de matériel pour les cinq épisodes, car, au bout du compte, il avait tourné peu d'images, tout au long de leur séjour aux États-Unis. Très peu. Trop peu… Il aurait dû penser un peu plus au show et moins à Charlo.

Depuis dix jours, il n'avait pas trouvé le courage de l'appeler ou de lui écrire et madame s'était faite elle aussi invisible. Regrettait-elle les derniers jours torrides passés à l'hôtel? Pourtant, comment nier cette complicité sexuelle désarmante?

Pendant une pause procrastination, il fouina sur les réseaux sociaux et aperçut un message envoyé par la trop fascinante Colombe. Elle l'invitait à venir dîner à sa résidence de personnes âgées. Elle avait une demande à lui faire.

«Vous verrez, la bouffe n'est pas aussi dégueulasse qu'on le pense. Alors, acceptez-vous ma proposition, monsieur Lamoureux?» avait-elle écrit en guise de conclusion.

Trop polie. Trop *cute*.

Même s'il n'avait pas du tout le temps de s'accorder une aussi longue pause, il sauta dans sa voiture pour aller à sa rencontre.

Stationné au milieu de voitures aussi luxueuses que la sienne, Jéricho fut impressionné par la résidence de Colombe. Il ne s'était pas imaginé y trouver quelques trous d'un parcours de golf, huit courts de tennis et deux piscines. «C'est du sport, être à la retraite!» pensa-t-il. «J'aime ça!»

La grand-mère de Charlotte l'attendait à la réception.

— Colombe, je veux venir m'installer ici!! Est-ce que ça prend un âge minimum?

— Hahahaha! Bonjour, mon garçon!

Elle lui fit faire le tour des lieux. Ce que Jéricho ne savait pas, c'est qu'il était sur le point de se faire cuisiner par une vraie grand-mère poule…

— Alors, Jéricho, racontez-moi…

— S'il vous plaît, Colombe, tutoyez-moi.

— Parfait, mais toi aussi. Allez, raconte-moi ton voyage avec ma petite-fille adorée.

— Euh… elle ne t'en a pas parlé ?

— Bien sûr, mais TOI non. TA version, je ne l'ai pas entendue…

— C'était mémorable. Magnifique. Surprenant. Inégalé. Épuisant, aussi, un peu…

— Charlotte aussi est revenue fatiguée, mais je l'ai surtout sentie apaisée. Merci de l'avoir poussée dans cette aventure… Il était temps qu'elle brasse sa vie un peu, si tu veux mon avis. Je voulais également te remercier d'être revenu avec elle en avion quand elle a su que j'étais à l'hôpital. Ma petite-fille est très forte, mais, dans ces moments-là, de savoir qu'on peut compter sur quelqu'un, ça fait du bien. Je sais qu'elle t'en est secrètement reconnaissante. Je dis secrètement, parce que je la connais, ma Charlo, elle ne l'admettra jamais !

Ils s'installèrent ensuite à la cafétéria pour le dîner. C'était journée «Italie», au menu. Orgie de bouffe. Antipasti, gnocchis aux champignons, risotto et fromages, tous succulents. Et du vin, du vin, du vin ! «Elle sait comment me faire parler, la Colombe !» se dit-il.

— Alors, comment se passe le retour, mon grand ?

Le réalisateur trouva réconfortant de se faire appeler de la sorte. Ça lui rappela aussitôt sa propre mamie gâteau, décédée plusieurs années auparavant. Cette ressemblance le poussa à tout déballer, comme il l'aurait fait avec sa grand-mère.

— Je suis aussi occupé que fatigué. Je n'ai pas revu Charlotte, mais je passe mes journées entières avec elle, en images, à revivre notre voyage. Je me remémore nos conversations, nos fous rires, nos rencontres…

— Je la connais, ma Charlo, et je crois savoir pourquoi elle est aussi silencieuse depuis votre retour. Elle doit s'ajuster, faire le point sur la nouvelle Charlotte, versus l'ancienne, celle d'avant votre voyage.

Cette aventure l'a changée, tout comme toi, j'imagine. En ce moment, elle prépare son déménagement et, par le fait même, elle s'apprête à fermer la porte sur toute une époque. Elle fait le ménage dans sa vie et dans son ancien condo, ce qui n'est pas trop son genre.

— Je sais, ouais! N'oublie pas que j'ai été son coloc assez longtemps pour m'en rendre compte!

— Ça ne s'est pas terminé tout à fait comme tu l'aurais voulu entre vous deux, hein?

— Je ne sais pas exactement comment j'aurais voulu que ça finisse, mais, une chose est sûre, je n'aurais jamais choisi l'avenue du silence radio.

— Est-ce que tu l'aimes?

«Elle fait exprès?! C'est officiel, elle veut ma mort...», pensa-t-il.

— Colombe, c'est toute une question, ça...

— Ne réponds pas si tu ne te l'es jamais posée avant.

— Peu importe ma réponse, Charlotte ne me laissera pas l'aimer. Pourquoi me torturer inutilement?

— Je ne sais pas pourquoi vous avez tous si peur de l'engagement, vous, les jeunes. C'est pas mêlant, de nos jours, vous avez essayé toutes les positions sexuelles inimaginables avant même de connaître vos noms de famille!

— Je vais y réfléchir, Colombe, c'est promis. Tu n'avais pas une demande spéciale pour moi, toi?

— Ben oui, c'est trop vrai. Je suis en train de virer Alzheimer ou quoi?

#jokedevieux

— Tu sais, mon grand, mon corps m'a envoyé tout un signal, l'autre jour. Je vais préparer ma sortie et tu vas m'aider, si tu es d'accord, bien sûr. Je voudrais que tu nous filmes, Charlotte, sa mère et moi. Que tu réalises un genre de film souvenir pour mes filles...

— C'est sûr que je vais t'aider, et avec grand plaisir! Il faudrait vous voir dans l'action, pour saisir votre complicité, Avez-vous une passion commune? Genre jouer de la musique ou faire de la bouffe?

— Bonne idée, la bouffe! Ma fille va vouloir cuisiner un menu diététique, donc immangeable, et ça nous fera juste une raison de plus de se payer sa tête, à Charlotte et moi! Tu vas nous filmer pendant qu'on popote?

— Exactement.

— À mon âge, même faire l'épicerie, c'est compliqué… et je ne veux pas avoir à déranger les messieurs de la résidence pour qu'ils m'accompagnent, ils vont penser que je m'intéresse à eux!

— Si tu veux, on ira ensemble.

— Mon Dieu que tu es galant! Je devrais peut-être me méfier de toi, après tout, on t'appelle le réalisateur-tombeur…, mentionna Colombe en faisant un clin d'œil complice à Jéricho.

— Non, pas vrai, Charlotte t'en a parlé?!?

— Il y a belle lurette! Mais ne t'en fais pas, Charlotte est très stricte sur la confidentialité en ce qui concerne sa vie privée. Personne ici n'est au courant de ce qu'elle me confie, sauf si elle me donne le droit d'en parler.

— Elle fait bien. Je l'aime encore plus.

«Un beau BRAVO, grand épais!» pensa Jéricho tout de suite après avoir prononcé les mots fatidiques.

— Ah ah! Le chat sort du sac! le prit Colombe sur le fait. Il était temps! Avoue que tu respires mieux, hein, mon grand?

— Un peu, peut-être, oui… Mais revenons à nos moutons. Est-ce vraiment une bonne idée d'imposer ma présence à Charlotte? Je pourrais trouver quelqu'un d'autre.

— Tu sais ce que la grand-mère de Bruno Blanchette disait?

— Oui, «va où ça fait le plus peur», je connais. Avec Mélancolie, on se répétait tout le temps ce mantra. Bon, OK, advienne que tempura.

— Ahhhhhh! Je l'adore, celle-là! Je peux te la piquer pour la servir aux petits vieux, demain, au souper sushis?

— Ça me fera honneur, belle dame Colombe.

C'est une grand-mère un peu trop enthousiaste qui appela Charlotte, cet après-midi-là, pour lui donner rendez-vous au *shack*, le jeudi soir suivant, en lui montant tout un scénario.

— Tu fais des courses avec un ami dont je n'ai jamais entendu parler, près du *shack*? vérifia Charlotte.

— C'est un beau hasard, hein?

— J'imagine que c'est mieux si je ne pose pas de questions?

— Effectivement, mon chou.

— J'irai chercher ma mère, après mon enregistrement. J'espère que ton ami sera encore là quand nous arriverons. J'aimerais bien rencontrer l'homme mystérieux qui a conquis le cœur de ma grand-mère.

— Tu fais quoi, en ce moment, ma belle enfant?

— La même chose qu'hier et que demain... pffff!

— Des maudites boîtes, hein? Lâche pas, ça achève!

— Merci. Je t'aime, grand-maman.

Elle raccrocha et retourna à ses sacs de choses à donner. Jamais elle ne l'avouerait à Jéricho, mais l'animatrice avait effectivement une vie remplie de... cochonneries! Elle avait retrouvé une boîte pleine de textes de Tristan, tous des projets dans lesquels il n'avait jamais joué. Plusieurs piles de photos datant de l'ère glaciaire où le numérique n'existait pas, aussi. Et la moitié étaient ratées, parce qu'à l'époque on prenait des photos sans savoir si elles seraient bonnes ou non. Chaque fois, c'était la surprise. Oh, un pouce! Oh, un mauvais cadrage! Oh, on a oublié le flash! Et en deux exemplaires, en plus, parce que, la plupart du temps, tout le monde les faisait finir en double pour pouvoir en donner aux amis... Nostalgique du bon vieux temps, Charlotte se mit à feuilleter son album de finissante en tentant de se remémorer le nom de ses *best* du secondaire.

— Charlo partie, Charlo partie, Charlo partie! s'écria Kodak dans la pièce à côté.

— Mais non, bête à plumes dépendante, je suis là. J'étais partie, mais je suis RE-VE-NUE. Charlo revenue, Charlo revenue, Charlo revenue! lui cria-t-elle en espérant qu'il s'en souvienne.

Depuis son retour, Charlotte était si débordée que son perroquet ne semblait pas s'être rendu compte de sa présence. Seule Colombe avait droit à une attention constante de sa part.

— Charlo partie, Charlo partie, Charlo partie! répéta Kodak.

— TA GUEULE!!!!!!!!!!!!!!!!!! Sinon, je te mets dans les petites annonces! «Jolie cage à vendre, avec jouets et bassine d'eau. En prime: gentil perroquet gris d'Afrique (parfois) bien élevé.»

Dix journées entières à entendre cette même phrase toutes les trente secondes quand elle était à la maison. N'avait-elle pas raison de s'énerver? Ou était-ce plutôt le silence de Jéricho qui la mettait dans cet état?...

RETOUR +13 JOURS
Montréal

Salut! Ici ex-coloc semi-inquiet de savoir comment tu vas.

Salut, ex-coloc, tout va bien, merci! xxx

Six petits mots. C'est tout ce que Jéricho avait obtenu d'elle.

— Le gros, il est temps que tu fasses un *move*. Tu ne pourras pas refouler Lamoureux pour le restant de ta vie. Pourquoi tu n'essaies pas, juste pour voir? Tu ne sais pas comment c'est, être en couple avec Charlotte Clément…

Une table de billard. Un meilleur chum. Des pichets de bière fade. Le *set-up* parfait.

— Avoue que les conditions ne sont pas favorables, en ce moment. Dans un *pool*, je ne miserais pas fort sur moi.

— Fonce, mon gars, en plus la grand-mère te donne sa bénédiction.

— Pas encore… ça dépendra du projet de film souvenir, selon moi.

— Bon, encore des doutes! Jéricho Lamoureux, je te rappelle ton nom! Elle court, vieux, elle court, la maladie d'amour.

— Ça va, Michel Sardou? En plus, t'es même pas soûl!

— Je te le dis, moi, quand la *fuckin'* maladie d'amour te saute à la gorge, tu es fait. Aucun antidote. Aucun antibiotique. Elle peut te rendre heureux pour le restant de tes jours ou te piétiner le cœur. Tu ne contrôles rien. Te reste juste à embarquer dans le bateau et à naviguer du mieux que tu peux.

— Fait chier. J'aurais dû m'écouter, aussi… Je savais que, si je couchais avec elle, j'étais foutu.

— PPPAAAAAAAARRRRDONNNNN?? T'attendais quoi pour m'annoncer ça?!?

— Tu ne m'as rien deman…

— OK, OK, OK, arrête de niaiser. Raconte.

— Elle avait réservé des suites communicantes, à l'hôtel, pour nos journées de congé.

— Ouah, elle te voulait *big time*!

— C'était assez clair, oui.

— Alors, c'est quoi, ton excuse, pour avoir attendu tout ce temps-là avant de lui sauter dessus?

— Tout le long du *roadtrip*, on était vraiment fatigués. On tournait quinze heures par jour, on roulait des nuits complètes... Il s'est installé une routine de colocs entre nous.

— La plus belle coloc du monde, ouais !

— Tu aurais dû voir son pyjama de la taille d'un kleenex ! C'était assez aguichant, merci.

— ALORS, C'ÉTAIT COMMENT, AU LIT AVEC CHARLOTTE CLÉMENT ?!?

— Tendre, bestial, naturel et tellement, tellement excitant. Une bulle qui aura duré quarante-huit heures. Tu connais le reste...

— Veux-tu mes meilleurs conseils, pour la suite ? 1) Laisse grand-maman se démerder avec sa surprise et expliquer ta présence à Charlotte. 2) Reste le témoin silencieux de la scène. Ton ex-coloc va finir par te faire un sourire complice. 3) Deux ou trois verres de vin, pas plus. Tu dois garder toute ta tête. Oh ! Et n'oublie pas d'essayer de te lier d'amitié avec sa mère.

— Charlo ne m'a jamais parlé d'elle, ça va être difficile.

— Et, si jamais elle t'invite à dormir, tu proposes d'emblée la chambre d'amis dans le garage. Reste à voir si elle ira t'y rejoindre...

JEUDI SUIVANT

L'idée de devoir passer une heure seule avec sa mère, sur la route, rendait Charlotte nerveuse. Pourtant elle l'aimait, évidemment, mais elle se sentait aussi proche d'elle que du Pakistan.

Charlotte avait toujours cru qu'elle emmerdait Colette quand elle lui parlait de sa job. D'ailleurs, sa mère ne connaît rien au showbiz : pour elle, Pierre Lapointe est le fils de Jean Lapointe !

Alors, tu imagines la réaction de la belle animatrice quand elle l'entendit dire :

— C'était une bonne émission, ce soir. Tu es à l'aise avec tes invités, tu maîtrises tes entrevues, c'est fluide. Vraiment, tu étais super.

— Tu as vu le préenregistrement ? Je pensais que tu étais dans le métro ?!

— Je suis arrivée plus tôt pour te regarder sur les écrans, dans le hall d'entrée de la station, là où on s'est rejointes.

— Pourquoi tu ne m'as pas appelée avant ? Tu aurais pu venir y assister en studio ou, mieux, dans le confort de ma loge !

— Je ne voulais pas te déranger. Les télévisions sont de très bonne qualité dans le hall… Alors, tu es contente d'être revenue à Montréal ? Ça s'est bien passé, ton voyage en roulotte ?

— J'étais bien, en exil. Je ne pensais pas que ce serait aussi agréable. On a travaillé comme des fous, mais le résultat sera excellent, je pense.

— Comment c'était, de partager ta maison avec un homme que tu ne connais pas beaucoup ?

— Disons que vivre en colocation dans une boîte de conserve, ça rapproche inévitablement. Nous sommes devenus amis.

— Et est-ce que je vais le rencontrer un jour ?

— Je ne pense pas. Il y a déjà beaucoup de filles qui ont voulu le présenter à leur mère. Un peu trop, si tu vois ce que je veux dire.

— Ne rentre pas *ça* dans la famille, alors !

— C'est ce que je disais…

Conversation typique entre Charlotte et sa mère. Rester en surface, ne pas parler de ses émotions. Malgré tout, c'est ainsi qu'elles se comprenaient.

Lorsque la voiture s'engagea sur le petit chemin de terre les menant au *shack*-fraisinette, Charlotte ne put retenir un cri de désespoir :

— NON !!! NON, NON, NON, NON, NOOOOOON !!!!

— C'est à qui, la Audi ? demanda sa mère.

— À Jéricho, justement. Qu'est-ce qu'il fait là, lui ?

— Wow ! C'est donc bien rendu beau, ici ! s'exclama Colette en voyant les améliorations apportées au chalet. Tu as fait ça quand ? Oh, regarde les boîtes à fleurs ! Hon, as-tu vu le terrain ?

— Je sais, maman. Jéricho a tout retapé...

— Bienvenue au *shack*-fraisinette !!!!

Ça, c'était Colombe, sortie sur le balcon en chantant. Soit elle avait une nouvelle médication, soit elle avait bu.

— Voulez-vous un petit verre de rosé, mes deux belles filles ?

Elle avait bu.

Madame l'auteure ? Pourquoi fais-tu boire ma grand-mère avec Jéricho ? Je me sens trompée... Tu complotes dans mon dos, maintenant[58] ?

OK, mais je suis vraiment obligée d'affronter Jéricho[59] ?

Et j'imagine qu'il a raconté notre roadtrip en détail à Colombe[60] ?

Pauvre Jéricho... C'est ça, hein, t'as un chouchou ?!

À l'intérieur, devant le malaise imminent, Jéricho s'occupa l'esprit en se repassant en boucle les conseils de Conrad et en rayant la liste mentalement.

- ~~Tu soûles un peu la bonne femme.~~
- ~~Tu la filmes pendant qu'elle lave ses légumes.~~
- ~~Tu la mets de ton bord.~~
- ~~Tu bois un (1) verre toi aussi.~~
- Laisse grand-maman expliquer sa surprise toute seule.

---

58. Ne t'en fais pas, je contrôle la situation. Et tu sais comme moi que Colombe n'a jamais eu besoin d'être suppliée pour prendre un verre.
59. J'en ai bien peur.
60. Il n'a pas vraiment eu le choix, tu sais comment est ta grand-mère. Columbo avec une permanente... Si ça peut te réconforter, il se sent aussi à l'aise que toi, en ce moment, ce pauvre Jéricho.

- Ne dis rien. Reste témoin de la scène.
- Attends le sourire complice.
- N'oublie pas de te lier d'amitié avec sa mère.
- Attends l'invitation à dormir.
- Propose toi-même la chambre d'amis du garage.
- Ne bouge pas de là, attends que Charlotte te rejoigne (ou pas).

— Je vais commencer par entrer, grand-maman, si ça ne te dérange pas. Ensuite, je me soûlerai avec toi! répondit Charlotte en riant et en serrant Colombe dans ses bras. Entre, maman, tu vas voir, l'intérieur aussi a pas mal changé.

Jéricho était dans la cuisine, timide. Une caméra traînait sur la table près de lui.

— Maman, je te présente Jéricho. Jéricho, c'est ma mère.

— Tu peux m'appeler Colette, si tu veux.

— Enchanté, Colette.

Charlotte n'avait jamais mentionné sa mère dans leurs conversations. C'est donc un Jéricho curieux et anxieux qui se présenta à elle. Il la trouva très jolie. D'une beauté naturelle, comme sa fille. Pas spectaculaire, mais belle. Châtaine et petite, elle laissait transparaître certaines mimiques de sa fille.

— Je vais aller porter les bagages en haut et, ensuite, vous allez m'expliquer ce que vous faites ici, tous les deux, et ce que cette caméra s'apprête à tourner, enchaîna Charlotte.

- Laisse grand-maman expliquer sa surprise toute seule.
- Ne dis rien. Reste témoin de la scène.
- Attends le sourire complice.
- ~~N'oublie pas de te lier d'amitié avec sa mère.~~
- Attends l'invitation à dormir.
- Propose toi-même la chambre d'amis du garage.
- Ne bouge pas de là, attends que Charlotte te rejoigne (ou pas).

— Jéricho, Charlotte m'a dit que vous étiez à l'origine de tous ces changements, ici dedans ? s'enquit Colette.

— C'était déjà très accueillant, je n'ai pas eu à faire grand-chose. Alors, mesdames, je vous sers un cocktail ou un verre de vin ?

— Je prendrais bien un verre de blanc, si vous en avez, monsieur, demanda Colette.

— Alors un verre de blanc pour madame et… (Charlotte revint au même moment) la même chose pour vous, mademoiselle, avec plein de glaçons dans votre chardonnay ?

— Merci, répondit-elle, l'air gênée qu'il la connaisse si bien.

— Ma chère petite-fille, j'ai demandé à ton ami d'immortaliser notre soirée et notre journée de demain, expliqua Colombe. Je veux avoir un beau souvenir de nous trois à regarder, les jours où je m'ennuie à mort, à la résidence.

— Ah, maman, tu le sais que j'haïs ça, ces affaires-là ! soupira Colette. C'est Charlotte, la vedette, pas moi.

— Je trouve que c'est une bonne idée, grand-maman, rétorqua Charlotte. Je me demande bien de qui elle vient, d'ailleurs…, termina-t-elle en regardant Jéricho d'abord suspicieusement, puis avec le sourire.

— Oh non ! Je n'ai rien à voir là-dedans, moi !

- ~~Laisse grand-maman expliquer sa surprise toute seule.~~
- ~~Ne dis rien. Reste témoin de la scène.~~
- Attends le sourire complice.
- Attends l'invitation à dormir.
- Propose toi-même la chambre d'amis du garage.
- Ne bouge pas de là, attends que Charlotte te rejoigne (ou pas).

Le trio multigénérationnel se tenait au bout du quai, devant un magnifique coucher de soleil. Elles tournaient le dos à la caméra, à la demande du réalisateur.

— Jéricho, nous allons te raconter l'histoire de la grossesse de Colette, annonça Colombe en grande pompe.

Il appuya aussitôt sur la touche «pause» de la caméra pour faire une petite mise au point:

— Tu ne peux pas t'adresser directement à moi, Colombe. Tu dois faire comme si je n'étais pas là. Je *suis* la caméra.

— On doit vraiment dévoiler cette histoire? souleva Charlotte, pudique tout d'un coup. C'est assez intime, non? Et si le film tombait dans de mauvaises mains?

— Je ne garderai même pas une copie du montage, je te le promets, dit Jéricho.

— Bon, alors je peux continuer? s'enquit Colombe. On a sa parole, ma petite-fille... Je disais donc... Charlotte est apparue dans ma vie comme la plus belle des surprises. Tu sais, Jéricho...

— Colombe... n'oublie pas, je ne suis pas là! la reprit-il.

— Oups, c'est vrai, désolée! Colette était jeune, enceinte et dépassée par les événements.

— Tu te rappelles quand je suis revenue à la maison enceinte jusqu'aux amygdales, maman? C'était un jour de février...

— Si je m'en souviens?!? Comment oublier une entrée aussi fracassante! Tu as déboulé les marches enneigées et glacées la tête la première...

— Papa a frôlé la crise cardiaque!

— Heureusement que je me suis accrochée dans ton ventre! s'écria Charlotte avec le sourire d'une enfant de trois ans.

— J'ai eu la chance d'avoir la meilleure mère et la meilleure fille du monde, confia Colette à la caméra. Grâce à elles, je suis devenue quelqu'un...

— Et moi, tout ce que je suis, je vous le dois à toutes les deux: mon air bête, ma tête de cochon, la passion pour mon métier, mon esprit de gang avec mes amis… et mon alcoolisme! conclut Charlotte en riant.

— Ça, tu le dois à ta grand-mère; moi, ça fait longtemps que j'ai arrêté d'essayer de vous dissuader de trop boire!

— Je vous aime, mes belles filles, lâcha Colombe, la voix troublée par l'émotion.

Puis elle poursuivit avec un expéditif: «Bon, commencez-vous à avoir faim? On va se faire de la sauce à spaghetti!»

Jéricho éteignit la caméra et ils rentrèrent pour le souper.

— Est-ce que Charlotte vous a déjà fait sa fameuse sauce à spaghetti «maison»? lança Jéricho en mimant les guillemets des doigts.

— Eille, tu n'as pas le droit de me niaiser sous mon toit, Jéricho Lamoureux! s'exclama l'animatrice.

— Chut, chut, chut, jeune fille! On veut connaître l'anecdote, nous aussi! le défendit Colette.

— Un soir, j'étais parti tourner à l'extérieur et, à mon retour, ma charmante coloc s'est empressée de m'annoncer qu'elle avait fait une sauce à spaghetti «maison». En réalité, elle avait clairement acheté un pot de sauce au magasin général du camping et elle m'attendait pour sa touche finale personnelle: l'ajout de quelques légumes sautés dans la poêle, au bénéfice des téléspectateurs et pour faire plus «vrai».

— Ça m'apprendra à vouloir être gentille! Comment tu m'as démasquée?

— J'ai eu un doute en remarquant qu'il n'y avait pas beaucoup de vaisselle sale, aucune tache sur le comptoir et… une tonne d'ail dans la sauce alors qu'on n'en avait jamais acheté! Mais j'en ai eu la confirmation, quelques heures plus tard, en trouvant le pot vide dans un des coffres du VR!

— Hahahaha!! Pas très subtile, hein? Bon, au lieu de raconter des niaiseries sur mon compte, fais donc ce pour quoi ma grand-mère t'a emmené ici. Tu es prêt ? Ça tourne ? OK, allons-y pour une intro. Nous voici donc dans le *shack*-fraisinette, avec Colombe Clément, quatre-vingt-six ans, Colette Clément, cinquante et un ans et moi-même, Charlotte Clément, trente-trois ans. Grand-maman, toi qui as eu la belle idée de nous réunir, fais donc une Maman Dion de toi et montre-nous comment tu fais ta sauce à spag.

— Est-ce que je peux être di Stasio, à la place ?

— Pas de problème !

Il n'en fallut pas plus pour que Colombe prenne son rôle un peu trop au sérieux.

— Mes amis, bienvenue à l'émission de cuisine de Colombe di Stasio ! Vous voulez faire une bonne sauce à spaghetti ? Rien de plus facile ! Yeah, yeah, yeah, wô ho hou ho hou ho ! Yeah, yeah, yeah, j'ai besoin de m'amuser !

— Tu nous la joues Claude Dubois, maintenant ?!?

#éclatderiregénéral

— Un peu de sérieux, mesdames ! lança Colette après quelques minutes. On nous regarde, après tout. Je vais la faire, moi, la recette. On commence par faire suer les oignons, puis on ajoute la viande…

Jéricho avait déjà coupé et mis tous les ingrédients dans des bols, comme dans les vraies émissions de cuisine.

Après avoir bien ri, bien bu et bien mangé, Jéricho décida de laisser les filles entre elles. Il ralluma la caméra et la posa sur la table du salon.

— T'es gentil, Jéricho, mais tu as assez travaillé pour aujourd'hui, dit Colombe. Je pense qu'on a ce qu'on veut…

— La caméra ne fait qu'enregistrer vos voix, elle ne filme pas. Moi, je sors faire un feu.

Elles eurent la délicatesse d'attendre qu'il soit loin pour parler de lui.

— Il joue son personnage de séducteur, c'est ça? demanda Colette.

— Je pense qu'il est sincère, moi, rétorqua Colombe.

— Je vous rappelle que la caméra tourne! Et pourriez-vous arrêter de parler comme si je n'étais pas là? soupira Charlotte, prise entre l'arbre et l'écorce.

— Ma grande, que tu sois là ou pas, ça ne m'empêchera pas de dire à ta mère le fond de ma pensée, au sujet du petit gars.

— OK, ben laisse-moi arrêter la caméra, alors.

Au même moment, le réalisateur texta Charlotte:

JÉRICHO DIT:
J'ai oublié ma bière dans la cuisine… tu me diras quand elles auront fini de parler de moi.:)

CHARLO DIT:
Hahahahaha! T'es mieux de venir la chercher TOUT DE SUITE, sinon tu vas sécher longtemps sur le bord de ton feu!

— Jéricho s'en vient alors on va sortir pour aller s'asseoir autour du feu, OK? les avertit Charlotte.

Jéricho les rejoignit avec l'appareil photo et le nécessaire pour préparer des sandwichs à la guimauve flambée au rhum, et à la crème glacée.

— Je t'aime encore plus, mon petit gars! s'exclama Colombe. Quelle bonne idée! Comment j'assemble tout ça?

— Faut demander à ta petite-fille, c'est sa spécialité.

— On riait de moi et de mes talents en cuisine, tantôt, mais là on voudrait mes trucs?! fit semblant de s'insurger Charlotte.

Puis, reprenant son ton d'animatrice, elle combla les attentes de Colombe:

— Il faut d'abord embrocher une guimauve sur un bâton préalablement chauffé dans la braise, comme ceci. Puis on plonge le bon vieux «mâchemélo» dans le rhum et ensuite dans le feu. Colombe di Stasio, en attendant, pourriez-vous étendre un peu de crème glacée sur un biscuit? Ici, on a choisi des biscuits aux pépites de chocolat, mais la sorte importe peu, il faut juste qu'ils soient durs et assez grands pour recouvrir la guimauve.

Jéricho s'activa à les prendre en photo, armé de sa bonne vieille caméra semi-automatique. Charlotte lui prépara un sandwich trois étages, extra rhum, extra guimauve et… extra cendre! Du joli!

Je peux avoir une conversation avec toi, narratrice déesse?

…

Youhooooooou?

S'il te plaît!!

N'attends pas que je te menace[61].

Ah! Il suffit de parler de menaces et ça fonctionne. J'ai une demande à te faire: est-ce que le réalisateur-tombeur pourrait, justement, rester le réalisateur-tombeur? Je te permets de me faire tomber en amour avec un gars, si tu veux, parce que je sais bien que c'est ce qui doit arriver (je suis dans un roman de chick lit, après tout), mais pourquoi choisir celui qui a baisé le Tout-Montréal, aussi «bon gars» puisse-t-il être en présence de ma famille? Come on! Si on sort ensemble, comment veux-tu que j'arrive à lui faire confiance[62]?

Si tu y tiens, on pourra recoucher ensemble, lui et moi, une dernière fois, avant que je rencontre quelqu'un d'autre. Au bénéfice des lecteurs, bien entendu[63].

---

61. Et sans trop vouloir être indiscrète, que ferais-tu pour me «menacer»?
62. Tu ne le connais pas comme moi je le connais, mais je te comprends de t'inquiéter. Je vais voir ce que je peux faire…
63. Ah, parce que, maintenant, tu as à cœur le bénéfice des lecteurs? *Bullshit!*

Deux heures plus tard, Colombe et Colette rentrèrent dormir, tandis que Charlotte et Jéricho restèrent devant le feu.

Seul le crépitement des flammes meublait le silence entre eux. Y avait-il un malaise ? Non, c'était gentiment lent. Quoi faire ? Parler ou non ? Et pour dire quoi ?

— Est-ce que je peux t'embrasser ?

Wow. Jéricho s'était lancé. Dans. Le.

Vide.

— Bien sûr.

«Merde», pensa Charlotte. «Réponse trop généreuse, trop «à bras grands ouverts».»

Il s'avança vers elle pour l'embrasser une première fois. Elle lui rendit son baiser. Il se serait attendu à mieux. L'idéalisait-il trop ? Sans doute. Charlotte fut surprise qu'il mette fin à leur baiser, mais elle n'en laissa rien paraître.

— Ça te tente d'ouvrir une bouteille de bulles avec moi, dans ta chambre d'amis ? demanda-t-elle sur un ton qu'elle voulut relax.

— Tu sais comment me prendre par les sentiments... Tu me fais me rendre compte que tu as été tranquille, toi, ce soir. Je t'ai déjà vue boire plus, souligna-t-il.

— Vidéo de famille oblige. Ç'aurait mal paru, que j'aie une truite morte dans la bouche, en guise de langue. Allez, va m'attendre, ce ne sera pas long.

Une dizaine de minutes plus tard, elle entra dans le garage avec la bouteille promise et une assiette de fruits. Belle idée.

Mentalement, comme il avait l'habitude de le faire en VR, Jéricho tenta de deviner quel soutien-gorge Charlotte portait. Peut-être un nouveau ? C'était devenu un jeu pour lui, pendant le *roadtrip*. Après tout, il connaissait l'éventail de soutiens-gorge de l'animatrice par cœur grâce au tourbillon de dentelle, de satin, de soie noire, blanche, rose, picotée, rayée ou jaune avec des frisons «rangé» dans l'armoire d'équipement technique.

Un matin, il avait même pensé à voix haute :

— Tu portes le soutien-gorge jaune poussin, aujourd'hui ?

Elle lui avait répondu avec son humour mordant habituel.

— Jaune poussin ? Es-tu certain de ton orientation sexuelle, toi ?

— À moins que ce soit le bleu Mr. Freeze ?

— «Bleu Mr. Freeze»? avait-elle répété, stoïque.

— Oui, le Calvin Klein bleu.

— Ça, c'est mon *top* de maillot ! Coudonc, tu cachais bien ton jeu, espèce de fétichiste de soutiens-gorge !! T'endors-tu en les *sniffant* le soir ?

À partir de ce jour-là, c'était devenu un *running gag* entre eux.

Ce soir, il ne le savait pas encore, mais Charlo en portait effectivement un nouveau. Style « c'est l'été, allons cueillir des marguerites sauvages dans le champ ». Le genre de soutien-gorge que doivent porter les *hipsters* : blanc, en coton et dentelle, parsemé de minuscules fleurs vertes. Jéricho n'allait pas tarder à le découvrir, puisque Charlotte n'avait pas l'intention de faire traîner les choses en longueur…

— Je te présente mon nouveau soutien-gorge ! lança-t-elle, l'œil coquin, en enlevant sa camisole. Tu lui donnes quel nom, à celui-là ?

— « Le bonheur est dans le pré », répondit-il en y plongeant ses lèvres afin de faire plus ample connaissance avec la nature.

— Attends, tu vas trop vite… Je dois te dire quelque chose.

— Ce n'est pas grave si ce n'est pas la bonne semaine[64]. Ça me dérange pas.

— En fait… je pense que ce sera jamais la bonne semaine, soupira-t-elle avec une petite moue.

#mortdérectioninstantanée

Ils s'assirent face à face, sur le lit.

— J'ai eu envie de tes lèvres dès ma première respiration en ta présence, précisa Charlotte en appuyant ses paumes sur les tempes de son partenaire.

Il prit doucement ses chevilles et attira les jambes de l'animatrice autour de ses hanches.

— Je t'aurais violé, sur la couverture, après le gala, poursuivit-elle. Pareil dans le VR, à pluuuuusieurs reprises. Si tu savais combien j'ai envie de toi, là, *live*, même si je vais le regretter demain.

---

64. Réponse automatique de gars.

— Tu ne le regretteras pas.

— J'en doute pas, mais laisse-moi terminer, s'il te plaît.

— Tu ne le regretteras pas, parce que nous ne baiserons pas ensemble ce soir, lui désobéit-il. Si ça te tente de dormir dans mes bras, je suis ton homme, mais je veux me coucher tôt pour être en forme demain. J'ai fait une promesse à Colombe.

Amie narratrice, t'es consciente que ça n'arriverait JAMAIS, comme situation, dans la vraie vie, hein ? Aucun gars normalement constitué ne refuserait les avances d'une jolie fille, encore moins s'il s'agissait de Charlotte Clément ! Un autre signe indéniable de ma présence dans un chick lit[65].

Ils se couchèrent sur le dos, leurs doigts entrelacés, observant les étoiles à travers le toit vitré du garage[66].

— Un quoi ? fit Charlotte.

— Elle a dit que le garage avait un toit vitré pour que ça fasse plus *cute*... euh... attends, tu l'as entendue toi aussi ?!

Houpelaille ! Pour la première fois, mes personnages m'entendent en même temps, dans leurs têtes. Pas fort, Leblanc... Je l'avais pas vue venir, celle-là.

Jéricho se risqua :

— Tu savais qu'on est des personnages ?

— Euh... oui !! Mais je ne savais pas que toi aussi tu le savais, encore moins que tu savais que je savais ?...

— Je ne savais pas que tu savais, juré !

— Pchht, pchht, pchht..., chuchota Charlotte, inaudible. Je devrais peut-être... pchht, pchht, pchht...

— Effectivement, mais... pchht, pchht, pchht... t'en es sûre ?

---

65. Eh ! ☺
66. OK, ça n'existe pas vraiment, des toits de garage vitrés, mais ça *fitte* telle-ment mieux dans le contexte «romantico-kouétaine» de la scène !

Non! C'est possible, ça? Mes propres personnages parlent à voix basse pour m'empêcher d'entendre leur conversation???!!!! Bravo! Trop forts pour la ligue! J'ai des petites nouvelles, mes cocos: ici, c'est moi, l'auteure!

MOUHA HA HA HA HA HA HA HA HA HA HA HA HA HA HA HA HA HA HA HA HA HA HA HA HA HA HA HA HA HA HA HA HA HA HA HA HA[67]

De retour à votre programme principal

Lamoureux se coucha, sourire au visage, prêt à faire preuve de beaucoup de patience pour mieux conquérir sa belle. Quant à Charlo, elle attendit d'entendre le souffle régulier de l'homme endormi avant de partir. Dans son petit lit, sous le toit, sa tête et son cœur n'étaient pas sur la même longueur d'onde. L'une était trop dans la réalité, l'autre était prêt à exploser. Devait-elle en être soulagée ou perplexe?

— Je l'ai toujours dit: quelqu'un va finir par souffrir dans votre histoire, chuchota Colombe dans le noir. Je ne souhaite pas que ce soit toi, mon chou, mais Jéricho ne mérite pas ça non plus.

«Merde, elle ne dort pas, elle?» pensa Charlotte.

— On n'a rien fait, Colombe, une soirée plate plate plate, dit Charlo, mal à l'aise de discuter de sexe avec sa grand-mère.

— Maman, moi non plus, je n'ai pas envie qu'elle entre dans les détails. Imaginer ma fille faire l'amour à un monsieur à quelques mètres de moi, c'est pas un scénario agréable.

— Toi non plus, tu ne dors pas? demanda Charlo à Colette.

Pour Charlotte, entendre Colette dire «faire l'amour» en parlant d'elle = Urk.

---

67. Rire démoniaque semi-contrôlé d'une auteure au bord de la crise de nerfs.

Et «faire l'amour à un monsieur» = Uuuuuuuuuuuuuurk!!!!

Dormir, dormir, dormir. Faire la morte. Tomber dans un coma instantané. Déjà que Colombe avait une opinion sur sa vie sexuelle, pas question que Colette s'en mêle en plus!

#abusdintimitéfamiliale

FILM FAMILIAL +9 JOURS
Montréal

Petit journal, tu assistes à la fin d'une époque. La fin d'une vie. J'ai engagé des déménageurs et, en une demi-journée, tout était terminé. J'étais pimpante, joyeuse, même, de faire mon cardio en montant mes boîtes au dernier étage de l'immeuble de mon nouveau condo. C'était franchement réconfortant. Un mot, cinq lettres: E-N-F-I-N. J'avais hâte de m'installer, de faire mon nid.

Ma première nuit dans mon nouveau chez-moi a été interrompue par un appel, à deux heures vingt-trois du matin. Ma grand-mère chérie venait d'être admise à l'hôpital.

Le lendemain matin, le médecin nous a convoqués, ma mère, mes oncles et moi, pour nous expliquer que le cancer était en train d'avoir raison de ma Colombe.

Oui, le cancer... C'est une grande cachottière, ma grand-mère. Jamais elle ne nous avait parlé de la véritable cause de ses ennuis de santé. Tête de cochon d'une Clément!

Dans son cas, le mot «rapide» n'est pas suffisant pour décrire l'évolution du cancer. Ç'a été instantané. En revenant de notre fin de semaine de filles, elle a commencé à ralentir, à décrocher. Sans nous en parler. La maudite vie avait décidé que c'était le moment de balancer ma grand-mère de l'autre côté.

Après l'annonce du diagnostic, je suis entrée dans sa chambre d'hôpital en catastrophe. Colombe était seule. Elle avait encore des moments de lucidité, mais elle dormait la plupart du temps à cause des solides doses de morphine, données pour apaiser ses souffrances. Je me suis penchée sur son front pour l'embrasser.

Lors d'un de ses rares moments d'éveil, elle nous a demandé de ne pas lui en vouloir de nous avoir caché sa maladie pendant deux mois. Elle était heureuse et fière de la fin de sa vie, elle ne regrettait absolument rien.

— Ma petite-fille d'amour, m'avait-elle murmuré dans un dernier souffle. Ouvre-toi à la vie une bonne fois pour toutes

«NON! NOOOOOOOOON! Chicane-moi encore, Colombe. Fâche-toi. Arrête pas. Continue de me dire mes quatre vérités. Continue d'être ma belle Colombe d'amour. VA-T'EN PAS.»

Je refuse, je ne le prends pas, je suis en TABARNAC après la vie.

Puis je me suis enfermée chez moi. Assise par terre, au milieu des boîtes de déménagement, j'étais fracassée. Jusqu'à ce qu'un certain perroquet, complètement désemparé, m'extirpe de ma torpeur.

— Ça sonne, ça sonne, ça sonne!!! Tristan, va voir c'est qui, je ne suis pas maquillée!!!!!!

C'était l'extraconjugal.

— Qu'est-ce que tu fais là? Qui t'a donné ma nouvelle adresse?

— J'ai un colis pour toi, fit-il, assez sexy dans ses vêtements ajustés de coursier à vélo.

Il me tendait une grosse enveloppe à bulles.

Je ne sais pas pourquoi, mais le mot «bulles» a résonné dans ma tête et il a déclenché de nouveaux sanglots.

— Mais qu'est-ce qui t'arrive, ma belle?

— Reste avec moi. S'il te plaît. Je veux pas être seule.

— Mais qu'est-ce qui se passe?

— Prends-moi dans tes bras, serre-moi fort.

Il est resté toute la fin de semaine. Je n'ai pas réussi à dormir une seule minute, durant ces deux jours. Il a respecté mon état, m'accueillant dans ses bras quand je le lui demandais ou me baisant sans ménagement, selon ma volonté changeante.

J'avais besoin de m'occuper l'esprit et la meilleure façon que j'ai trouvée a été de défaire mes boîtes, de remplir mes armoires, de combler mon nouvel espace et, surtout, de déplacer, replacer, redéplacer chaque objet. Petit journal, je t'ai même balancé au bout de mes bras à maintes reprises, juste pour me donner l'impression d'avoir de l'emprise sur quelque chose.

Le lundi matin, en allant reconduire l'extraconjugal à la porte, engloutie par la peine et perdue dans mon nombril, je me suis rendu compte que je n'avais même pas pris cinq minutes pour m'informer à son sujet.

– Je t'ai toujours dit que je ne ferais pas l'amour avec toi tant que j'allais être en couple, n'est-ce pas ? m'a-t-il dit en réponse à mon « et toi, quoi de neuf ? ».

– Effectivement

Je ne l'ai jamais avoué à quiconque, mais, avec l'extra-conjugal, on n'avait jamais eu de relation sexuelle complète. Beaucoup de complicité, de caresses et d'orgasmes, mais on n'était jamais passés à l'acte. C'était sa limite de gars marié. Et, dans ma limite de fille détruite, je ne m'étais même pas aperçue que je l'avais eu en moi plusieurs fois pendant la fin de semaine.

– Je me suis séparé de ma femme, il y a quelques jours. Allez, j'y vais. Appelle-moi, je suis là.

Après son départ, j'ai vidé tous les réservoirs d'eau chaude de l'immeuble, assise en petite boule au fond de ma douche. Puis j'ai enfilé ma robe de chambre et je me suis fait un thé. Je voulais être seule, me coucher, dormir, faire d'aujourd'hui demain. Je me suis fait réveiller par la sonnerie d'un texto entrant. C'étaient Réjean et Fafa.

Va voir à ta porte, il y a une petite dose de réconfort.

De la soupe maison et du gâteau aux bananes. Chaud, moelleux, bon et réparateur. Les plus beaux et doux amours de la vie, je les ai pour amis.

Je vous aime tellement. Merci d'être là.

En revenant dans le salon, j'ai vu l'enveloppe à bulles, sur le plancher, apportée par l'ex-extraconjugal. Je n'y avais pas encore prêté attention. L'adresse de retour m'était inconnue. À l'intérieur, j'ai tâté une forme rectangulaire, et j'ai pensé à un livre envoyé par un attaché de presse très futé, qui avait trouvé mon adresse avant tout le monde.

C'était en réalité un minilecteur DVD et trois DVD. Et là, j'ai compris.

Dans le taxi qui m'avait conduite à l'hôpital, j'avais eu le réflexe de texter Jéricho pour l'informer de l'état de ma grand-mère. Il savait. Et il m'avait envoyé le film tourné au *shack*. Sur le boîtier, trois photos: une de Colombe, Colette et moi, une autre du lac et une du *shack*-fraisinette. Au verso, un genre de résumé du «film».

Elles sont trois.
Chacune de sa génération.
Chacune aussi forte que les deux autres.
Chacune magnifique, à sa façon.
Elles sont drôles,
charmantes,
déstabilisantes.
Colombe, Colette et Charlotte.

Sur un Post-it rose, il avait pris soin de noter:

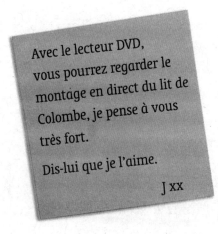

Avec le lecteur DVD,
vous pourrez regarder le
montage en direct du lit de
Colombe, je pense à vous
très fort.

Dis-lui que je l'aime.

J xx

Mes mains, comparables à celles de Michael J. Fox, n'arrivaient pas à insérer le DVD dans le lecteur. Réflexe corporel pour m'empêcher d'avoir encore plus mal. Je me suis versé un grand verre de vin, me suis allumé une cigarette et, les yeux inondés, j'ai appuyé sur « *play* ».

Je n'ai jamais trouvé Colombe et Colette aussi belles qu'à travers la lentille de Jéricho. Je ne m'étais jamais vue en train de les regarder. Je n'avais jamais vu ma mère sourire avec tout ce bonheur et cet amour sur son visage. Je n'avais jamais été témoin, avant, de toute cette admiration dans sa voix quand elle parle de moi. Ça m'a redonné le sourire.

Quatorze minutes de bonheur, mais aussi de douleur de revoir Colombe, pimpante de vie. Jéricho a intégré toutes les chansons que je lui avais suggérées pour la trame sonore. Les classiques que ma grand-mère écoutait quand j'étais petite: Ginette Reno, Claude Dubois, Claude Léveillée.

Tellement d'amour, dans ce montage. Je ne me suis jamais trouvée aussi vraie devant la caméra.

La finale m'a complètement soufflée: un montage photo de nous trois, autour du feu, avec les sandwichs à la crème glacée, sur fond sonore de *Besoin pour vivre*. Jéricho a réussi à joindre nos voix à celle de Claude Dubois. Parfois, on parle par-dessus ses paroles; d'autres fois, on n'entend que nous et la musique. Magique. Ç'a dû lui prendre tellement, mais tellement d'heures de montage.

Yeah Yeah Yeah
Wô ho hou ho hou ho
J'ai besoin de m'amuser

J'ai besoin pour vivre sur terre de rire, de m'amuser
Et surtout de chanter
J'ai besoin de danser avec le monde entier
J'peux pas vivre sans être aimé

Yeah Yeah Yeah
Wô ho hou ho hou ho
Yeah Yeah Yeah
J'ai besoin de m'amuser

Besoin pour vivre
Claude Dubois

Merci, grand-maman. Mille milliards de mercis d'avoir eu une si belle idée Cette fin de semaine et ce projet de nous tourner c'est le plus beau cadeau de ma vie.

J'ai regardé la vidéo quatre fois avant de penser à écrire à Jéricho. Pauvre lui, il ignorait tout encore de la mort de cette chère Colombe!

De : Charlotte Clément
À : Jéricho Lamoureux
Objet : …

Je viens à peine de regarder ta magnifique vidéo. Merci, mon ami, de ton immense générosité. Merci d'avoir l'œil enveloppant, aimant et généreux. Notre belle Colombe nous a quittés le matin même où j'ai reçu ton enveloppe. Je viens tout juste de l'ouvrir. Ton film m'a permis d'émerger d'un abysse sans fin. Je suis si triste qu'elle n'ait pas eu le temps de voir ton œuvre…

Je t'en serai éternellement reconnaissante.

Charlo xxx

P.-S. : En pièce jointe de mon courriel, tu trouveras les détails de la cérémonie et l'adresse du salon funéraire.

De : Jéricho Lamoureux
À : Charlotte Clément
Objet : Re : …

Ma belle Charlo, je suis si triste de cette nouvelle. C'est sûr que j'irai au salon funéraire.

Tu vas peut-être me trouver bizarre, mais je crois que Colombe l'a vu, le film ; j'ai le *feeling* qu'elle m'a aidé à faire le montage, de là où elle était. Ça m'a pris deux heures au lieu des dix prévues ! C'est ésotérique, je te l'accorde, mais je me plais à penser qu'elle l'a réalisé elle-même, son film, à travers moi.

J'allais t'offrir de passer te voir, mais je t'ai probablement traumatisée, si je relis ma dernière phrase…

Je pense à toi,

je suis là.

J. xx

De : Charlotte Clément
À : Jéricho Lamoureux
Objet : Re : Re : …

Elle était ésotérique, la Colombe, tu sauras, J !

Merci pour ton offre, mais ça va aller. Seulement besoin d'être seule.

Charlo xx

Jéricho arriva au salon funéraire avec un retard considérable à cause du trafic. Ne voyant pas Charlotte, il se dirigea vers le cercueil fermé. Il croisa plusieurs connaissances du monde de la télé, qu'il salua d'un discret signe de la tête. À la place de la traditionnelle photo de la défunte, il remarqua son lecteur DVD, sur lequel jouait son film en boucle.

En regardant ses images, il chuchota à Colombe :

— Charlotte me manque, Colombe. Toi aussi, tu me manques, même si je t'ai connue seulement quatre jours en tout.

Il voulut s'essuyer les yeux pour retrouver un semblant de virilité, mais il laissa tomber son mouchoir par terre. En se penchant pour le ramasser, il aperçut un bout de plastique blanc, sous le cercueil. Un cell ? Celui de qui ? Grosse surprise ! Celui de Charlo, évidemment.

Il ramassa le téléphone et y installa aussitôt une application. Comment connaissait-il son mot de passe Apple ? Elle le lui avait révélé, en *roadtrip*, pour le téléchargement d'un GPS. Mémoire, mémoire ! L'application était un genre de talkie-walkie entre cellulaires. On tient un bouton, on parle, on lâche le bouton et le message se rend au destinataire choisi. Comme des petits Post-it, mais vocaux. Des «post-voc». Jéricho était TRÈS FIER de son idée.

Après avoir caché l'application dans le téléphone de Charlo, il alla la rejoindre, glorieux d'avoir retrouvé son cell, qu'elle devait chercher depuis une heure. De loin, il la vit jouer son personnage d'animatrice gentille. Celle qui ne dérapera pas, ne perdra jamais le contrôle. En Charlotte Clément, elle serait accroupie sur la tombe, en pleurs.

— Salut, ma belle, tu passes au travers ?

— Salut, merci d'être venu. Ça va aller. Mais c'est *fuckin' tough*.

Un gars les rejoignit au même moment. Arborant des *dreads*, un veston défraîchi et des jeans sales, il sourit poliment à Jéricho et posa sa main sur celle de Charlotte, avant de lui dire :

— Tiens, bois un peu, ça fait des heures que tu parles à tout le monde.

Il lui tendit un verre d'eau et Charlotte fit les présentations.

— Jéricho, je te présente Érik.

?

C'est qui, lui ? Narratrice déesse ? What the ?… Sa tronche me dit quelque chose…

— Salut, je suis un vieil ami de Charlo, dit Érik.

— Enchanté, moi je suis un nouvel ami de Charlo. Je te connais, on dirait…

— Je ne pense pas. Mais j'ai souvent entendu parler de toi, elle m'a raconté votre *roadtrip*.

— Désolé, elle ne m'a jamais parlé de toi, lança Jéricho, plutôt baveux et en lançant un regard en coin à la belle animatrice.

Elle voyait très clair dans son jeu.

Charlotte Clément couche avec un hippie crotté ?

— J'imagine que tu le cherchais ? demanda Jéricho en tendant son téléphone à Charlo.

— Oh ! Il était où ???

— Avec Colombe.

Ils furent interrompus par un préposé du salon funéraire, qui proposa à la famille de faire ses derniers adieux à Colombe. Il ouvrit ensuite le cercueil. Elle était là. Charlotte s'avança pour caresser ses cheveux. Elle aurait voulu se coucher aux côtés de sa grand-maman et se faire oublier. Mais la vraie vie ne permettait pas ça. La vraie vie, c'était de se rendre à l'église pour la cérémonie.

Lorsque le célébrant demanda à Charlotte de le rejoindre à l'avant pour un témoignage, elle sortit son journal intime de son sac à main et commença à lire :

26 juin 1988

Cher petit journal,

Aujourd'hui, j'ai passé la plus belle journée de ma vie avec ma grand-maman Colombe. Nous sommes allées manger des fraises dans un champ de fraises. (C'est sûr qu'on n'aurait pas mangé de pommes, dans un champ de fraises... mais c'est pas de ça que je veux te parler.) On a cueilli douze paniers pleins et on va faire de la confiture demain. À un moment donné, pendant que j'étais concentrée à trouver les plus grosses fraises, j'en ai reçu une toute moisie sur ma manche. C'était Colombe qui me l'avait lancée! Est-ce que tu savais qu'on a le droit de faire une bataille de fraises, quand on va en cueillir? Ma grand-mère, c'est la plus cool au monde. Je l'adore pour toute la vie.

Charlo, dix ans

Charlotte tourna ensuite plusieurs pages de son journal et elle reprit sa lecture.

Cher petit journal,

Aujourd'hui, j'ai encore besoin de toi. Eh oui, même à trente-trois ans. C'est un jour difficile. Quand je verrai cette date, à l'avenir, je laisserai toujours une petite miette de mon cœur derrière moi.

Pourquoi la vie en fait toujours à sa maudite tête de cochon? Je l'emmerde, la vie. Je veux lui faire la peau. Je veux qu'elle ait aussi mal que moi, je veux la faire payer.

Ma grand-mère, la plus cool du monde, est partie.

Je t'adore pour toute la vie, ma belle grand-maman-Colombe-juste-à-moi.

Charlo xxx

Quelques heures plus tard, dans la soirée, Charlotte retrouva son journal pour y raconter l'enterrement :

Belle Colombe,

Ils ont descendu le cercueil dans la fosse. C'est là que j'en ai vraiment pris conscience. Je tenais ma mère dans mes bras et on pleurait doucement. J'ai pris une marguerite et je l'ai embrassée comme je l'aurais fait de ta petite joue tendre.

FACEBOOK
Même moment

CONRAD DIT :
Elle était avec un crotté ? Calvaire !

JÉRICHO DIT :
Man, j'dois l'avouer, j'avais le cœur fripé. Elle, dans les bras de sa mère et de son estie de pouilleux. Dernière image d'elle, *live*. Je suis parti, j'allais pas partager le triangle de sandwich aux œufs bios avec le hippie pas propre. Oh *no*, monsieur !

CONRAD DIT :
Elle doit être belle, Charlotte Clément, quand elle pleure.

JÉRICHO DIT :
T'avais juste à m'accompagner, gros épais, tu l'aurais vue. Ben non, fallait que tu *chokes*.

CONRAD DIT :
Come on, ma fille fait une gastro, alors moi aussi, dans quelques heures. J'allais pas lui transmettre ça, à ta belle animatrice ?

JÉRICHO DIT:
Tellement jolie, mais tellement démolie, la belle princesse.

SALON FUNÉRAIRE +5 SEMAINES

«La vie continue», disent certains après le décès d'un proche. Charlotte les aurait probablement envoyés se faire voir ailleurs. Elle aurait à trimballer sa peine pour le reste de ses jours, c'était son unique conviction. À la télé, ça ne paraissait pas du tout. Elle était peut-être un tout petit peu moins rayonnante, mais «Ginette, dans le rang 7» ne le remarquerait pas. C'est en la revoyant en ondes pour la première fois après le décès de Colombe que Jéricho se décida à lui envoyer un premier «post-voc».

Dans sa loge, après l'émission, Charlotte aperçut un message inhabituel sur son cellulaire: «Vous avez reçu un post-voc, cliquez ici pour l'écouter.» En appuyant sur le bouton, elle entendit retentir la voix de son ancien coloc:

🔊 Salut, Charlo! Un petit coucou pour te dire que je viens de te voir dans ma télé et que je te trouve magnifique. Je sais que ça ne doit pas être facile de reprendre le boulot comme si de rien n'était. N'oublie pas que je suis là si tu as besoin de quoi que ce soit.

🔊 Salut, monsieur. On fouille dans mon cell, maintenant?! répondit Charlotte en lâchant le bouton, malhabile.

De son côté, Jéricho entendit seulement: «maintenant». Il n'avait pas besoin du début de la phrase, il saisit tout de suite le ton.

🔊 Sois pas fâchée. Ça se voulait une belle surprise, pas un *move* de *stalker*.

🔊 Je ne suis pas fâchée. Mais je préfère rester seule, merci de comprendre ça.

Sur l'ordinateur portable de l'animatrice, la sonnerie de Skype se fit entendre. C'était Mélancolie, qui essayait de la joindre pour une millième fois depuis la mort de Colombe. Décidément, la technologie l'obligeait à donner signe de vie, ce soir. Charlotte se décida enfin à répondre. Sa webcam allumée, elle vit aussitôt la mer derrière Mélancolie. Ça l'apaisa.

— Ma chérie, enfin, tu es là !!

— Allô.

— Je CAPOTAIS !!!! Tu n'as répondu à aucun de mes *emails* ni aucun de mes appels depuis des semaines.

— Désolée. J'avais besoin d'être dans ma tête.

— Comment vas-tu ? Je m'inquiète.

— Ça va. Ça dépend des jours. Des fois, je voudrais me creuser un trou à côté de la tombe de ma grand-mère et y rester. Heureusement, le travail m'occupe l'esprit.

— Il est arrivé tellement de choses, depuis la dernière fois où on s'est parlé. C'est Jéricho qui m'a appris, pour notre belle Colombe. Il était dans tous ses états. Je sens qu'il s'inquiète beaucoup pour toi, mais il reste distant quand j'aborde le sujet...

— Je ne l'ai pas revu depuis le salon funéraire. En fait, je n'ai pas vu grand monde depuis ce jour-là, sauf Érik.

— Pardon ? Depuis quand tu l'appelles par son prénom, celui-là ? Tu parles bien de l'extraconjugal ?

— Non. C'est l'ex-extraconjugal, il est maintenant célibataire, le monsieur.

— Et... tu sors avec ? fit Mélancolie sans cacher son étonnement.

— On passe du temps ensemble, mais je ne sors pas avec. C'est relaxant. C'est le seul que j'endure, en ce moment. Sérieusement.

— OK… et vous faites quoi quand vous «passez du temps ensemble»? demanda Colie en mimant les guillemets avec ses doigts.

— On se voit deux fois par semaine. Il me fait à souper, je loue un film. *Chill*. Je ne sors presque plus de chez moi. J'ADORE mon nouveau condo.

— Je suis contente pour toi! Ç'a l'air super beau! Tu n'as pas le temps d'écrire à ta vieille Mexicaine, mais tu *postes* des photos sur Instagram… Pfff!! lança Mélancolie avec un sourire en coin.

— Je m'excuse, mon amie, fit Charlotte, penaude.

— T'en fais pas, s'il y a bien une personne qui peut comprendre ton silence, c'est moi. Tu te rappelles quand je suis débarquée au Mexique?

— Et que t'es devenue Mélancolia sans le dire à personne? Euh, ça s'oublie pas! s'esclaffa-t-elle.

Son premier éclat de rire des dernières semaines. Petit moment d'apaisement dans le sternum.

— Et ton Érik, il est à l'aise avec le statut non officiel de votre relation?

— J'imagine… on n'en parle pas vraiment. On parle pas beaucoup, point.

— T'es sûre que tout va bien? Comment s'est passée votre fin de voyage, à Jéricho et toi? Je n'ai eu aucune nouvelle, ni de toi ni de lui. C'est pas net, tout ça…

— Ce qui devait arriver arriva…

— Noooooooon?! Oui?! Je pensais pourtant avoir tout fait pour contrer ça…

Sous son palmier, en passant aux aveux, Mélancolie riait, fière de ses mauvais coups.

— Effectivement, parlons-en! *Omigod*, les beaux gars que tu m'as fait rencontrer!!!! Mais tu avais oublié de planifier notre fin de semaine de congé et j'ai dû m'en charger… Bref, c'est ta faute si c'est arrivé! Héhéhé! Au moment où Jéricho m'a dit que ce serait trop *weird* s'il se passait quelque chose entre nous, mon utérus a vu ça comme un défi. J'allais quand même pas terminer cette aventure sans l'avoir pour moi au moins une fois!

— Je ne sais pas pourquoi, mais j'ai le *feeling* que ç'a dégénéré…

— Ouais… Tout est toujours compliqué, tu sais bien. On ne pouvait pas simplement s'éclater? Avoir du fun? Oublier le reste? Non. Ç'aurait été trop facile, trop simple!

— Houuulllaaaaaa! T'es *IN LOVE*????

— Non. Pas moi.

— Tu me niaises?!? Il te l'a avoué?

— Non, je le sais, c'est tout. T'as pas vu ses yeux, quand il me regarde.

— C'est Jéricho Lamoureux, je suis certaine qu'il est en contrôle, mais il s'arrange pour te laisser croire le contraire.

— Il a fait jouer *Je ferai ce qu'il faut*, d'Alex Nevsky…

— Ben là, une chanson. C'est pas la fin du monde, Charlo.

— On venait de passer deux jours à baiser dans tous les sens et la première chose qu'il fait de retour dans le VR, c'est de mettre une chanson qui dit: «Donne-moi ton cœur, je ferai ce qu'il faut pour le peupler de fleurs qui ne manqueront jamais d'eau.»

— Faut le lui accorder, c'est salement romantique.

— Tu le sais, toi, à quel point on est tous les deux amoureux de la musique?

— Oui et je sais aussi qu'elle vous aide à vous exprimer. OK, je l'avoue, t'as peut-être raison…

Comme pour prouver ce que Charlotte venait d'avancer, Jéricho lui envoya un «post-voc» au même moment.

— On l'écoute ensemble!! s'exclama Mélancolie.

— Pas sûre que ce soit une bonne idée… Je vais aller l'écouter dans la salle de bains et je reviens te faire un compte rendu.

— *Come on*, Charlo!!! Envoye, Manon, pèse sur le piton!

Au lieu de la voix de Jéricho, c'était celle de Charles Dubé, ce qui prit les filles par surprise:

J'sais pu vraiment placer mes sentiments
Qu'tu sentes ce qu'y a dans mon cœur
Que tu puisses croire en ma chaleur
J'voudrais que tu m'aides
À comprendre ce qui va pas
Ça fait des jours que t'es retranchée
Que tu ne parles pas
Mais je sais pu comment faire
Pour te sortir de ton enfer
Entendre ce que tu dis pas
Mais ça, tu l'sais ben que ça s'peut pas, mais

Je l'sais que t'as de la peine
Que tu l'sens dans tes veines
Je l'sais que ça t'fait peur
De m'confier ton cœur

C'est pas toujours facile d'aimer ceux qu'on aime
Et pas toujours facile de croire quand tu vois rien
Et pas toujours facile de croire
Que d'être fort, c'est aussi d'avoir d'la peine

La marée

 @charlesdube3

— Il a rechuté. C'est vraiment *cute*, mais il a définitivement rechuté, annonça Mélancolie, l'air inquiète.

— OK?... Et ça veut dire?...

— Je ne m'attendais pas à ce que tu deviennes la prochaine Sybelle.

— OK ?… Et ça veut dire ?…

— C'est le nom de son ex, il t'en a pas parlé ?

— Pas vraiment, je sais juste qu'il était jeune et qu'elle l'a laissé pour envisager une carrière à l'international. Chacun a droit à son jardin secret, je n'ai pas besoin de tout savoir de la vie de Jéricho.

— Pour faire une histoire courte…

— Stop ! l'interrompit Charlotte. Honnêtement, je ne sais pas si ça me regarde. Il faudrait que ça vienne de lui…

— Je ne te ferai pas de grandes confidences, je veux juste t'expliquer le mode d'emploi de Jéricho. Oui, il mérite son surnom de réalisateur-tombeur, parce que, la plupart du temps, il joue au *player*, mais, quand il devient Lamoureux, il perd la tête. Comme un petit garçon qui aime trop son bébé chat et qui le serre jusqu'à l'étouffer.

— Arrête, tu me fais *freaker* !

— Hahahaha ! pouffa Mélancolie en voyant le visage apeuré de son amie. J'avoue que, dit comme ça… T'en fais pas, il n'est «dangereux» pour personne d'autre que lui. Il doit juste apprendre à gérer son petit cœur.

AOÛT

Saint-Alphonse-Rodriguez

Peu importe ses états d'âme, quand elle se retrouvait au *shack*, Charlotte renaissait. En arrivant, elle sentit la présence de Jéricho dans chaque pièce et ça l'angoissa un peu. Il y avait laissé beaucoup de lui. C'était trop «droit» et ordonné, tout à coup. En temps normal, le *shack* était un endroit bordélique, minimaliste, un peu tout croche et dépareillé.

— Youpidou, je capote, ma chérie!!! s'excita Fafa, aussitôt entré. C'est donc bien magnifique ici!!

— J'avais hâte de voir le fameux *shack*-fraisinette, après tout ce temps! renchérit Réjean en tapant des mains.

— Oui, oui, c'est magnifique, merveilleux, fantastique, et Jéricho est l'homme le plus habile de la Terre, je sais, répondit Charlotte, exaspérée.

— Ben voyons, ma belle, qu'est-ce qui se passe? demanda Réjean.

— Ça va... C'est juste un peu *weird* de revenir ici et de ne plus pouvoir me rattacher à quelque chose qui existait *avant* que ma vie prenne le bord.

— J'avoue que ça commence à faire beaucoup de changements en peu de temps pour toi, admit Ludo, sur un ton compatissant. Un nouveau condo à Montréal, un tournage d'un mois en *roadtrip*, une Colombe envolée, un *shack home-stagé*...

— Ça fait trop..., souffla-t-elle.

— On est là pour toi, ma chérie, on a tout notre temps, dit Fafa en ouvrant ses bras pour y accueillir son amie.

Jesús, Réjean et Ludo les rejoignirent pour un *group hug* réconfortant. Charlotte pleurait et étouffait à la fois. Lorsqu'elle leur fit part de ses difficultés à respirer, ce fut le début d'un fou rire incontrôlable de trente minutes. «Tellement bon!» pensa Charlotte. En compagnie de ses meilleurs amis, elle était bien de nouveau.

— Voyons les choses telles quelles sont, rationalisa Réjean. Jéricho a fait du ménage, il a repeint ce qui était défraîchi et a rentré le luxe dans la place. Ça pourrait être plus grave.

— C'est ça, le hic : luxe et *shack*, ça colle pas. Je fais quoi ? Je lui redonne tout ?

— Moi, je veux bien ta machine à espresso !!!!! s'exclama Jesús sur-le-champ.

— Euh… non, pas elle, elle a sa place ici.

— Ton écran plasma, alors ?

— Je vais avoir l'air de quoi quand il va s'en rendre compte ?

— Ça sous-entend qu'il va revenir ici ?…, déduisit Réjean, toujours aussi fin observateur.

— Je ne sais pas. Pour l'instant, je ne veux pas.

— Et pourquoi ? demanda Ludo.

— Je lui en veux, je pense… Je n'aurais jamais dû partir avec lui en *roadtrip*. Colombe a appris, pour son cancer, la journée où j'ai eu mon *meeting* avec Jéricho et le producteur. Au moment même où je lui parlais du projet, elle savait que je partirais et elle s'est retenue de me parler de sa maladie… Ses derniers instants de qualité, elle les a passés seule.

— Chérie, elle n'était pas seule ! Tes oncles, ta mère et tous ses amis l'entouraient. Tu le sais à quel point elle était aimée de tout le monde.

— C'est vrai, ce que dit Réjean, ajouta Fafa. Et puis, il y a votre fin de semaine mémorable entre filles, aussi. N'oublie pas ça.

— Sans le *roadtrip*, tu n'aurais pas de vidéo souvenir de ta grand-mère, souleva Ludo, toujours pertinent.

— Tout est confus dans mon cerveau. Ma grand-mère décédée… les sentiments de Jéricho envers moi… Je lui en veux, mais, en même temps, avec lui, c'était indescriptible. Tellement intense. Trop.

— Trop comment ?

— Ahhhh, Fafa! Toi et tes questions sans réponses…, soupira Charlo. Trop, trop, trop!! J'ai le droit de vouloir ça simple, non? Avec Érik, ça l'est. Ça coule.

— Vous étiez effectivement *cute*, aux funérailles, avoua Ludo.

— Attention! Il avait toujours l'air aussi malpropre, mais vous étiez pas laids à regarder, ensemble, précisa Jesús.

— Vous exagérez encore!

— Charlo, ses jeans étaient tellement sales que, même à l'Accueil Bonneau, il aurait eu l'air *underdressed*! expliqua Ludo.

— Honnêtement, il est super sympa si on arrive à passer par-dessus ses *dreads* poisseux, renchérit Réjean.

— Ils ne sont pas sales, il les lave. Je l'ai aidé l'autre jour…

Les dernières paroles de Charlotte provoquèrent aussitôt les pires réactions de dégoût chez les garçons: faux bruits de nausées, simulation de pendaison, d'évanouissement et d'attaque cardiaque…

#hilaranteimmaturité

— J'espère que tu l'as aidé à les laver avec un *clipper* et une paire de ciseaux? Encore, ça doit prendre un coupe-bordure pour faire la job! pouffa Ludo.

— J'ai vécu l'époque grunge, moi, messieurs. Et ça m'a toujours fait triper.

— Je l'avoue, ce petit côté sale m'excite, moi aussi, leur confia Jesús, l'air coquin.

— Bon, vous voyez? Merci, mon *BBF*! lança Charlotte en accompagnant ses paroles d'un *high five*.

— On dit *BFF*, mais merci, ma chérie.

— Pas quand on a un *best black friend*.

— Ohhh, je t'aime!!!! s'écria le nouveau surnommé, avec une toute petite voix complètement à l'opposé de la définition du mot «viril». Pas que je veuille tout rapporter à moi, poursuivit-il, mais j'ai déjà baisé un itinérant.

— Ewwwwww!!! Mauvaise réponse! Ça, ça dépasse le tolérable! s'exclama Charlotte.

— Ben quoi? Il était tard dans la nuit, j'étais soûl et, sous ses douze couches de vêtements, après un brossage de dents et un coup de gant de crin, c'était un Latino vraiment craquant.

— Nouvelle loi irrévocable: tu n'as plus JAMAIS le droit de critiquer nos baises, le fit jurer Charlo.

Petit journal,

Je suis contente de me retrouver avec toi, dans mon lit guimauve. Les garçons sont répartis dans le shack, entre mon nouveau lit, la chambre d'amis et le divan. Bref, le *shack* est *jam-packed*.

C'était une belle soirée. Vraiment. Je devrais organiser un souper avec eux et inviter Érik. Il prend soin de moi et me fait du bien, les garçons s'en aperçoivent maintenant et ils m'ont promis de faire moins de commentaires sur son look. Lui et moi, on prend notre temps et on ne se questionne pas. On ne fait pas grand-chose de nos journées, par contre. Financièrement, il ne l'a pas facile. Je n'aurais jamais pensé que l'argent deviendrait un souci entre nous. Après tout, j'en ai, moi! Et ça me ferait plaisir d'en profiter avec lui, mais il refuse «de se faire vivre», comme il dit. Alors notre vie de couple se résume à ceci: on loue des films, on baise et on se cuisine des bonnes bouffes avec les ingrédients en spécial dans la circulaire.

Je m'ennuie. Un peu avec lui, beaucoup de ma Colombe et un peu de Jéricho, aussi.

MONTRÉAL
Même moment

Jéricho venait de remettre au producteur le dernier épisode de la série *Un beau tour de machine* et il n'avait plus une once d'énergie. Le rythme de vie effréné adopté durant le *roadtrip* n'avait pas cessé, depuis le retour.

La page était tournée, son histoire avec la belle animatrice n'aura été qu'une douce illusion passagère. Conscient de l'immaturité de sa réflexion, Jéricho en voulait quand même à Charlotte d'avoir ranimé la foudre en lui. Il vivait très bien, avant, quand son cœur occupait uniquement ses fonctions vitales. Avec la ferme intention de mettre fin à cette désagréable sensation, il décida d'aller rendre une longue visite à Cassandra, la jolie demoiselle rencontrée à Red Lodge, dans le Montana. La vie étant telllllement mal faite (ironie d'un roman de *chick lit*), il s'avéra que la jolie demoiselle étudiait justement à Boston. Honnnn ! Jéricho décida donc d'aller la rejoindre pour tout l'automne, après deux derniers contrats de pub à honorer. Il avait déjà trouvé quelqu'un pour la sous-location de son condo.

— Ah ouin… Charlotte Clément n'est pas tombée dans tes bras, alors tu jettes l'éponge et tu te sauves ? le provoqua Conrad un soir, dans le spa chez Jéricho.

— Je jette pas l'éponge, je l'utilise ailleurs. Je ne peux quand même pas l'obliger ! Elle me fait pas confiance, elle veut pas de chum, le *timing* est mauvais et, pour l'instant, elle se satisfait du crotté à *dreads*. Puis, si tu te souviens bien, j'étais heureux avant toute cette histoire sur la route, non ? M'as-tu déjà entendu me plaindre parce que je rencontrais trop de filles différentes ?

— Je t'ai déjà connu plus convaincant, mon chum.

— Tu ferais quoi, à ma place ?

— Je n'abandonnerais pas. Tu es en train de t'imaginer un scénario idyllique, avec ta Cassandra, mais la réalité va te rattraper. Tu te pousserais pourquoi, dans le fond ? La vraie raison, tu la connais autant que moi.

— Toi pis ta foutue crise de la quarantaine… Crisse que tu m'énerves !

— Oui, mon gars, t'es en plein dedans. Tu veux que ta vie change. Tu veux être surpris. Tu veux du nouveau, mais tu ne sais pas comment y arriver, alors tu prends l'option la plus facile.

— Et partir vivre à Boston, pour toi, c'est l'option facile ? Louer mon condo, repartir à zéro là-bas...

— Repartir *quoi* à zéro ? La vie de tombeur ? Une nouvelle fille dans ton lit chaque soir ?

— Je m'en vais rejoindre Cas-san-dra.

— Changer de ville, j'ai rien contre, mais tu vas finir par revenir avec les mêmes questions. Si c'est vraiment ce que tu veux, je te suis et tu sais que je serai là quand tu reviendras.

— Et si je reviens pas ?

— Je serai là quand tu reviendras.

Une fois Conrad parti, c'est avec les mains et le cœur ratatinés que Jéricho s'installa machinalement devant son ordinateur. Il fureta sur Facebook, à la recherche d'un vide à combler par une conquête facile qui n'attendrait qu'un signe de sa part pour débarquer dans son lit, au beau milieu de la nuit. «Drôle d'époque... être à un texto de baiser», pensa-t-il. À l'autre bout du continent, Mélancolie lui sauta virtuellement dessus aussitôt la connexion établie.

MÉLANCOLIA DIT:
Allô, mon ami! Ça fait mille ans que je ne t'ai pas parlé, mais je n'ai pas beaucoup de temps, j'allais rejoindre Pablo. Il y a une grosse fête sur la plage.

JÉRICHO DIT:
NON!!!! Pars pas tout de suite, j'ai besoin de toi! Aide-moi à me comprendre.

MÉLANCOLIA DIT:
Oh boy... Qu'est-ce qui se passe ?

Il lui raconta tout dans le détail: sa soirée de retrouvailles avec Sybelle, l'hôtel de luxe avec Charlotte, le film de Colombe, Cassandra, son projet de Boston, TOUT.

MÉLANCOLIA DIT :
Au lieu de partir à Boston, viens donc ici ! Va à l'agence de voyages de ma mère, elle va tout arranger. Ma maison est aussi ta maison. Je t'attends.

JÉRICHO DIT :
T'es sérieuse, là ? J'ai l'air si désespéré ?

MÉLANCOLIA DIT :
On en discutera autour de plusieurs *shooters* de téquila et d'énormes margaritas. Tu vas voir, Pedro va t'impressionner avec ses qualités de barman. On va prendre soin de toi, aussi bien que tu prendrais soin de moi en pareille situation. Je t'aime.

JÉRICHO DIT :
Merci d'être là, ça fait du bien au moral.

MONTRÉAL
12 jours + tard

Même si elle avait atteint son but ultime de faire partie du quotidien de centaines de milliers de personnes, Charlotte ne savait plus trop quoi faire de cette chance. Depuis le départ de Colombe, l'impression constante d'être un robot ne la quittait pas. Pourtant, ça lui plaisait, avant, d'être prise en charge, de se faire dire à quelle heure se faire maquiller et coiffer, de se faire remettre ses cartons d'entrevues avec questions et plans de match. N'était-ce pas son rêve, ce pour quoi elle avait étudié ? Oui. Charlotte aimait encore l'animatrice en elle, mais plus la Charlotte Clément de la vraie vie.

Elle n'abordait jamais le sujet avec Érik, par peur de sa réaction. Elle ne voulait surtout pas passer pour la pauvre animatrice aimée de tous se plaignant de son bonheur. Bref, elle se sentait vide. Comme si tout ce cirque ne menait plus à rien. Où était passée la jeune Charlotte, qui noircissait les pages de son journal de grands projets d'avenir ? Comment le décès d'une personne chère pouvait-il faire autant de ravages ? «Manque d'appétit et fatigue extrême», ç'aurait été le titre du nouveau chapitre de son existence.

Sa dernière tentative pour se redonner le sourire ? Une séance intensive de magasinage avec sa styliste favorite.

— *Omigod*, t'es-tu regardée dans le miroir, récemment ? demanda Marie-Lim, inquiète. Tu es ravagée, ma belle… On va arranger ça dès aujourd'hui. D'abord, on fait les boutiques en hystériques; ensuite, on s'en va manger une bouchée avec un petit cocktail de filles trop sucré et on termine ça au spa pour relaxer.

— *Go* pour les boutiques, je n'ai plus aucun *kit* à me mettre en ondes de toute façon.

Trois heures plus tard, à la table d'un petit café, Charlotte jouait dans sa salade au poulet et dans ses pensées.

— Même si tu déplaces chaque tomate et que tu retournes toutes tes feuilles de laitue, ton assiette ne semblera pas plus vide. T'as presque pas mangé !

— Je suis exténuée. Tu crois qu'on a assez de vêtements pour mes prochaines semaines de show ?

— Oui, mais je dois apporter la moitié de tout ça chez ma couturière pour des ajustements ! soupira Marie-Lim. Charlo, je ne veux pas jouer à la mère, mais tu flottes dans une taille 2.

— Yéééé, tu vois, j'y suis enfin arrivée ! blagua l'animatrice. Tu ne pourras plus dire que tu dois te battre avec les fermetures éclair de mes robes…

— Je pense qu'on va remettre ça à plus tard, le spa… T'as pas l'air dans le *mood*.

— Ça ne te dérangerait pas trop ? Je vais aller me coucher. Si j'étais un cellulaire, ma pile serait à deux pour cent.

— Aucun problème. Moi, tout ce que je souhaite, c'est que tu ailles mieux. Prends soin de toi, s'il te plaît !

Charlotte dormit durant tout le trajet en taxi jusqu'à chez elle. Quand le chauffeur la réveilla, elle crut qu'ils étaient rendus à New York, tellement elle avait perdu la carte. Elle ne souhaitait plus qu'une chose : se retrouver dans son lit, son merveilleux lit, et dormir jusqu'à toujours. Elle s'y laissa lourdement tomber, sacs de magasinage encore à la main. Une étreinte chaude et familière la fit émerger de son coma.

— Érik ? J'ai dormi combien de temps ?

— Je ne sais pas. Ma dernière livraison était dans le coin, alors j'en ai profité pour venir te coller un peu.

Nue (elle n'avait même pas le souvenir de s'être déshabillée !), couchée sur le ventre, son corps à découvert, elle était vulnérable.

— Tu es tellement belle, lui chuchota Érik.

— Comment tu peux dire ça ? J'ai la peau sur les os, selon Marie-Lim... Même les anorexiques me demanderaient des conseils.

Elle termina sa phrase et éclata en sanglots.

Il n'y a donc jamais de fin à cette tristesse ? Mes larmes ne pourraient pas oublier de se régénérer, juste un moment ? S'il te plaît, narratrice déesse[68].

Son médecin avait avisé Charlotte qu'elle présentait tous les symptômes d'une dépression, mais elle vivait dans le déni total. Elle dormait constamment, manquait d'appétit, ne riait plus...

— Je peux te dire ce que je pense, sans que tu t'offenses ? lui demanda Érik avec douceur.

— Au point où j'en suis...

— De ce que je sais sur toi, je crois que c'est la première fois que la vie t'envoie une épreuve. Oui, tu as dû te battre pour arriver là où tu es aujourd'hui, et tu as eu quelques embûches, j'en suis certain, mais pas de vraie épreuve, de remise en question. La mort de ta belle Colombe d'amour – que je n'aurai malheureusement jamais la chance

---

68. Je suis désolée. Vraiment.

de connaître – aura été l'élément déclencheur. Ça serait arrivé tôt ou tard.

— Mais j'étais heureuse, avant ! Tu me connaissais, tu peux en témoigner ?!

— C'est vrai que ta vie était légère, et tu l'appréciais ainsi. Mais je te voyais seulement une fois par semaine, alors c'est difficile pour moi d'en juger…

— Je fais quoi ? J'arrête tout ou je continue d'animer ?

— En tout cas, faudrait pas t'arranger pour *crasher* en direct pendant la deuxième semaine de ton nouveau show…

Cher petit journal,

Oui, je fais encore du déni, puisque je n'ai parlé à personne à part Érik de l'existence de mon supposé futur show de variétés, en ondes à la fin d'octobre. Je dis « supposé » parce que, dans mon métier, rien n'est certain. On peut monter un super concept pendant des mois et, finalement, il n'ira jamais en ondes. Ce n'est pas fréquent, mais ça arrive.

J'ai seulement deux semaines de transition, entre les deux contrats. Je ne sais pas où je vais trouver l'énergie de continuer, parce que, selon mon médecin, « dépression » ne devrait pas rimer avec « émission ». Plus j'y pense et plus je me dis que je ne trouverai pas la force d'assister aux réunions, de m'investir dans le contenu, dans les choix d'invités, etc. Pour l'instant, je fais comme si ce projet n'était pas urgent. « Tout peut toujours arriver », et je me rattache à cette phrase idiote.

Quand j'ai accepté ce nouveau défi, à mon retour de voyage, j'avoue que j'espérais secrètement que Jéricho soit un des réalisateurs. Je devrais exiger sa présence, ce serait tellement plus facile. Il le ferait, je le sais. Mais je ne peux pas débarquer chez lui avec cette demande-là, sortie d'une boîte à surprise. Je ne lui ai donné aucune nouvelle depuis le salon funéraire. Je n'ai répondu à aucun de ses «post-voc». Charlotte la lâche. Maintenant, il est trop tard.

Pourtant, Jéricho est sensible. Il l'aurait comprise, ma haine immature envers lui. Je suis stupide et je vis dans un mirage, je le sais. Par peur de ne pas «bien paraître», j'oublie d'ÊTRE. Ça fait plus d'une semaine qu'il ne m'a pas envoyé de «post-voc». C'était devenu une habitude cool, un genre de suite logique à notre *roadtrip*. Je ne peux plus voir un maudit papier autocollant jaune, bleu ou rose sans penser à lui, d'ailleurs.

Alors que Charlotte maudissait l'invention des Post-it, Jéricho, lui, faisait de l'abus.

Capotes
Crème solaire
Lotion après-soleil
Crème à barbe
Crème hydratante
Dentifrice
Brosse à dents
Déo

Lampe frontale
Tire-bouchon
Sacs hermétiques
Caméra
Piles
Passeport
Pesos
Dictionnaire espagnol
Post-it*

---

*   Quand c'est rendu que tu notes «Post-it» sur un Post-it, c'est que t'as besoin de vacances.

Le réalisateur noircissait frénétiquement ses autocollants de listes d'articles de voyage, en louangeant Spencer Silver d'avoir créé par erreur la fameuse «colle qui ne collait pas» en 1968 et Arthur Fry d'être allé, en 1974, à la messe tous les dimanches et d'avoir cherché des marque-pages pour sa Bible[69].

Pendant qu'il faisait ses listes et ses bagages, Jéricho s'accrochait à la meilleure décision prise durant les dernières semaines: acheter un billet ouvert pour le Mexique. Il partait la tête remplie de projets et d'images (créées de toutes pièces) des cousines de Pablo.

Cassandra avait accueilli la nouvelle avec le sourire, totalement consciente d'être seulement une conquête de plus dans la vie du «French Guy» qu'il était pour elle, songe de ses vacances d'été.

5 JOURS + TARD
Un Jéricho à México

CHRONIQUE 1

Ça y est, je me prends pour un écrivain. Appelez-moi Jéricoelho. Je me suis même acheté un béret mexicain en paille. J'ai envie d'écrire autre chose que des listes, pour une fois. J'ai toujours un peu organisé la vie des autres, j'ai l'intention d'organiser la mienne, maintenant. Je vais avoir quarante ans, il serait temps de penser à moi. Je me rends compte d'un fait important: heureusement que je n'étais pas encore venu visiter Mélancolie, parce que je ne serais jamais reparti. Comment s'extirper sans difficulté du paradis? Ici, les soucis, la réalité, la vie essoufflante

---

69.   La *chick lit*, ça peut aussi être un minimum instructif!

n'existent pas. Je suis dans un monde parallèle où le plus grand enjeu, dans une journée normale, c'est de réussir à dominer les vagues sur ma planche de surf. C'est bon d'être ici.

Je n'avais jamais vu ma Colie autant en harmonie avec elle-même et avec l'amour. Moi qui, un jour, fus jaloux de Pablo, je lui suis aujourd'hui reconnaissant pour tout ce nouveau bonheur dans la vie de ma fausse 'tite sœur. Je me devais de mettre les choses au clair, dès mon arrivée. Toujours bon de dissiper les malaises *avant* de les voir se pointer. En déconnant, j'ai donc lancé :

— Pablo, Colie restera toujours MA Colie, tu le sais, hein, *bro* ? Elle n'aimera jamais quelqu'un plus qu'elle m'a aimé. Alors, si t'es à l'aise dans la situation, je suis prêt à bénir votre union.

— Eille !! s'est exclamée Mélancolie. Allô, je t'entends, je suis dans la même pièce, grand innocent ! *Primo*, je n'ai pas demandé à me faire humilier chez moi, dans ma cuisine. *Secundo*, mon amour pour toi est tout droit tiré de tes rêveries et fantasmes.

Fallait bien tester l'humour mexicain ! Il a beau avoir une tête de tueur, avec sa tapisserie de tatouages, je ne me laisserai pas impressionner par Pablo. Lui non plus, d'ailleurs :

— Elle peut bien être ta Colie autant qué tou lé désires. Elle sera touyours ma Colia à moi. Et, pour ce qui est du grand amor, moi yé pourrai touyours dire qué yé l'ai aimée en retour.

— Bam ! Dans ta face, grand frère ! Bien répondu, *mi amor*.

J'ai aimé Pablo dès la première minute. Petites répliques punchs, réactions typiquement masculines. Un gars capable de tenir le rythme et de me balancer une ou deux vacheries, c'est gagné d'avance. Pas besoin de plus.

Je me repose avec rigueur. Colie est intransigeante : chez elle, c'est le décrochage obligatoire. Et, si j'ose aborder le sujet du travail, mon amie se met à parler en espagnol super fort pour m'enterrer. Je me suis tellement ennuyé !

ATTERRISSAGE +2 JOURS
Mazunte

Jéricho s'était déjà incrusté dans le paysage quand Mélancolie et lui prirent finalement le temps de se mettre à jour sur leurs vies respectives.

— Si tu savais combien j'avais hâte qu'on repasse ne serait-ce qu'une soirée ensemble, lança Jéricho.

— Je me suis beaucoup beaucoup ennuyée, mais j'avais besoin de me refaire une identité. Je ne voulais pas t'accueillir sans être complètement intégrée, dans ma tête.

— Je sais et je t'envie. Quand je me permets d'arrêter, je réalise à quel point ma vie repose uniquement sur des succès professionnels.

— J'étais comme toi, avant. À Montréal, j'oubliais de respirer pour payer mon hypothèque. Ici, je m'imprègne de sourires, de la beauté du monde et je *chille* ma vie.

— J'ai l'impression que trois ans se sont écoulés depuis le Gala des prix Verseaux. Le *roadtrip*, la mort de la grand-mère de Charlo, leur vidéo familiale… Je suis fatigué. Je n'en peux plus de rouler le pied collé au plancher, ma petite machine ne suit plus. J'ai besoin de cicatriser, je pense.

— Jéricho, tu es tellement plus généreux envers les autres qu'envers toi-même ! Je ne te dis pas d'essayer de changer ta nature profonde, juste de te ménager un petit peu. Maintenant, raconte, c'est quoi, cette histoire d'aller vivre à Boston ? Tu peux pas partir comme ça !

— Regardez qui parle !

— Je sais, c'est surréaliste. Mais j'étais amoureuse comme jamais et Pablo m'a sauvé la vie, je te rappelle. Je me noyais, s'il n'avait pas été là.

— Je suis au courant, je l'ai lu dans ton livre. Tu y avouais aussi t'être laissée couler dans l'océan pour qu'il vienne te sauver, comme dans *Baywatch. Come on,* c'est quétaine en estie ! HAHAHAHA !

La Mexicaine d'adoption se pencha pour lui lancer une poignée de sable.

— T'es con ! Mais je retiens une chose de ton insulte : tu viens de citer mon livre avec précision, je suis flattée !

— C'était le seul moyen de connaître un peu ta nouvelle existence, alors je l'ai lu trois fois.

— Hooooon, je t'aime !

— Moi aussi, ma Colietitesœur.

En la serrant dans ses bras, Jéricho se décida enfin à lui poser LA question, repoussée depuis son arrivée. Dans sa position, Colie ne vit pas le faux air décontracté de son ami.

— As-tu eu des nouvelles de Charlotte, dernièrement ?

— Oui, un peu. Elle essaie de reprendre sa vie là où elle l'avait laissée avant votre voyage. Elle ne me dit pas tout, parce que Charlotte Clément ne dit jamais tout, mais je la sens très vulnérable.

— Elle était dévastée aux funérailles. Je lui ai offert ma présence et mon soutien, mais elle a refusé chaque fois.

— Elle avait besoin de passer du temps seule.

— Pas tout à fait, non, elle était avec un gars… un Érik, je crois.

— Ah oui, le coursier à vélo. Il lui fait du bien, je pense. Elle le connaît depuis un moment. Elle le fréquentait, mais il était marié. Il est réapparu dans sa vie, comme ça, à la porte de son nouveau condo, le matin où elle venait d'apprendre pour sa grand-mère.

— CALVAIRE!!!! NON!?! C'EST PAS VRAI?!? jura Jéricho, hors de lui. Beau con!! J'avais déjà vu sa tronche, ça me revient, là.

— Euh… tu t'expliques?

— Je l'ai envoyé se jeter tout droit dans ses bras! J'ai moi-même engagé ce gars-là pour qu'il aille porter à Charlo le film de famille que j'avais réalisé. Je venais de terminer le montage. Il est venu chercher l'enveloppe chez moi. B-R-A-V-O, LE GROS!!

— Quoi? Tu parles d'un hasard! Méchant message de la vie…

— Non, j'ai jamais adhéré à ta psycho-pop, je vais pas commencer aujourd'hui. Visiblement, j'ai bien fait de tourner la page et de garder Charlotte Clément uniquement dans mes souvenirs.

— Es-tu en amour? Je veux dire pour de vrai, avec ton cœur et ta tête, pas seulement avec Madame la V?

— *Shit*, t'es directe, toi, ce soir!

— Un jour, j'ai connu un gars qui faisait la morale au premier venu. Il disait qu'en général les filles n'osaient pas assez, alors que, neuf fois sur dix, ça fonctionnerait pour elles si elles fonçaient. Ça te dit quelque chose?

— Arrête de me niaiser.

— Il disait quoi, aussi, déjà? Ah oui: «Un seul petit "non", ça n'a jamais rendu personne paraplégique.»

— Il est seulement question de sexe, dans cette maxime, ne mélange pas les dossiers!

— Tu as *choké*, mon gars, et tu le sais.

— Eille, arrête de te prendre pour Conrad!

— Tu m'as déjà ménagée, toi, peut-être? Je te dis ça parce que je t'aime. Tu sais combien une potentielle romance entre vous deux a pu me faire peur. Ce n'était pas par jalousie, mais parce que je savais que ça risquait d'être compliqué. Je vous aime trop, tous les deux, pour vous voir souffrir. Ensemble ou séparés. Si tu la veux, arrête de niaiser et va la chercher.

— Elle ne veut pas de moi ! Elle a repoussé toutes mes avances et, quand on a fait l'amour…

— BAM ! l'interrompit Colie, avec une expression de fierté dans le visage. Tu l'as dit !!

— *Anyway*…, balaya-t-il, achalé. Toutes les fois où on a b-a-i-s-é, elle m'a clairement signifié qu'il ne devait rien se passer ensuite. Je n'avais pas droit même au plus petit espoir.

— Et tu lui as signifié ton amour avec clarté, j'imagine ? Pour éviter les quiproquos ? Elle m'a parlé de la chanson d'Alex Nevsky…

— Tu confirmes mes doutes : elle a saisi le message, je le savais. On se parle en musique. Les mots, les textes, les mélodies, ça coule en nous.

— OK, donc toi, tu déclares ton amour à une fille en jouant au DJ pendant trois minutes trente-cinq et, voilà, c'est à son tour de réagir ?

— Quand même, Colie, donne-moi ça, au moins : je suis romantique.

— Oui, je l'avoue, c'était du joli, mon ami. Je ne comprends pas la réaction de Charlo…

— Bah ! Ce n'est pas la fin du monde, je vais continuer de vivre ma vie et de siroter cette enivrante téquila en ta compagnie. Tout va bien.

— Si vous voulez mon avis, yé né crois pas qué la réponse soit si claire qué ça. La situationne a changé, entre vous, depouis *dos* mois. Elle est complétement déboussolée, la pauvre.

— Il ne dort pas, lui ? sursauta Jéricho en entendant Pablo se mêler à la conversation, du fond de son hamac.

— C'est ça, la *siesta*, élucida Mélancolie. Ils font toujours semblant de dormir pour épier les conversations ou pour se défiler…

— Pourquoi tou penses qué lé Mexicains aiment autant leur hamac? Pour écouter subtilement les yolies filles discuter, tout lé monde sé ça!

Un Jéricho à México

CHRONIQUE 2

Plage, plage, plage, plage. Soleil, soleil, soleil, soleil. Plaisir, plaisir, plaisir, plaisir. Surf, surf, surf, surf. Bonne compagnie, bonne compagnie, bonne compagnie, bonne compagnie. *Cerveza, cerveza, cerveza, cerveza.* Farniente, farniente, farniente, farniente. Bonheur, bonheur, bonheur, bonheur. Vagues, vagues, vagues, vagues. Fruits au goût de ciel, fruits au goût de ciel, fruits au goût de ciel, fruits au goût de ciel. Téquila, téquila, téquila, téquila. Euphorie, euphorie, euphorie, euphorie.

Nom: Elho
Prénom: Jérico
État: bien-être total
Taille: pas pire grand
Couleur de la peau: bronzée et un peu rouge par endroits
Plus grande qualité: capacité à décrocher
Plus gros défaut: capacité à décrocher

Je suis dans mon paradis mexicain depuis déjà deux semaines. Mon mini burn-out est terminé. Mon corps redevient «corps» et mon cerveau se fait de moins en moins «cerveau». Je me la joue «bien dans ma peau». On m'appelle maintenant Yéricho et y'adore ça. Je ne veux plus jamais être dans le jus au point de mettre ma vie de côté. À quoi bon? À quoi bon se défoncer comme un con dans le travail, y laisser des petits morceaux d'âme et de corps? Pour une bonne émission de télé au bout du compte ? Un record de cotes d'écoute ? Ça importe à qui, dans le fond ?

Ici, je fais de la photo, je joue avec Pablo et les *kids* au soccer, sur la plage. Je gratte mon ukulélé en inventant de fausses chansons mexicaines dans un faux espagnol. Ça fait bien rire tout le monde.

Je suis revenu à la bonne place, là où je dois être, sur mon X, comme dirait Pénélope McQuade.

Merci, madame la narratrice déesse, de me permettre de vivre tout ça[70].

MONTRÉAL
Même heure

De son côté, notre triste animatrice était bien loin de se sentir aussi légère. Pour elle, se lever chaque matin nécessitait autant d'efforts que d'escalader le Kilimandjaro. Sa nouvelle émission devait être en ondes dans quelques semaines et son personnage de télé prenait de plus en plus de place. Elle fonctionnait sur le pilote automatique. Même avec Érik. Ne voulant pas lui faire subir Charlotte-la-déprimée, elle se forçait à sourire et à être de bonne humeur en sa compagnie.

Ce matin-là ne fit pas exception aux autres et elle accomplit le premier exploit de sa journée en allant ramasser son journal sur le porche. En ouvrant la porte, Charlotte remarqua aussitôt un seau de plastique rose, sans pelle, avec un mot rédigé à l'ordinateur :

---

70.   Quoi ? Deux cent soixante-sept pages et enfin un peu de reconnaissance ? ☺

Belle amie de mon cœur,

Le rallye du bonheur
commence ici !

Prière de te présenter à
l'adresse écrite au bas
de cette note, missive en
main.

Demande à voir Charline,
au comptoir beauté,
elle sera en mesure de
t'expliquer la suite...

Évidemment, la personne ayant déposé ce mystérieux présent n'était plus là. Avec un regain d'énergie soudain, Charlotte flotta jusqu'à sa chambre pour se changer et essayer de se faire un semblant de coiffure. Puis elle courut jusqu'à l'adresse inscrite sur le mot. Elle arriva devant la pharmacie qu'elle avait l'habitude de fréquenter. Sa cosméticienne favorite, Charline, l'attendait avec le sourire aux lèvres.

— Allô ! Ça va ? Charline, c'est quoi, cette histoire de rallye ? Raconte !

— J'en sais rien ! Tout ce que je sais, c'est que j'ai une surprise pour toi...

Elle lui remit un sac beauté renfermant un écran solaire, une lotion après-soleil et un baume à lèvres avec FPS.

— Wow, tu me donnes tout ça gratuitement ?

— Oui, madame, c'est prépayé !

— Mais par qui ?

— Il y a une enveloppe dans la trousse, ouvre-la ! J'avais tellement hâte que tu arrives !

HOURRAAAA ! Si tu es ici, c'est que tu as choisi de prendre le temps, dans cette vie qui va toujours trop vite, de participer au rallye. On continue ?

Charlotte pensa tout de suite à Mélancolie. Précieuse amie organisatrice. Tout à fait son genre.

— C'est tout ? demanda-t-elle à la cosméticienne. Il n'y a pas d'adresse…

— La voici ! Un petit conseil : n'oublie pas de protéger ta peau, sinon tu vas avoir l'air d'Anne-Marie Losique, à cinquante ans, lui lança sa complice avec un clin d'œil.

L'arrêt suivant du rallye était dans une boutique de maillots de bain, au centre-ville. La vendeuse attendait Charlotte, aussi excitée qu'elle, avec un chèque-cadeau à son nom.

— Charlotte Clément, c'est un honneur de vous accueillir dans ma boutique. Mais qu'est-ce qui se passe ? C'est pour une nouvelle émission de télé ?

— Je n'en sais pas plus que vous… mais j'adore le mystère !

Charlotte déchanta dans la cabine d'essayage en s'apercevant qu'elle n'était pas dans les meilleures conditions pour essayer des maillots de bain. Elle avait perdu beaucoup de poids, ses jambes se prenaient pour du papier sablé et son bikini, pour une moquette (Érik aimait les *dreads* et les filles poilues, de toute évidence !). Tout ça à la lumière des néons verdâtres du magasin.

#onrepasserapourleconcoursdemissunivers

L'animatrice s'empressa de choisir le maillot qui lui allait «le moins pire» et elle se dirigea vers la caisse, avec la hâte d'une enfant de six ans devant son calendrier de l'avent. «Encore des surprises, s'il vous plaît, encore tout plein!» pensa-t-elle.

— Je dois maintenant vous remettre la prochaine adresse. Vous n'aurez pas de difficulté à trouver, c'est juste à côté. En passant, avez-vous pensé à redevenir blonde, ça vous allait beaucoup mieux comme couleur.

Devant l'absurdité de la remarque, Charlotte éclata de rire: son image appartenait au public, elle n'y pouvait rien.

— Je vais y penser. Merci, là, bonne journée, sourit-elle poliment en sortant.

La prochaine adresse la mena devant la vitrine d'un opticien. Ce dernier était réputé pour avoir les plus beaux modèles de verres fumés de toute la ville. Une dénommée Josette l'attendait avec une présélection composée de montures signées Chanel, Dior, Donna Karan, Gucci, etc. Comment ne pas toutes les choisir? L'opticienne avait vu juste[71] et ses suggestions tombaient tout à fait dans les goûts de Charlotte. Elle choisit finalement une paire de Fendi.

L'animatrice arracha carrément des mains l'enveloppe tendue par sa bienfaitrice. Elle fondait tous ses espoirs sur la prochaine destination, espoirs qui furent comblés lorsqu'elle lut l'adresse de l'agence de voyages de la mère de Mélancolie.

— YIHOUU, je pars au Mexique!!! ne put s'empêcher de hurler Charlotte avant de se ruer à l'adresse indiquée.

— Ma belle enfant, j'avais hâte que tu débarques! s'exclama Thérèse en la voyant entrer, une trentaine de minutes plus tard. Mon Dieu, c'est donc bien excitant, tout ça!!

— Je sais, Thérèse, il y a juste ta folle de fille pour organiser un truc pareil! Mais je travaille, moi, je ne peux pas partir comme ça!

---

71.   Mauvaise blague d'optométrie. Toudoum tchi!

— Je dois d'abord te lire la lettre. Mon Dieu, je me sens comme une notaire. M'aurais-tu vue notaire ? J'aurais été toute mêlée avec les héritages à diviser et les hypothèques à…

— Thérèse ? l'interrompit Charlotte pour la ramener à l'ordre.

— Oui, ma belle ?

— Viens-en aux faits !

— Ah oui, désolée, je suis tellement stressée. Alors voici :

Ma belle amie, tu me manques. J'ai besoin de te voir. Je t'attendrai donc à l'aéroport de la Bahías de Huatulco, puisque ton long week-end s'étire sur sept jours et se transforme dès maintenant en vacances mexicaines. Ne t'en fais pas, j'ai déjà tout arrangé avec ton producteur et ton agent. On se voit dans moins de quarante-huit heures !

Je t'aime.

P.-S. : Appelle-moi seulement si une urgence t'empêche de partir. Tu auras amplement le temps de me remercier une fois arrivée !

P.P.-S. : Peux-tu me rapporter le petit seau en plastique, stp ? Je le cherchais partout !

— C'est vrai de vrai, alors ?!?!

— Vrai de vrai, ma Charlo. Et, à te voir l'air, ça va te faire le plus grand bien ! Voici ton billet d'avion.

À mesure que Thérèse lui expliquait l'heure de ses vols et les escales à faire, Charlotte prenait lentement conscience de ce qui l'attendait.

«JE PARS AU MEXIQUE !!!! J'hallucine ! Quelle amie ! Quelle merveilleuse personne !»

Aussitôt arrivée dans sa loge pour l'enregistrement de son émission qui devait avoir lieu le soir même, elle discuta avec ses producteurs pour comprendre comment ils pouvaient la laisser partir une semaine.

— Ton agent m'a appelé et m'a expliqué la situation. Tu aurais dû nous en parler, Charlo, c'est pas le temps de te brûler, l'automne sera chaud ! On a besoin que tu sois en feu[72] ! finit-il avec un rire niais.

— Je sais bien, mais mes vacances sont déjà passées.

— Vacances ? Tu es allée t'épuiser en Winnebago pour un autre diffuseur, je ne suis pas fier de toi. On a pensé mettre un animateur différent chaque soir, pendant ton absence. Ça va te faire du bien et ça va brasser le show un peu. Les gens vont s'ennuyer de toi, et ton retour sera attendu.

Charlo admit qu'il y avait des avantages à se faire prendre en charge par son équipe et son entourage ! En temps normal, elle aurait été stressée par la potentielle concurrence et le risque que les spectateurs l'oublient, mais, cet après-midi-là, elle s'en fichait royalement. Une fois son *boss* parti, elle appela Ludo.

— Ludo ? Es-tu en tournée cette semaine ?

— Non, je suis en ville, pourquoi ?

— Je peux aller te porter Kodak et Pierre Lambert ce soir ?

---

72.   Ouep, les *jokes* de producteur. Pas toujours bonnes, je suis d'accord.

— Ben oui, pourquoi ? Ça ne va pas ? Tu veux que je vienne te voir ?

— JE PARS AU MEXIQUE !!! Je vais rejoindre Mélancolie pendant une semaine ! Elle m'offre la surprise de ma vie !

— Wow ! Tu pars quand ?

— Demain matin.

— Je vais te reconduire à l'aéroport avec ton auto et je viendrai habiter chez toi pendant ton absence. C'est bon ?

— Est-ce que je peux t'épouser ?!? Mais je t'avertis, c'est le bordel. Les boîtes ne sont pas toutes défaites, j'ai été super méga lâche. C'est peut-être même insalubre, maintenant que j'y pense.

— Je vais m'occuper de ça, ma chérie, t'en fais pas. Je ne suis pas trop pris ces temps-ci. Je suis tellement content pour toi !

— C'est magique, hein ! Je te tiens au courant, je dois finir de me préparer. Tu peux l'annoncer aux autres, s'il te plaît ? Je n'aurai pas le temps de les appeler.

— Pas de trouble, tu nous donneras des nouvelles si tu as le temps. Texte-moi l'heure à laquelle ton avion atterrira et j'irai te chercher. Surtout, n'oublie pas tes capotes, s'il en reste…

— Hahaha ! Vous m'en avez donné une centaine ! Il en reste au moins trois ou quatre !

Petit journal, on vient de faire une courte escale à Oaxaca et nous voilà en direction de notre destination finale, l'océan Pacifique !

Moi = vraie hystérique dans cet aéroport d'Oaxaca. Je t'ai même échappé dans une flaque d'eau, sur la piste d'atterrissage ! Disons que j'étais en pleine forme, puisque j'ai dormi durant tout le vol. Profondément, tu dis? En arrivant, j'ai demandé l'heure à l'agente de bord et elle m'a avisée de notre retard de quarante minutes causé par de violents orages. Violents orages? J'ai dû perdre connaissance Elle m'a aussi annoncé la mauvaise nouvelle: j'étais sur le point de manquer mon prochain vol. Je pouvais prendre un autre vol le lendemain matin.

— Nooooon, s'il vous plaît, je dois attraper cet avion! me suis-je exclamée. Mon amie m'attend!!

— J'ai bien peur que vous n'ayez pas le temps de récupérer vos bagages

— J'ai seulement un bagage à main! ai-je crié sur le même ton qu'un concurrent hystérique de quiz télé, la main sur le *buzzer*.

Bravo, Charlo, de te l'être jouée minimaliste!! Des maillots et des minirobes soleil, c'est tout ce dont tu as besoin pour être heureuse.

— OK. Je vais essayer d'appeler le commandant de votre vol, mais je ne peux rien vous promettre. En attendant, suivez-moi et, quand j'ouvrirai les portes, courez jusqu'à la porte dix-sept.

Si je peux te raconter tout ça, petit journal, c'est parce que j'ai réussi à attraper mon vol. Une vraie scène de film! Malheureusement, je n'ai pas eu droit à Brad Pitt comme voisin, mais plutôt à deux enfants utilisant leur siège comme un trampoline. Mais je viens de *spotter* une belle rangée libre, derrière, où je pourrai me coucher à ma guise. Je demanderai de changer de place dès qu'on aura pris de l'altitude. Les joies de la première classe! Petit secret entre Thérèse et moi: j'ai payé un extra pour être dans cette section. Chuuuut!

Arrivée à l'aéroport, au milieu des familles mexicaines, Charlotte chercha longuement Colie des yeux. Puis un de ses rêves de petite fille se concrétisa lorsqu'elle vit une énorme pancarte avec son nom dessus, tenue par un garçon d'à peine dix ans. Derrière lui, dans la plus grande des surprises, elle aperçut…

— JÉRICHO???????? Qu'est-ce que tu fais ici, t'es pas à Montréal?

— Non, je suis venu me perdre au Mexique depuis trois ou quatre semaines, je sais pu trop. Tu le savais pas? Colie ne pouvait pas venir te chercher, alors je me suis sacrifié…

— Elle va bien?

— Oui, oui, elle est partie avec des touristes leur faire visiter la côte. Elle devrait être là à notre retour. Viens, je vais te présenter à tous mes amis.

Sur le coup, Charlotte n'avait pas remarqué tous les enfants autour d'eux. Ils étaient presque trente!

Avant de prendre sa valise, Jéricho la serra dans ses bras. Dans cette étreinte, les enfants du village virent un Yéricho nerveux, la petite veine de la tempe droite battant à tout rompre, collé à une fille à l'air triste et faible, vulnérable, mais soulagée.

— Je leur ai parlé de toi et de tes yeux mauves… Ils tenaient absolument à venir te rencontrer, expliqua Jéricho en souriant.

— On voyage dans la boîte arrière d'un *colectivo*, comme quand Colie a rencontré Pablo?

— Oui, madame, suis-nous!

— Je capote, j'ai tellement hâte de sauter au cou de ma Mexicaine et de l'étouffer d'amour et de remerciements!

Dans le *colectivo*, le duo Charliko prit une tonne de photos avec les enfants.

— Le Mexique te va bien, monsieur Lamoureux.

— Tu vas voir, ce pays fait du bien à tout le monde, répondit-il, paisiblement.

Il était content d'avoir pu être témoin de sa surprise. Il lui trouvait une mine fatiguée, mais, malgré tout, elle n'en était pas moins désirable.

De son côté, Charlo refusait de se poser des questions. Elle accueillait ce voyage comme une interruption momentanée, l'âme grande ouverte. Elle avait besoin de se poser.

— On arrive, ma belle, annonça Jéricho après de longues minutes sur une route cahoteuse. Je prends ta valise. Tu vois la grande maison jaune ? Entre par la porte de derrière, face à la mer. Tu vas arriver dans la cuisine.

Charlotte courut jusqu'à la maison en criant le nom de son amie comme une perdue.

— MÉLANCOLIIIIIIIIIIIIIIIIIIE !!!!!!!

Jéricho la suivit de près, la valise à roulettes flottant au bout des bras. De livreur de journaux à porteur de bagages.

— Aaaaahhhhhhhhhhhhhhhhhhhhhhhhhh, Charlo !!!!! Qu'est-ce que tu fais là ??

Charlo fut littéralement propulsée par son amie dans une chaise longue rembourrée.

— SURPRISE !!!! cria Jéricho, du soleil dans le sourire.

— *Omigod*, je ne peux pas y croire !! T'es vraiment ici, Charlo, tu es ici !!

— Ben oui, le rallye du bonheur, ta mère, je CAPOTE !!

— Jéricho Lamoureux, c'est là que t'étais parti toute la journée !!!

Charlotte se retourna alors vers lui. Elle comprit. Ses iris mauves chavirèrent dans ceux du réalisateur et elle le tira jusqu'à elles pour un gros *hug* en trio, peu confortable, mais réconfortant.

— J'ai tellement eu de fun à préparer ça à distance! dit-il au milieu des babillements de ses amies. Es-tu contente, ma Colie? J'avais hâte de voir ta réaction!

— Je capote, je capote! répéta Mélancolie, trop heureuse de se retrouver en présence de ses deux meilleurs amis dans sa vie de rêve. Viens, je te fais visiter!

— *Momento, mi amor!* Yé pourrais être présenté, peut-être? lança Pablo en sortant un plateau de margaritas. Bravo, *amigo*, ton rallye a marché.

— Je suis tellement contente de te rencontrer, Pablo! s'exclama Charlotte après que Mélancolie eut fait les présentations d'usage. En plus, tu m'accueilles avec un verre de margarita?! Tu es déjà mon nouveau meilleur ami!

— ¡ SALUD ! célébrèrent-ils en chœur, avant la première gorgée de liberté.

— On peut aller se baigner? On peut aller se baigner? On peut aller se baigner? s'excita Charlotte en sautillant comme une fillette.

— Tellement! Ici, tu fais comme bon te semble! répondit Colie, tout sourire. Et tu restes aussi longtemps que tu en as envie, mon amie.

— En théorie, j'ai un billet de retour dans une semaine…, souleva l'animatrice en vacances. Mais mes producteurs m'ont fait comprendre qu'ils n'ont pas besoin de moi tant que ça avant l'automne, on dirait.

— OK, on ne parle plus de télé! *Go*, on va se changer! la pressa Mélancolie en la tirant à l'intérieur. Allons goûter à ma mer!

— Allez vous baigner, les filles, Pablo et moi, on va faire le souper. Tu as eu le temps de tout acheter, *bro*?

— *Totalmente!*

Courant derrière son amie, Charlotte se faisait des bleus à force de se pincer. «À qui ça arrive, dans la vie, de partir en voyage-surprise éclair[73] ?» se disait-elle en se trouvant vrrrrrrrraiment chanceuse.

Sa trop mignonne chambre donnait sur un minibalcon à même le sable de la plage, devant la mer. L'essentiel était là : un lit, une table de chevet, une patère, un lavabo sur pied et une chaise.

— Est-ce que je peux vivre ici jusqu'à la fin de mes jours ? Colie, s'il te plaît, dis oui, dis oui, dis oui !

— À une condition : que tu reprennes un poids normal. T'as pas trop bonne mine, mon amie…

— Les dernières semaines ont été difficiles, tu le sais… Mais je compte sur Pablo et Jéricho pour me faire reprendre trois kilos dès ce soir !

En défaisant sa valise pour trouver son maillot, Charlotte sortit le seau de plastique, point de départ du fameux rallye du bonheur.

— C'est quoi, ça ? demanda Colie en le voyant.

— Ce seau m'attendait devant ma porte et il m'a guidée jusqu'ici. Je devais ABSOLUMENT le rapporter au Mexique… Tu comprends pourquoi, toi ?

— BEN VOYONS !!! OK, il est A-DO-RA-BLE, vraiment !

— Tu m'expliques ?

— Jéricho n'a pas fait un seul château de sable avec les enfants, depuis son arrivée, parce qu'il disait ne pas avoir le bon seau. Il avait seulement une pelle. C'est devenu un jeu. Les *kids* lui apportaient tous les seaux et autres contenants possibles de la ville, mais il répondait toujours : «*No es lo que busco.*» Ça veut dire, dans un espagnol approximatif, «C'est pas ce que je cherche.» Et il ajoutait : «*Un día, voy a tomar*», un jour, je l'aurai. Il faisait presque pitié avec sa petite pelle orpheline et son espagnol rudimentaire !

---

73. C'est beau, on a compris, tu nous fais suer et on voudrait être à ta place !

— Ben là… C'est donc bien *cute*! s'émut Charlotte. Il attendait que ce soit moi qui lui rapporte?

— Chaque pelle trouve son seau.

— HAHAHAHAHAHAHAHAHAHAHAHAHA! TU VIENS PAS VRAIMENT DE DIRE ÇA??? Ça va, les adaptations mexicaines de «chaque torchon trouve sa guenille»?!?

— Viens, on va aller le lui rapporter! s'exclama Mélancolie, excitée.

— Non, c'est bon, je le lui donnerai plus tard, répondit Charlotte en reprenant ses esprits. Colie, c'était mon premier vrai fou rire depuis longtemps… Si tu savais comme ça soulage!

— Et c'était le premier de plusieurs à venir! précisa Mélancolie, avant d'étreindre son amie. Bon, allons sauter à l'eau avant la noirceur. Ça m'écœure de ne pas voir où je mets les pieds, j'ai la phobie des trucs mous et gélatineux dans l'eau.

Pendant ce temps, Pablo et Jéricho descendaient quelques petits *shooters* de téquila. Quand il vit passer Charlotte en bikini, le réalisateur s'étouffa et avala de travers. «WOW» fut le premier mot à *popper* dans son cerveau. Puis il remarqua les changements sur son corps. Ses joues étaient creuses, elle était maigre. C'en était inquiétant…

Charlotte plongea la tête la première dans toutes les vagues, une après l'autre, petites ou grosses. Le soleil se coucha sur la mer et elle assista à son premier *puesta de sol*, comme le lui apprit Mélancolie.

— Je veux voir tous les prochains *puestas de sol* de la vie, ici, sur cette mer…, soupira Charlotte, dans un état de béatitude totale.

Sur la terrasse, les garçons les accueillirent avec des crabes, des salades et des bouteilles de blanc.

— Nous autres, on sait vivre, se réjouit Jéricho en levant son verre à l'intention de ses amis.

Tout allait vite pour Charlo. Elle flottait au-dessus de la scène, déboussolée par ce trop-plein de paix intérieur inhabituel et déstabilisée par la générosité exubérante de son ancien coloc. Elle le chicana gentiment :

— Jéricho, t'es fou ! C'est TROOOOPPPPPPP ! Je ne saurai jamais quoi faire pour te remercier.

— Je commencerais par récupérer mon seau, répondit-il avec un sourire mystérieux.

— Tu as organisé tout ça avec l'aide de mes garçons, hein ? Il a bien fallu que quelqu'un aille porter tous les indices dans les boutiques…

— Hiiiinnn, mauvaise réponse. Tu fais erreur sur la personne, ma belle… C'est Colette, ma complice.

— Ma mère ? Ouah, vraiment, je suis sur le cul.

— L'idée du rallye vient d'elle. Moi, je pensais t'envoyer simplement un bouquet de fleurs et un billet d'avion.

— *Omigod !* Et moi qui ne l'ai même pas appelée depuis la mort de Colombe…

Devant son amie confuse, Colie dissipa le malaise :

— Tu l'appelleras sur Skype, demain matin, *live* sur la terrasse.

— Dé toute ma vie, yé n'ai yamais rencontré une personne qui offre des billets d'avion comme des cartes postales, souligna Pablo, impressionné. Yéricho, tou es riche ? Toi aussi, Charlo ?

— Oui, *mi amor*, les soldes des comptes en banque de mes amis sont beaux et gros. C'est comme ça, la télé, c'est intense, mais payant. Surtout pour les deux personnes en face de nous, expliqua Mélancolie à la place de son ami.

— Ouep, je fais beaucoup de sous…

« Je fais beaucoup de sous » ? J'ai vraiment dit ça ? Quel gars dit le mot « sous » dans une conversation[74] *?*

---

74. Me semblait que ça faisait un bout que tu m'avais pas achalée, toi.

— Amigo, je fais du *cash*, du gros *cash*, et je ne m'en cache pas[75].

Oui, c'est mieux, mis à part le jeu de mots poche entre «cash» et «cache». Narratrice déesse, maintenant que y'ai ton attention, y'ai oune faveur à té démander. Y'ai oune belle idée pour la finale dou roman, yé pourrais avoir l'honneur dé lé terminer à ma façon[76] ? On va se dire les vraies affaires, il reste peu de pages…

Wôôôôô, Jéricho Lamoureux, et pourquoi ce serait toi qui déciderais de la fin ? Pourquoi pas moi ? C'est NOTRE partie centrale, après tout[77].

Charlotte dévora son assiette comme s'il n'y avait pas de lendemain, terminant même celles de ses amis.

— Ouf! Je viens de manger toutes les bouchées oubliées volontairement depuis trente-trois ans…

Jéricho se leva et alla chercher son iPod, qu'il brancha à deux petits haut-parleurs portatifs. Louis-Jean Cormier se mit à chanter, à l'intention de Charlotte :

J'ai beau me mettre un pendule au collet
J'ai beau revoir mon horaire au complet
En fixant le cadran
Des alarmes clouées aux tympans

Chaque fois qu'on se croise
Aahhhhh chaque fois qu'on se croise
Aahhhhh chaque fois qu'on se croise
Je sais plus quelle heure il est

J'ai beau suivre le mercure au millième près
J'ai beau prévoir l'orage ultraviolet
La pluie de grêlons
Appeler l'ouragan par son prénom

---

75. Là, tu trouves ça mieux ?
76. Arrête de parler comme Pablo, tou vas tromper tout lé monde.
77. Je suis une auteure épuisée. Vous êtes insupportables et agissez comme des bébés gâtés. Je poursuis le récit. Bye, bye !

Chaque fois qu'on se croise
Aahhhhhh chaque fois qu'on se croise
Aahhhhhh chaque fois qu'on se croise
Je sais plus quel temps il fait

À chaque fois qu'on se croise
Le temps s'arrête
Le soleil reprend vie

Sur le même trottoir
Tu tournes la tête
L'image au ralenti

Sans matin, sans soir
Et sans tempête
Je fige
Tu me souris

Et comme dans toutes les histoires
On se perd dans la masse
En sens contraire
Le même coup de poing dans la même face

Entre la maladresse et le désir
Ahhhhh
J'ai beau me préparer des lignes qui font rire
Ahhhhhh
Des mots tombeurs
Des yeux qui visent le bull's eye de ton cœur
Chaque fois qu'on se croise
Je peux mourir
Chaque fois qu'on se croise
Ahhhhhh chaque fois qu'on se croise
Ahhhhhh chaque fois qu'on se croise
Je sais pas comment te le dire

Bull's Eye
 @louisjean_solo

Témoin de la scène, Mélancolie décida de s'éclipser, entraînant Pablo avec elle.

— OK, les jeunes, nous, on va aller faire la vaisselle. Merci, les garçons, c'était succulent, comme toujours. Et merci, Yéricho, d'être devenu le chef en chef de la *cocina*.

— Tu as entendu ça, le Latino, je suis le chef en chef !

— Elle a dit de la couisine seulément ! répondit Pablo-macho, semi-piqué au vif.

Charlotte entra se changer et elle ressortit vêtue d'une longue robe de coton mince. « Magnifique », pensa Jéricho.

— Ça te va bien, la couleur émeraude, la complimenta-t-il.

— Émeraude ?

— Ben quoi, c'est pas ça ?

— J'aurais accepté « vert », d'un gars ! répondit-elle en éclatant de rire.

Un rire franc de Charlotte Clément, un vrai, un deuxième. Le premier n'était donc pas un accident. Le rire se transforma tout à coup en torrent lacrymal.

— Ah, belle Charlo, compatit Jéricho en se levant pour la prendre dans ses bras.

Il la berça durant plusieurs minutes, avant d'ajouter :

— Viens, on va aller sur la plage, près du feu. Juste prendre le temps.

Soulagée de ne pas avoir à penser, elle l'aurait suivi jusqu'au pôle Nord à la nage.

Quelques minutes plus tard, devant les flammes, musique de l'océan en trame de fond, Jéricho inventait des chansons au ukulélé pour détendre l'atmosphère et continuer de faire rire Charlotte. Le réalisateur avait l'air d'un mariachi bas de gamme. Mais le plus beau de tous les mariachis bas de gamme du Mexique.

Charlotte sortit un bloc de Post-it et un crayon de sa poche, ce qui ne manqua pas de faire sourire son partenaire. Elle y griffonna un message et lui tendit le bloc et le stylo.

Je ne vais pas très bien.

Moi non plus.

«Il cache bien ça…, pensa-t-elle. Il est resplendissant. Plus beau et adorable que jamais.»

Il lui suffisait juste d'essayer la chute libre, mais Charlotte ne se sentait pas douée pour le parachutisme. Malgré tout, elle prit son courage à deux mains et plongea.

Ça te dirait de ne pas aller très bien en ma compagnie ?

Ça irait déjà beaucoup mieux. :)

Nom : Clément
Prénom : Charlotte
État : confuse
Taille : pas pire grande, mais trop maigre :(
Couleur de la peau : blanc qui tire sur le vert
Plus grande qualité : grande écoute
Plus gros défaut : mutisme

— Juste par curiosité, là, elle est où, ta chambre ?

— J'en ai pas.

— Comment ça ?

— Je dors dans un hamac, sur le toit. C'est le meilleur poste d'observation pour les étoiles.

Il l'y amena. Ce même toit où Mélancolie était devenue Mélancolia, entrant pour de bon dans la vie de Pablo. Ils se balancèrent doucement, côte à côte, dans le hamac. Les doigts de Jéricho allèrent se perdre dans la tignasse brune de Charlotte.

«Surtout, ne pas faire de geste brusque. Surtout, ne pas l'embrasser ce soir. Savourer. Vivre *live*. Attendre. Lui laisser le temps d'arriver. De se retrouver», s'obligea-t-il.

Elle s'endormit dans le creux de son épaule, sourire aux lèvres.

Narratrice déesse ? Allô ? On a un problème, là ! Un vrai[78] *!*

Je choke, j'en peux plus, je ne veux plus être un personnage de ton livre[79] *!*

Narratrice déesse[80] *?*

Je te niaise[81] *!!!!!!!! ;)*

Oui[82] *?*

Moi aussi, je t'aime.

Charlotte rêva qu'on la poussait en bas d'un gratte-ciel et elle se réveilla au même moment, avec l'agréable sensation de tomber.

#sarcasme

— Aaaaaaaaghhh !!! sursauta Jéricho en la voyant s'asseoir carré dans le hamac. Désolé, ma belle, tu m'as fait peur…

— C'est moi qui suis désolée. J'ai dormi longtemps ?

---

78. Voyons, Jéricho, ça se passait bien pourtant !?
79. Pardon ? Je savais que Colombe avait raison et que ça finirait mal, cette histoire. Grrrrrrrr !!!
80. QUOI ENCORE ?
81. Jéricho ?
82. Je t'emmerde !!!

— Quinze minutes, peut-être.

— Je vais aller terminer ma nuit dans ma petite chambre mexicaine. Merci pour cet accueil, pour la si belle surprise, fit-elle en l'étreignant.

— Ça me fait tellement plaisir.

Jéricho voulut se lever du hamac pour ensuite aider Charlotte à en sortir, mais il se prit le pied dans sa belle robe émeraude et tous les deux chavirèrent en même temps. Une vraie scène burlesque de théâtre d'été, mise en scène par Gilles Latulippe.

— Bonne nuit, mon bel ami! lui dit Charlotte après un fou rire de cinq minutes.

— Dors bien, à tout de suite!

Pas de baiser, que du respect mutuel. Magnifiques instants.

Dans son lit, Charlotte envoya un «post-voc» à Jéricho:

 Je passe mon temps à penser à toi.
Beaucoup trop de temps pour beaucoup trop y croire.
J'ai toutes les chances d'échapper mon cœur

Toutes les chances
 @maratremblay

Un «WAAAAHHHHHHOOOOUUUUUUUUUUUUUUUUUUUU!» géant retentit alors dans le ciel de Mazunte.

Le réalisateur savait pertinemment qu'elle l'entendait, à travers les murs de carton de la maison, et d'en avoir conscience la fit éclater de rire. Il l'imita et Pablo et Mélancolie se mirent également de la partie.

Quatre enfants réunis, incapables de dormir à cause de l'excitation d'une soirée.

Le lendemain, Charlotte comprit enfin, comme Jéricho avant elle, pourquoi Mélancolie était restée scotchée à Mazunte. L'endroit était parfait. Colie faisait de la peinture sur la terrasse, pendant que Pablo, Jéricho et Charlo étaient à l'eau, à apprendre à surfer. Beau trio. Charlotte n'arrivait pas à tenir sur sa planche et les deux gars se foutaient de sa gueule.

— Je vous déteste et je ne joue plus avec vous !! cria-t-elle en riant, la gorge remplie de sel.

Les garçons continuèrent leur chevauchée des vagues durant une trentaine de minutes et Charlo eut le temps d'aller à sa chambre chercher le seau, dans lequel elle avait collé un Post-it. Elle le déposa sur la serviette de Jéricho, puis elle s'endormit sur sa propre serviette, le visage caché sous son paréo.

En apercevant le seau rose, à sa sortie de l'eau, Jéricho sentit son cœur se mettre à danser la farandole[83]. Collé tout au fond, le fameux Post-it de Charlotte :

Voudrais-tu m'aider à me reconstruire ?

---

83. Je suis contente que Jéricho ne se soit pas insurgé contre cette phrase-là ! Phrase *cheesy*, totalement assumée ! Hahahaha !

Quand l'animatrice-en-vacances se réveilla, Jéricho était à côté d'elle, sur la couverture du parc Jarry.

Come on, narratrice déesse, tu exagères! Il l'aurait apportée au Mexique?

Penses-y, Charlo, c'est cool si je l'ai apportée, j'ai l'air encore plus parfait! C'est un peu ça le but, non[84]?

En se réveillant, Charlo remarqua la pelle dans sa main droite et le fameux seau, à moitié plein de sable, à côté d'elle. Sur le sable, le Post-it avec une réponse:

Voudrais-tu m'aider à me reconstruire ?

Tu peux m'aider à faire mon château ?

Mélancolie et Pablo faisaient semblant de siester, abusant de la technique du hamac... En vérité, tu l'auras compris, ils regardaient la scène de loin.

Étendu sur sa serviette, sous ses verres fumés, Jéricho était attentif aux gestes de Charlo. Elle prit la pelle, remplit le seau de sable et le renversa à côté du château qu'avait déjà commencé le réalisateur. Puis elle replaça un mur qui s'affaissait et découvrit un bout de carton, qu'elle tira. C'était sa vieille photo de l'ancien *shack*, avec la clef collée derrière. Elle s'aperçut alors qu'il ne la lui avait jamais remise, finalement. Et un autre Post-it:

---

84.   CCHHHUUUTTTTT! arrêtez de parler, j'ai une histoire à finir, moi!

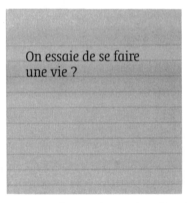

On essaie de se faire
une vie ?

La belle brune se coucha sur le ventre. Des larmes coulaient de ses grands yeux mauves. Jéricho s'approcha lentement d'elle, centimètre par centimètre. Après vingt minutes, il fut enfin tout près. Le sentant à ses côtés, Charlotte se recroquevilla en petite boule et il étreignit son corps chaud.

Non, come on, *il va pas finir sur mon dos, comme une grosse loutre échouée[85] ?*

Moi, une grosse loutre ? Pfff!!!!!! Merci!!!!! OK, suffit, la surabondance de!!!!!!!

Sur cette plage du Mexique, la coquille de Charlotte vola enfin en éclats. Et Jéricho fut là pour les attraper. Après avoir rejeté par les yeux toute l'eau de la mer avalée depuis deux jours, elle était épuisée et somnolente. Il la prit dans ses bras et l'amena vers sa chambre. En route, ils s'arrêtèrent à la douche extérieure pour se rincer sous l'eau fraîche. En voyant l'eau ruisseler sur la nuque de Jéricho, Charlo fit le tour du minitatouage *color bars* du bout de l'index et l'embrassa doucement.

Elle descendit ensuite sa main vers Madame la V et l'aida à prendre encore plus d'expansion dans mon maillot.

Nanonnn, c'est pas ça qui est arrivé! Ça ne finira pas comme ça, certain!

---

85. Au contraire, c'est romaaaannntique et les lecteurs aiment le romantiiiiiiiiiiiiiisme. Que tu le veuilles ou non, je poursuis.

Sous le jet de la douche, Jéricho se tourna tranquillement vers Charlotte. Leurs bouches étaient à un centimètre l'une de l'autre. Elle compta jusqu'à dix et embrassa Jéricho comme un petit papillon.

Pourquoi je l'embrasse comme un petit papillon[86] ?

Pardon ? J'ai avalé de l'eau non purifiée du Mexique ? Hiiii !

Jéricho, lui, oublia le pouvoir dévastateur de l'eau mexicaine et il dévora la bouche de Charlotte. Heureusement, aucun effet secondaire gastro-intestinal n'a encore été répertorié à la suite de cet événement passionnel.

Dans le petit lit mexicain de Charlo, ils étaient nus, enlacés, respectueux. Après avoir réécouté Mara Tremblay chanter *Tout nue avec toi*, sans rire, cette fois, Jéricho enchaîna avec Karim Ouellet :

On te dit ta route est tracée d'avance
Alors tu gardes ce que tu penses pour toi
Pile ou face c'est sans importance
Laisse décider la chance
Cesse de demander pourquoi

Alors, on peut dessiner des mots d'amour du bout des lèvres
On peut siffler comme un oiseau quand le soleil se lève
On peut laisser ses mots crever dans sa bouche
Et pleurer comme un bébé quand le soleil s'couche

Ahhhhhhh
Dis-moi qu'on est deux, ma belle
Qu'il y a ta voix qui m'appelle
Dis-moi qu'est-ce qu'on va faire
On fait l'amour on fait la guerre

---

86. Parce que tu ne veux pas avoir de l'eau locale dans la bouche. Mais c'est trop tard…

On te dit que tout est noir et tout est blanc
Qu'on est pour ou qu'on est contre et qu'il faudra choisir un camp
Ah non, allons voir s'il nous est permis de garder l'espoir
On peut dire à celle qu'on aime qu'on l'aime et qu'elle est belle
Recommencer tous les matins quand le soleil s'lève
On peut viser tous les cœurs et ne jamais faire mouche
Et rentrer seul quand le soleil s'couche

Ahhhhh
Dis-moi qu'on est deux, ma belle
Qu'il y a ta voix qui m'appelle
Dis-moi qu'est-ce qu'on va faire
On fait l'amour on fait la guerre

On peut coller nos deux corps
Et déposer les armes
Dépasser la marée
Monter encore jusqu'aux cimes des arbres

Dis-moi qu'on est deux, ma belle
Qu'il y a ta voix qui m'appelle
Dis-moi qu'est-ce qu'on va faire
On fait l'amour on fait la guerre

L'amour

 @karim_ouellet

Charlotte s'empara du bloc de Post-it et y écrivit trois petits mots, en réponse au dernier couplet :

On est deux.

Se foutant des clichés et des images préfabriquées, ils se donnèrent l'un à l'autre pour la première fois, se faisant l'amour, se faisant la passion encore et encore, assistant à la naissance de quelque chose de plus grand qu'eux. Je ne sais plus trop lequel des deux a pensé: «J'ai chaud, mais je ne veux pas arrêter. Je suis épuisée[87], mais je veux continuer.»

Puis, Jéricho la prit par la main pour l'entraîner vers l'océan.

De l'eau à la hauteur des épaules. Un océan sous la lune, deux amants si beaux et naturels. Si elle avait eu son journal à ce moment précis, voilà comment Charlotte aurait décrit la scène:

J'ai quinze ans, je suis en train de lire un roman Harlequin en cachette de ma mère et de ma grand-mère. Je suis cette Samantha ou cette Pamela, peu importe, au milieu de l'eau avec ce Peter ou ce Mickael, peu importe. J'aime être un cliché sexuel.

#jesuispeutêtreheureuse?

Plus tard, à la fin de la nuit ou au début du lendemain, voyant la dernière page approcher de ligne en ligne, Charlo s'adressa pour de vrai à son journal, une dernière fois.

Petit journal,

J'ai finalement accepté la proposition de mon beau réalisateur-tombeur. J'ai accepté d'être bien ou, du moins, d'essayer. ☺

Jéricho fait dire qu'il est bien content d'être un personnage de livre, parce que c'est beaucoup plus simple que dans

---

87. Ah oui, c'est Charlotte! Hihihi.

la vraie vie. Moi aussi, je trouve ça. Je n'ai pas eu à me casser la tête, la narratrice déesse l'a fait pour moi. Quand même, j'aurais aimé que ma Colombe sache qu'elle était un personnage de roman.

— Théoriquement, princesse *love*…

— Hon, ça va être mon petit surnom ?

— Euh… on dirait bien ! Bref, théoriquement, Colombe n'a pas réellement existé, tu sais… pas plus que nous n'existons, d'ailleurs.

— QUOI ??? ON N'EXISTE PAS ???

— Ben… pas pour de vrai… penses-y…

— OK… Ça veut dire que je ne suis pas réellement enceinte ? PARRRTYYYYYYYY !!!

— Quoi ???? T'es enceinte ????

— Ben non, je te niaise… Ç'aurait été le comble du cliché de *chick lit* ! HAHAHAHAHA !

Pour célébrer sa non-grossesse, Charlotte s'alluma une cigarette, ramassa une bouteille de téquila qui traînait par là et se pencha sur la non existante Madame la V pour lui faire les pires cochonneries.

— La non existante Madame la V… ça, c'est triste, se désola Jéricho. C'est vraiment ce qui me fait le plus mal, dans toute cette histoire. Je m'étais attaché à elle, moi !

— Wôôô, on ne finira pas ça sur une pipe, quand même[88] ?! s'offusqua Charlotte-la-pudique.

— Pourquoi c'est elle qui gagne ? Elle était quand même cool, ma finale ? Une vraie finale de gars !

Charlotte dessina un Post-it dans son petit journal et elle le montra à son homme :

---

88.   Non, on ne finira pas ça sur une pipe, quand même.

Il lui prit le crayon des mains pour raturer et dessiner quelque chose :

Remerciements

@RobertLeblanc, @RémiLeblanc, @AlexisLeblanc, merci d'être fiers, c'est un peu pour vous que je fais ça. ☺ @SébastienDubois, @JonathanPelletier, @PascalLalancette et @YannickChassé, merci d'avoir redéfini le sens du mot «amitié» dans ma vie. @Jean-FrançoisBlais, merci de ta si grande confiance. @ÉtienneDaneau, ta *script* édition de *Jéricho en solo* est comme un vent de fraicheur, merci pour ces arômes d'épices et de papaye mûre. Pis, ça fais-tu assez «melon d'eau», ça? ☺ @FrédéricGieling, @ClaudinePrévost et @Marie-ChristineBlouin, mon *team* de la route, merci pour l'inspiration. *Oh Mary Mary, Happy 4th*! @KorineCôté et @BenoitLefebvre, merci *team* de jeux de mots! J'aimais ça, moi, Yann Perreauquet!!! ☺ @VincentVallières, @AlexNevsky, @CharlesDubé, @Louis-JeanCormier et @KarimOuellet, merci pour toutes ces nuits passées en compagnie de vos paroles et mélodies parfaites.

@MoniqueLeblanc, merci d'être ma fan numéro 1. @Aurélie Leblanc et @Isabelletherrien, merci d'être fières, c'est un peu pour vous que je fais ça. ☺ @GenevièveBeaulieu, merci d'être ma Papichulove (je viens de faire ce lapsus, c'est *cute*, hein?). @BrigitteBordeleau, ma «bumfam», merci d'être mon petit journal depuis quatre ans. @MélanieFélix, LA pouf, merci d'être la plus belle REdécouverte des années 2000, sois en fière. :) @PénélopeMcquade, merci pour la belle surprise et de me rappeler que j'ai le droit d'être fière! @VéroniqueCloutier, pour tes encouragements et pour m'avoir invitée en entrevue à ton *show* de radio[1], un immense merci! ☺ @ChloéPoitras, merci d'avoir embarqué! On fait une SOLIDE équipe, ça ne te tenterait pas de travailler en télé? ☺ @SandyPellerin et @AlexandraPellerin, merci et bravo pour l'audace! @StéphanieLapointe, @MaraTremblay et @ArianeMoffatt, merci pour toutes ces nuits passées en compagnie de vos paroles et mélodies parfaites.

---

1.   Auteure menteuse et têteuse. Hahahaha!

Rejoignez l'auteure sur Facebook

 Mélanie Leblanc
Si tu t'appelles Mélancolie

et sur Twitter

 @mel514

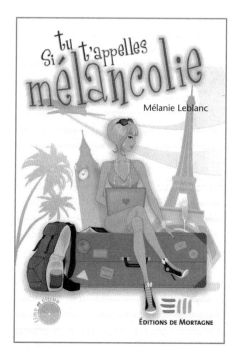

Écrire le résumé de mon roman ? Rien de plus simple, je suis tellement douée pour me vendre ! Euh, est-ce bien moi qui viens d'affirmer cela ? Moi qui serais incapable de vendre le dernier rouge à lèvres sur terre dans un concours de Mademoiselle Univers ! OK, OK… Trouvons le petit tiroir de confiance en soi, enfoui quelque part au plus profond de ma matière grise, et essayons de pondre quelques lignes qui te donneront le goût de plonger dans mon univers.

Je commence : je m'appelle Mélancolie. Pour répondre à ton air interrogateur : OUI, j'en ai voulu à ma mère d'être fan de Joe Dassin… (Interdiction de prendre un air de pitié.) Je partage ma vie avec Fred, ma meilleure amie, Féline Dion (mon chat) et Caline Sutto (le chien de Fred). Je t'entends penser et NON, je ne suis pas lesbienne. Mais j'aimerais presque l'être ! J'assume mon célibat (la plupart du temps), mais j'ai parfois des rechutes qui m'entraînent bien malgré moi sur des sites de rencontres quétaines. Dans de tels moments, j'en veux à l'humanité entière d'avoir créé autant de crétins pathétiques, célibataires de surcroît et trentenaires…

Alors me voilà, en pleine crise de la trentaine, me questionnant sur le bonheur et sur ma vie avec un grand V… J'essaie de me convaincre que j'ai tout pour être heureuse, mais je n'y arrive pas (toujours). La solution ? J'ouvre une énième bouteille de rouge ou… je saute dans un avion ! Passer ma vie à voyager, c'est mon plus grand rêve. Quoi ? Tu crois que je fuis la réalité ? Tu as peut-être raison… Je te promets de réfléchir à ta théorie sur le sable brûlant de Montañita. 3, 2, 1… décollage !

Joanie Godin

Charles et Charlie. Difficile d'imaginer plus cliché, me direz-vous. Eh bien, je suis tout à fait d'accord ! Poussons davantage le cliché : le Charles en question est un beau joueur de hockey, un peu timide, et Charlie (c'est moi !), une jeune femme de dix-sept ans « pas comme les autres » (manière polie de dire « un peu cinglée »). Mais sous toutes mes couches de sarcasme et d'absence totale de censure, j'ai mal. Mon passé me ronge. Mon présent est en « mode survie ». Mon futur ? Question suivante !!!

Mes parents ne sont plus là pour me protéger... Et, même si j'ai cinq sœurs, dont une jumelle, je me sens très seule. Voilà que Charles vient bousculer ma vie encore davantage. Non mais... il se croit tout permis, celui-là, avec son irrésistible sourire en coin et ses mille attentions ?! Il ne pourrait pas être moins adorable, que je puisse l'ignorer ? Eh non, il a fallu que je saute à pieds joints dans le trouble...

Je m'appelle Léo. J'ai 34 ans. Je suis musicien au chômage. À la grande satisfaction de mes parents, qui l'avaient prédit. Je suis célibataire depuis peu. Sophie, qui payait le loyer de notre appart au sous-sol d'un triplex, vient de me larguer. Pour aller vivre dans un loft au sommet d'une de ces tours du centre-ville. Bref, ma vie n'est qu'une longue suite de fausses notes...

Louis-François Dallaire

En fait, je suis un pessimiste chronique. J'estime que si on s'attend toujours au pire, on n'est jamais pris au dépourvu par les revers du destin. Je vous l'accorde, ma théorie est foireuse. Et comme pour la mettre à l'épreuve, mon frère Étienne, qui est responsable d'une bonne partie de mes déboires, me tend soudain la main sans raison apparente.

Il y a aussi ce groupe de musiciens prometteurs, qui me font une place dans leur vie... Sans parler d'Élise, artiste talentueuse mais pas branchée, avec qui tous les espoirs semblent permis... Et si les choses se mettaient enfin à bien aller pour moi ?

3 tomes :

Passionnément givrée
Merveilleusement givrée
Éternellement givrée

Ma vie est une tragédie grecque. Rien de moins. Vous pensez que j'exagère ? Eh bien, lisez ce qui suit !

J'ai vingt-six ans et je suis encore aux études. Études financées par ma mère, qui ne se gêne pas pour me le rappeler. Pour ajouter à mon stress, j'ignore ce que je vais faire de ma vie. Professionnelle ou autre. Je vis au Québec depuis un an (ah ! c'est vrai, vous l'ignorez : je suis Française). L'homme que j'aime me fuit. Je fuis l'homme que j'aime. Vous n'êtes toujours pas convaincu ? Je continue.

J'ai des rêves plein la tête, surtout celui d'écrire, au grand désespoir de ma mère. Parlant du loup. J'ai une mère chirurgienne, exigeante, exaspérante, contrôlante (mais je l'adore). Quant à mon cerveau, il m'encourage à faire des choses dont je ne suis pas très fière, mais en plus, il prend un malin plaisir à me bombarder de milliards de questions qui, comme vous l'imaginez, restent sans réponse. Maintenant, osez me dire que ma vie n'a rien d'une tragédie !

Si vous étiez dans la peau de Catherine, que feriez-vous ? Coincée entre ses parents qui menacent de divorcer au moins une fois par mois depuis trente ans ; une sœur aînée qui se prend pour un caporal en chef ; et une sœur cadette qui se transforme en courant d'air dès qu'il y a apparence de tempête familiale, la jeune avocate fraîchement diplômée a l'idée du siècle : tout plaquer !

Ce qu'elle fait… (Et qui pourrait l'en blâmer ?!) Sur un coup de tête, Catherine décide d'aller réinventer sa vie ailleurs. Facile ? En théorie, oui… Mais dans la pratique ? Et pour cette éternelle rêveuse qui n'aspire qu'à une chose : se faire kidnapper par un prince charmant et couler de longs jours tranquilles dans son château, l'exercice tient du miracle. Un enlèvement par des extraterrestres aurait plus de chances de se produire !

Que faire quand on a vingt-huit ans, beaucoup d'imagination, qu'on est un brin cynique, un peu cinglée, plutôt fantasque, franchement irrévérencieuse, et qu'on se donne pour défi d'améliorer sa vie, et ce, avant la trentaine ? Que faire quand on est une jeune femme insatisfaite de ce que l'on a dans la vie et qu'on est déterminée à tout essayer, jusqu'aux pires sottises, pour mettre de l'ordre dans son existence et atteindre ses objectifs ? Est-ce en trouvant un homme, un meilleur emploi ou un meilleur logement ? En prenant des résolutions ou en s'achetant un chien ?

En compagnie de ses amis, à la fois source de force, d'inspiration et de problèmes, face à une patronne-vampire abusive, à des parents protecteurs, à une sœur parfaite, et en proie à des relations fort houleuses avec la gent masculine, Amélie cherche à faire sa place. Parviendra-t-elle à trouver l'amour de sa vie, le boulot de ses rêves, le chien idéal, ou même la promesse d'une existence plus satisfaisante ?

À première vue, Daphnée-Rose Gauthier est une fille comme bien d'autres : célibataire (presque) assumée, elle partage son temps entre son boulot de photographe et ses nombreux amis. Pourtant, ses rondeurs (assumées) font d'elle une héroïne plutôt inhabituelle si l'on pense aux canons de la beauté qui régissent notre univers !

Qu'il s'agisse d'un entraînement au gym, de ses innombrables diètes, d'une expédition à la plage, d'un voyage en avion, d'une simple sortie dans un bar avec ses copines ou de son incursion dans les réseaux de rencontres, Rose a le don de se retrouver dans les situations les plus cocasses.

Avec un humour rafraîchissant, parfois décapant, elle nous raconte ses aventures quotidiennes, ses joies et ses peines, à travers ses propres diktats : ceux d'une femme bien en chair, qui embrasse la vie à pleines lèvres !

Corinne est dans son monde, moi dans ma bulle. Rien de nouveau sous la lune. Comment va notre couple ? Autant demander à un mourant quels sont ses projets de vacances ! Personnellement, j'aurais laissé notre histoire mourir sans assistance. Mais Corinne s'accroche. Elle veut insuffler une dernière dose d'oxygène à notre couple, un ultime coup de défibrillateur. J'essaie de faire le gars cool que rien ne touche… En réalité, ça me fout les bleus.

Selon Didier, les gens tiennent trop à leurs problèmes pour vouloir s'en débarrasser. Communiquer ? Hé ! Minute ! L'évolution n'en est pas encore rendue là pour l'espèce mâle et dominante ! OK, OK, je me calme. N'empêche… Quels sont les trois vœux qu'un homme voudrait voir exaucés par un génie ? Le sexe, le pouvoir et l'argent. Quelles seraient les réponses d'une femme ? L'amour, le bonheur et l'amour. Pas surprenant que je sois la seule à galérer pour que notre couple garde la tête hors de l'eau…

Un enfant, ça vous décroche un rêve, disait l'autre. Oui, mais ça vous le piétine joyeusement aussi. Enfin, c'est ce que croient Guillaume et Justine, couple dans la trentaine, qui voient leur nid d'amour s'effondrer avec l'arrivée imprévue de la cigogne. Et s'ils n'étaient pas faits pour les nuits blanches et les couches qui fuient ? Et s'ils cachaient en eux les meilleurs parents du monde ?

Polaroïd aigre-doux de la réalité tragi-comique qu'est la naissance d'un enfant, *Une plus un égale trois* est une explosion de rires, de petites fins du monde et de grands questionnements sur la maternité et la paternité, mais c'est surtout la grande histoire d'amour de deux êtres un peu perdus qui s'accrochent à l'immense bonheur que leur procure leur petite Emma, l'enfant qui rend illogique la plus touchante des équations…

Collection « Lime et citron »

Comment Serge Trudeau pouvait-il savoir que de terminer l'écriture d'un petit manuscrit de fond de tiroir allait changer sa vie dans de telles proportions ? Serge, c'est l'anti-héros qui ne se donne jamais le moyen de ses ambitions. Père divorcé, cherchant un sens dans un monde de faux-semblants qui le vire à l'envers, il devient ce qu'il a toujours critiqué : une star de la littérature !

Une histoire urbaine, actuelle, remplie d'humour et qui n'offre aucune réflexion sur le réchauffement de la planète. À la fin du roman, tous les personnages meurent noyés lors d'un pique-nique à la campagne. Attention, ne lisez pas cette phrase !!! Note de l'auteur à lui-même : Ne pas oublier d'intervertir l'ordre des deux dernières phrases avant la publication.

Pour ceux qui sont célibataires, ceux qui ne veulent plus l'être, ceux qui ont la nostalgie de l'avoir été, ceux qui ne le sont presque plus, bien que l'autre ne le sache pas encore, ceux qui débutent une relation et se demandent si c'en est vraiment une, ceux qui s'engagent et veulent avoir un bon départ, ceux et celles qui veulent mieux vivre… Tout se côtoie ici. Conseils contradictoires de toutes sortes, méchants, gentils ou crasses. Qu'importe… On finit toujours par se faire confirmer sous la plume de l'autre ce qu'on voulait vraiment dire, croire ou réaliser en toute impunité…

MÉLANIE LEBLANC

#ONFAITL'♥
#ONFAITLAGUERRE

ÉDITIONS DE Mortagne

@alexisleblanc5ans

C'est quand tu souris
Que je sais que je vis
Pour plus que des chansons folles

LES CHANSONS FOLLES
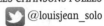 @louisjean_solo

♥ Marraine Mel ♥

JÉRICHO en SOLO

GALA DES PRIX VERSEAUX -42 JOURS
Montréal @ Gaspé : 918 km, autoroute 20

♪ *Sur la route*

Pierre Flynn

Ah ! La plus délicieuse des sensations printanières. Rectification : ma deuxième sensation printanière préférée, après la vue des filles au printemps, avec leurs jambes dénudées, leur poitrine prête à éclore après de longs mois d'asphyxie hivernale sous d'épais chandails, et leur parfum fruité et léger… Je me trompe ou, dès les premiers signes du printemps, les filles se mettent à sentir le pamplemousse, la mangue ou la pomme verte ? Elles me donnent l'impression d'être des succursales de Dans un jardin sur deux pattes ! Je ne me plains pas ; au contraire, j'adore ! Plus les filles sentent la mademoiselle coquine, plus elles sont souriantes et ont envie de passer du bon temps.

Mais je m'éloigne du sujet… Une de mes (nombreuses) sensations printanières favorites est de sentir le soleil chauffer ma verge, sur le bord de l'autoroute, pendant un soulagement urinaire[1]. Le mot « verge » semble tout droit sorti d'un roman du marquis de Sade, au beau milieu du XVIIIe siècle, mais j'aime l'utiliser. (Le mot, là. Quoique… l'organe aussi.) La plupart du temps, je le surnomme Madame la V.

---

1. Pendant un soulagement urinaire ? Depuis quand je parle par paraboles, moi ? Traduction : pendant la plus grosse envie de pisser de la décennie.

Jamais je ne qualifierai mon organe reproducteur de « graine ». Non mais, tu as déjà vu la grosseur d'une graine ? Est-ce qu'il y a quelque chose de plus minuscule qu'une graine ? Même une graine de citrouille, c'est pas plus grand que l'ongle de mon pouce ! Certains l'appellent aussi « queue ». Beurkkk. Ça me lève le cœur. Trop animal, trop poilu. À part le rat ou la souris, je connais peu d'animaux à la queue imberbe, mais de là à me comparer à un rat… Est-ce que je me penche aussi sur l'option « queue de castor » ? Laisse-moi y penser… Non, ça va être beau. Donc moi, je préfère dire « verge ». En plus, une verge, en tant qu'unité de mesure, c'est d'une longueur très respectable.

Ahhhhh… La douceur du soleil sur ma verge. Est-ce qu'on peut attraper un coup de soleil sur le prépuce ? Il n'y a pas un gars sur terre qui souhaite que ça lui arrive. Tu imagines, devoir le tartiner d'aloès ?! Les camps de nudistes regorgent probablement d'anecdotes savoureuses sur le sujet.

Mais ne va pas croire que je pense constamment à ma verge, avec tout ça ! Non, la plupart du temps, je songe aux plaisirs qu'elle me procure plutôt qu'à l'appareil lui-même.

Et, si je me soulage présentement sur le bord de l'autoroute 20, c'est parce que, une fois de plus, j'ai ressenti ce besoin de bouffer les kilomètres. Quand on parle de *roadtrip*, je suis toujours le premier à me déboîter l'épaule, la main dans les airs, pour signifier que je suis partant. Mes amis y trouvent leur compte : j'ai la voiture la mieux équipée pour ce genre de voyage. J'aurai bien la chance de te présenter la Jérikoto[2] bientôt, mais, pour l'instant, j'ai trop à faire : je dois vivre le moment présent. Je sais, c'est incroyablement cliché, mais, chez moi, c'est une religion.

---

2. Je ne te contredirai pas, ce n'est pas très excitant comme surnom de voiture, c'est même plutôt « kouétaine ». Je l'avoue, elle a été baptisée sous l'influence de substances causant la rupture de stock de toute notion de bon goût.

Pour l'instant, le moment présent est une coccinelle. J'essaie de la faire tomber de son long brin d'herbe, grâce à mon puissant jet d'urine. Elle monte, je l'arrose, elle déboule, je prends une pause pour la laisser remonter et je la re-inonde. Devant l'abandon de la bestiole, je m'en prends au brin d'herbe lui-même. J'essaie de l'abattre, un peu comme je le fais avec les «boules à mites» sur la grille au fond des urinoirs. Que le gars qui n'a jamais essayé de faire bouger ces boules blanches se lève. J'y mets toute ma vigueur, aidé de mon interminable envie. Coucher ce brin d'herbe est devenu le seul objectif de ma vie. J'ai du *fun* comme quand j'avais quatre ans!

C'est con, un bonheur de gars, hein? Ça explique pourquoi on aime autant se soulager debout: ce n'est pas une question de virilité, mais de bonheur! Bon, Jéricho, arrête d'exterminer le monde animalier et saute derrière le volant si tu veux arriver à Gaspé avant l'hiver. En plus, tu as une heure à respecter pour rapporter la *van* de location.

J'aide Gaétan[3], le père de Conrad, mon meilleur ami, à déménager. Il a fait la connaissance d'une charmante poulette de soixante-douze ans et il part s'installer chez elle, avec ses pinceaux et ses toiles. D'ailleurs, j'ai bien hâte de rencontrer sa nouvelle conquête. Ce soir, je dormirai seul à Gaspé, car Gaétan et sa douce sont (et je cite): «en train d'officialiser leurs vœux d'amour dans un endroit inconnu de tous». Quant à Conrad, il me rejoindra demain.

Plus j'y pense et plus je soupçonne Gaétan d'être amoureux d'une Gaspésienne juste parce qu'il n'a pas encore peint le rocher Percé. Je ne peux évidemment pas faire part de mes doutes à Conrad, déjà bien assez découragé de son «courailleux» de paternel.

---

3.   Gaétan, c'est mon vieux peintre fou adoré et c'est aussi mon deuxième père.

Conrad, c'est mon frère cosmique. Ce frère, je l'ai cherché toute ma jeunesse et, au cégep, je l'ai enfin rencontré. Nous étudiions ensemble en communication à Jonquière. On ne se ressemble en rien, excepté notre passion commune pour la télévision. C'est d'ailleurs au premier party de la session qu'on a fraternisé. Il était seul, dans un coin du bar, plongé dans une pile de lectures obligatoires. Un verre de bière judicieusement renversé plus tard, je lui ai fait comprendre que ça n'allait pas du tout : « party » et « lectures obligatoires », c'est comme un chat non dégriffé et un divan de cuir, les deux ne peuvent se côtoyer dans la même pièce.

Mon approche aurait pu être moins brusque, je sais… Et je m'en suis rendu compte à mes dépens, une fois étalé sur le plancher, dans les tessons de bouteilles et les mégots de cigarettes, le visage baignant dans une flaque de bière *cheap*. Oui, l'ami Conrad possède une puissante droite. C'est la première et la dernière fois qu'il m'a décroché la mâchoire. Encore plus surpris que moi par la brutalité de son geste, il m'a aussitôt aidé à me relever pour ensuite… fondre en larmes. Eh oui, ce colosse de près de deux mètres a étudié ET pleuré dans un bar le même soir. Il me plaisait déjà. Désemparé, je lui ai payé un verre pour le consoler. Un coup de poing sur la gueule et un pichet rempli d'un liquide « dégazéifié[4] » se prenant pour de la bière, voilà les bases d'une amitié solide et durable.

Conrad ne s'appelle pas Conrad pour rien. Vieux nom, vieille âme[5]. Les émotions de notre première rencontre passées, j'ai su que nous ferions équipe, en classe, oui, mais aussi dans la vie. Aujourd'hui, nous

---

4. Tous ceux qui sont déjà allés dans un party de cégep savent que la bière pétillante n'existe pas.

5. Je suis allé vérifier la signification de son prénom sur Internet (j'ai de la crédibilité, quand même) : « Conrad : audacieux et de bon conseil. » Voilà qui le décrit à merveille.

n'avons plus dix-sept ans, nous avons pris des chemins différents, mais nous serons toujours là l'un pour l'autre.

Mon ami a rencontré Corinne, son premier et unique amour, lors du deuxième party de session (c'est-à-dire le lendemain de notre rencontre). Ce soir-là, c'est elle qui lui a balancé une droite, mais pas sur la gueule… un peu plus bas, en dessous du thorax, quelque part entre ses ventricules et ses oreillettes ! Depuis, ils ont eu trois beaux enfants, toutes des filles. Leur vie de couple connaît ses hauts et ses bas, mais, en général, ils sont heureux et fiers d'avoir fondé une famille. Leur quotidien est un long fleuve tranquille, un jardin bien entretenu. Les gens heureux n'ont pas d'histoire, mais eux, oui.

Même si ma vie est aux antipodes de la sienne, Conrad m'a demandé d'être parrain à chaque naissance. Les trois fois j'ai refusé. Je ne peux accepter. C'est *too much*, un tel investissement. Savoir qu'un enfant comptera sur moi s'il advient malheur à mon meilleur ami et à sa femme, ça va au-delà de mes capacités.

Pourquoi ? Parce que, quand j'ouvre la porte de mon frigo, le morceau de fromage vert, autrefois cheddar, s'y trouvant menace de se suicider plusieurs fois par jour. Devant cet exemple éloquent, dis-moi comment je ferais pour être à la hauteur en tant que papa de rechange ? IMPOSSIBLE.

Honnêtement, j'ai déjà rêvé d'avoir la même vie que mon ami. J'y ai même cru. Ça t'étonne ? On se connaît si peu ! Quoi ? Tu désires en savoir plus sur ton nouvel ami-auteur-de-ces-lignes ? Avec grand plaisir.

Au cégep, on était Conrad et Corinne, et Jéricho et… Non, je ne te dévoile pas son prénom sans d'abord raconter toute l'histoire…

Au cinéma, l'écran deviendrait noir, une musique classique jouerait doucement en trame de fond et tu entendrais ma propre voix narrer l'histoire de ma propre[6] vie. Les costumes, les décors et surtout les perruques (à la Adam Sandler dans *Le chanteur de noces*) seraient plus ou moins réalistes, mais, justement, c'est ce qui rend les *flashbacks* aussi sympathiques, non ?

FLASHBACK

Rentrée scolaire 1991, cégep de Jonquière

Ado, je regardais des émissions comme *Chambres en ville* ou *Campus* et je souhaitais que ma vie ressemble à celles de mes personnages préférés. M'inscrire au cégep me semblait donc une voie naturelle à suivre. Quand j'ai reçu la fameuse lettre commençant par « Félicitations, vous êtes admis dans le programme Art et technologie des médias », j'ai dit adieu au foyer familial, aux jupes de ma mère, au bar bien garni de mon père et au frigo toujours plein.

Première journée en résidence = la to-ta-le. Les pires clichés étaient tous réunis : ma mère qui pleure, mon père qui installe mes stores (achetés par ma mère) et moi qui ai juste hâte de les voir partir pour enfin vivre mon rêve de vie en communauté.

---

6.   Mes *flashbacks* sont propres propres propres.

Dans le couloir, pendant que je faisais mes adieux à l'embarras familial sur trame sonore de sanglots maternels, je l'ai vue. ELLE. Dans ma tête, une phrase s'est mise à résonner en écho : «Les enfants, quand j'ai connu votre mère...»

Elle avait l'air «sophistiquement» *trash*. Son anneau à la lèvre inférieure m'a transpercé le bas-ventre de désir. Sa chevelure aux mille feux se reflétait sur mes joues chaudes et rouges. Mon regard était fixé à ses immenses yeux bleus enfantins. En guise de jupe (résidu trafiqué de sa féminité), elle portait une crinoline bleu nuit étoilée, des collants troués aux genoux et une paire de Dr. Martens vingt trous, noires.

Elle s'est approchée de moi. Mes cheveux, mes yeux, mes mains, mes testicules, toutes les cellules de mon corps se sont consultées. Finalement, l'organe communément appelé «bouche» s'est rappelé son utilité, mais il n'a rien trouvé de bien intelligent à dire, à part :

— Tu es si belle.

— On se connaît ? Sybelle Trépanier, enchantée !

Elle était en troisième année dans ma technique et était originaire de Jonquière. Elle avait négocié dur avec ses parents pour habiter en résidence. Comme elle leur avait déjà fait épargner deux ans de loyer, ils lui devaient bien ça.

Brillante. Je l'aimais. C'était ELLE.

Sa chambre était voisine de la mienne et on partageait un mur. La nuit venue, en vrai Alexandre Jardin, j'ai collé mon oreille sur la cloison de gypse mal peinturée pour essayer d'entendre son souffle apaisé. Cette première nuit fut la seule où nous avons été séparés. Contrairement aux protagonistes de *Fanfan*, on a craqué vite.

Notre vie est devenue digne d'un film d'ados. S'il y avait eu un couronnement du roi et de la reine des résidences, on aurait gagné haut la main après une semaine. Le petit couple parfait.

Nous étions donc Conrad et Corinne, Jéricho et Sybelle. Aujourd'hui, sur la couverture de magazines à potins états-uniens, on serait Jérybel. Mais on ne serait pas *vraiment* sur la couverture de magazines à potins états-uniens, parce qu'on n'a joué dans aucun film populaire ni filmé aucun *sextape* afin de «l'échapper» sur YouTube.

À l'époque, mon seul emploi consistait à livrer les journaux. Oui, *encore*. Même après des milliers de matins à répéter cette routine, je ne m'en lassais pas. Je faisais aussi du bénévolat à la télévision communautaire, où je classais en ordre alphabétique les cassettes de tournage. Endormante besogne.

Heureusement qu'avec Conrad, on avait eu l'idée du siècle: proposer nos services de caméraman à la seule station de télévision régionale, pour quelques minables dollars de l'heure, mais pour une stimulation intellectuelle hautement plus satisfaisante que lors du classement de cassettes. Nous sommes devenus les bouche-trous officiels de la station: quand il ne se passait rien (c'est-à-dire six heures par jour, c'était à Jonquière, je le rappelle), on partait avec des caméras et on tournait des images susceptibles d'être utilisées comme archives dans différents reportages. Mince sentiment de fierté: nos images étaient souvent diffusées. En prime, on se faisait la main.

«De retour à votre programme principal, Jéricho sur la route de la Gaspésie, au volant de sa *van* de location», fait la voix de l'annonceur. Et c'est à ce moment-là que la moitié des téléspectateurs en prend conscience: «Ah oui, c'est vrai, on était dans le passé!» Héhéhé.

Depuis que je suis sorti du ventre de ma mère, j'additionne les kilomètres. Je me demande bien combien affiche mon compteur personnel. Pour l'instant, je suis le roi du monde au volant de cette bonne vieille *van*, chaussée de dix-huit pneus et plus spacieuse que mon condo (condo payé d'ailleurs beaucoup trop cher, dans un quartier supposément branché de Montréal, je tiens à le préciser).

Là, c'est le moment où je te révèle enfin le nom de «ma» *van* de location. Bruit de tambour… Non, attends, je tire sur la corde de mon incroyable klaxon : MANHHHHHHHHHHH, MANHHHHHHHHHH[7] !!

Elle s'appelle SANDY.

Juste pour toi, voici une photo mentale de la bête : des flammes, du feu, des braises, l'enfer, le vrai. Peinte à la main par un artiste au talent psychédélique. La totale. Je regrette de ne pas avoir une barbe à la ZZ Top.

L'élément qui attire le plus l'attention, sur cette *van* incendiaire ? Sandy, la sirène, confortablement étendue sur le côté[8], les seins nus. Ses cheveux roux, en parfaite harmonie avec les flammes, auraient pu simplement couvrir sa voluptueuse poitrine, mais non, ils sont peints de manière à cajoler le galbe de ses seins.

Je l'adore, ma sirène, je veux l'épouser. Chaque moment passé au volant de cette pure déesse de la route est magique.

Pour l'occasion, je me la joue «Gaston», question d'être en harmonie avec ma superbe monture. Gaston a le vrai look du sexy *trucker* : casquette *vintage* de marque de bière bien connue (on se l'arracherait sur eBay), jeans trop grands, un t-shirt troué là où il faut et un

---

7. Avoue que tu l'entends !
8. Seule position possible pour les sirènes, tu me diras.

cure-dent vissé entre les lèvres. Je n'avais pas encore quitté la métropole que j'avais l'air de Ashton Kutcher habillé en zouf, donc toujours habillé en Ashton Kutcher. Tu aurais dû voir ma manœuvre au service à l'auto d'un resto de *fast-food* bien connu, ce matin.

Oui, inutile de relire, tes yeux ont bien vu ceci : <u>je suis allé au service à l'auto au volant de Sandy</u>.

Le portrait typique d'un attardé heureux, au volant d'une *van* au look surréel, tentant de commander son déjeuner.

Je me disais que j'avais pensé à tout, mais tsé, le minuscule sentier balisé de béton ? Oui, ce sentier si facile à parcourir en voiture (sauf quand tu viens juste d'obtenir ton permis) ?

Eh bien, avec la *van*, c'était comme de devoir rouler sur une surface de la taille d'un timbre-poste ! Super, super, super.

Bon, tu te fous de ma gueule ? Allez, ris un bon coup. Je ferais pareil à ta place.

Bref, Sandy et moi nous y sommes risqués, mais je me suis aperçu trop tard que l'opération était impossible. En entendant les pneus de Sandy frotter langoureusement sur le sentier de béton, j'ai pensé : dans quel état sera ma magnifique sirène, une fois la *van* tirée d'ennuis ?

Minuscule bémol : je ne savais pas *comment* nous tirer d'ennuis.

— Bonjour, je peux prendre votre commande ?

— Euh, pour l'instant, non.

— Monsieur, il faudrait circuler.

— Oui, je sais.

J'ai eu beau avancer, reculer, tourner le volant dans tous les sens, abuser des stridents « bip bip bip » émis par ma déesse des mers sur le reculons, rien à faire. Sandy refusait de collaborer. Ombre passagère, je l'espérais, sur notre couple.

Devant moi, à la fenêtre de commande à l'auto, j'ai entendu la caissière éclater de rire. Quelques secondes plus tard, elle était devant ma porte, côté passager.

— Je suis désolée, monsieur, de rire autant de toi, hoquetait-elle, mais c'est ce que j'ai vu de plus drôle de toute ma vie !

J'ai levé les yeux vers elle et j'ai vu cette magnifique adolescente pimpante, aux yeux remplis de rêves, qui travaillait probablement au service à l'auto pour se payer le cinéma, télécharger légalement de la musique et faire de l'aquarelle.

— On va te tirer de là, monsieur. T'es chanceux, Gaston, un ami *trucker*, est en dedans. Il va venir nous rejoindre.

Ma petite, dans un monde idéal, tu ne m'appellerais pas monsieur, j'aurais dix-sept ans et j'aurais été totalement en droit de t'inviter à me suivre en Gaspésie. Au retour de notre *roadtrip*, ma gaffe au service à l'auto aurait été considérée comme un exploit, à l'école, et j'aurais été l'idole de tous. Mais là, à trente-huit ans, j'ai l'air d'un vieux débile *wannabe trucker*.

— Voyons donc, mon chum, qu'est-ce qui t'est arrivé ?

Ça, c'est Gaston.

Ben oui, c'est son vrai nom.

#ironieducliché

Combien de temps ça lui a pris pour me sortir de là ? Vingt, trente, quarante minutes ? Non. Trente-quatre secondes précisément. Gaston n'a même pas fermé la porte de la *van* pour effectuer sa manœuvre. Je ne suis manifestement pas un *trucker*… Mais j'ai ma Sandy.

Sur la route, je suis MOI. L'authentique, le vrai moi. Car il y a aussi le moi de la télévision, le moi en famille et le moi avec les amis. On dirait que j'ai envie de te parler du Jéricho de la télévision. Que ça te tente ou non, je vais le faire pareil, héhéhé.

FLASHBACK
Salon familial, 1979

♫ Générique d'ouverture de l'émission
Les Satellipopettes

À l'âge de six ans, je passais toutes mes soirées assis sur le tapis ovale, brun et orange, aussi long que le *shaggy* de mon père, à regarder mes émissions préférées.

Mes parents m'ont conçu en regardant la télé. Pendant le télé-journal (*how exciting !*) ou un quiz télévisé au canal 10 ou au 2, sans doute. Dans le temps, il n'y avait pas huit cents chaînes…

Déjà, tout jeune, j'avais une certitude : ma vie, je la passerais dans cette boîte fascinante qui diffusait des images dans le salon. Bébé, le premier mot que j'ai dit était «Bobino». Bon, ça ressemblait plutôt à «bu-bo-o». Mes parents ont longtemps été convaincus que j'avais soif.

J'ai bu des litres d'eau et souillé une quantité record de couches à cause de ce malentendu...

Plus tard, pendant que mes amis vénéraient Superman ou Batman, moi j'avais MON capitaine Cosmos, des *Satellipopettes*. Mon héros portait lui aussi des collants, mais ils étaient blancs et beaucoup trop brillants. Lady Gaga n'a pas inventé le *spandex* argent, oh que non !

Chaque semaine, j'envoyais un dessin à MON capitaine. Je ne me souviens plus des prix que j'espérais tant gagner, mais ce savoureux rituel du samedi matin restera à jamais gravé dans ma mémoire.

D'abord, avant de penser au dessin, il fallait trouver LE carton. Il devait être assez épais, impliable, fort, mais pas trop grand, pour ne pas rester coincé dans la fente de la boîte aux lettres.

Le meilleur carton ? Celui de l'emballage des bas de nylon de ma mère. Quand elle s'en achetait une nouvelle paire, c'était la fête dans la cuisine, car j'étais convaincu d'avoir encore plus de chances de gagner.

Et, s'il y avait pénurie de bas de nylon, je détruisais les boîtes de céréales, de biscuits, de pâtes... toute la maison y passait. Mon père a même dû m'arrêter, une fois, avant que j'arrache des bouts de murs de notre sous-sol en préfini !

— Pas moyen d'avoir de l'ordre dans mes armoires avec tous ces sacs de plastique sans boîtes ! se plaignait souvent ma mère.

Malgré tout, elle me donnait le timbre à lécher et à coller dans le coin droit du « plus beau dessin de ma vie », chaque semaine.

Je passais donc tous mes samedis matin à espérer que MON capitaine pige MON dessin dans l'immense aquarium rempli de chefs-d'œuvre faits au crayon de cire ou de bois.

Le pire, c'était quand je voyais mon dessin collé à la paroi de verre. Devenu laveur de vitres, il me narguait :

— Allô, Jéricho ! Regarde, c'est moi ! Je suis beau, hein ? Tu vois la main de capitaine Cosmos ? Eh non, elle ne s'approche pas de moi… Meilleure chance la prochaine fois, merci de ta participation !

Immédiate confirmation de l'échec. En direct.

Jusqu'à ce fameux samedi…

— MAMAN !!!!!!!!!!!!! Mon dessin est dans ses mains !!!!!!!!!!!

C'était le plus beau jour de ma vie de garçon de six ans. J'étais incontrôlable, tellement j'étais excité.

Capitaine Cosmos, le sourire impeccable, a aussitôt enchaîné :

— Les amis, j'ai ici un beau dessin, mais il est trop grand. Il ne respecte pas le format standard et je ne pourrai pas le prendre… Il ne faut pas faire de gros dessins, les amis.

J'étais l'exemple à ne pas suivre.

Le plus beau jour de ma vie venait de prendre fin abruptement. Capitaine Cosmos avait déchiré mon cœur en deux, puis en quatre, en mille et en un trilliondemilliardsdecentrions de morceaux. (À l'époque, je parlais comme ça et je me trouvais total cool. Sûrement l'influence du capitaine Haddock[9]…)

— Mon chéri, c'est triste, mais dis-toi qu'au moins il n'a pas nommé ton nom, alors personne ne sait que c'est toi le coupable, avait tenté de me rassurer ma mère.

---

9. Cette abondance de capitaines dans ma vie d'enfant commence à me troubler sérieusement…

C'est tout ce que ça prenait pour que MON capitaine regagne mon respect. Je l'aimais encore plus, même! Tu imagines, s'il m'avait nommé? Tu en connais combien, toi, des Jéricho? J'aurais été la honte de toute l'école.

Ce jour-là, mon père est allé au Woolco, en furie, pour revenir avec deux énormes caisses de bas de nylon. Ma mère s'en sert encore aujourd'hui pour laver les fenêtres… ça te donne une idée de la quantité achetée! Tous les cartons ont été utilisés et envoyés à l'émission, mais jamais je n'ai revu un de mes dessins en ondes.

Constat, trente-deux ans plus tard : mon expérience avec capitaine Cosmos aura été lamentable. Mais, dans ma tête, il restera toujours mon idole de jeunesse, avec son casque brillant d'au moins «mille paillettes de poussière de miroir», comme je disais à l'époque.

J'ai vécu toute une déception cosmique, pendant la préparation d'un gala, il n'y a pas longtemps. La veille, ma recherchiste m'avait annoncé que j'allais rencontrer mon capitaine dans son costume original!!! Je capotais et j'avais trop hâte de me faire prendre en photo avec lui. Quand il est arrivé, j'ai eu un coup au ventre. C'ÉTAIT QUOI, CE CASQUE?? Un casque de hockey, peint en gris. Même pas en argent!

#totaledésillusion

«Fin du *flashback*. Pouf! Disparu, le bambin à la moustache de jus de raisin… revoici Jéricho derrière le volant», poursuit l'animateur avec sa voix un peu blasée.

 *Embarque ma belle*

 @kainofficiel

Sandy et moi ne faisons qu'un. Parfaite fusion. Je roule et je suis là à me demander pourquoi tout est toujours meilleur sur la route. Même les sandwichs au jambon-beige-goût-de-récipient-en-plastique-en-triangle, achetés à la station d'essence, ont le même effet que le foie gras au torchon sur mes papilles.

Mon premier ami pouceux n'avait rien de palpitant à raconter, alors, peu de temps après, j'ai fait monter Karyne-avec-un-y côté passager. Et elle ne trimballe pas qu'un Y dans son prénom, la mademoiselle, elle a aussi un immense sac à dos faisant quatre fois son poids, une tente, un sac de couchage, des gamelles et un brûleur. Bref, un magasin SAIL complet sur les épaules.

La raison de son voyage en Gaspésie est nébuleuse, mais elle y va pour plusieurs mois et tentera de s'y faire une nouvelle vie. Elle est mystérieuse et ça me plaît bien. En plus, elle a vingt-six ans... tous les espoirs sont permis.

— Gaston, est-ce que c'est ton vrai nom ? demande-t-elle, au bout de trois minutes.

— Non, ma belle.

— Tu travailles pour qui ?

— Pour moi.

— Ça, c'est payant, ça, s'immisce l'autre passager. Mon oncle fait ça aussi. T'aimes-tu ça[10]?

— Hum… je gage que t'es pas non plus un vrai *trucker*, renchérit Karyne.

— Non, t'as raison sur ce coup-là aussi…

— Me semble que je t'ai déjà vu à la télé.

— Tu brûles, madame Karyne-avec-un-y.

— C'est quoi, ça, « avec un *i* grec » ? demande celui dont on n'a pas besoin de mentionner le nom. C'est ton nom de famille, ça ? C'est ça ?

— Oh ! Je sais ! Tu es réalisateur ! Je viens de te replacer ! Tu travailles sur quoi, en ce moment ?

— Sur le prochain Gala des prix Verseaux.

À partir de ce moment-là, une loi non écrite a été instaurée dans la cabine de Sandy : Karyne-avec-un-y et moi, on se parlait comme si Pouceux n° 1 n'était pas là. De toute façon, le gars semblait avoir de la difficulté à suivre notre conversation…

Karyne était savoureuse avec ses tourments de la mi-vingtaine, tourments de celle qui se rend compte que la vie ne l'a pas menée là où elle l'entendait.

— *Man*, vous parlez trop vite pour moi ! s'exclame Pouceux n° 1. Si ça vous dérange pas, je vais dormir un peu.

Quoi ? Il saurait donc faire des phrases sans une abondance de « ça » ?

---

10. Pouceux n° 1 (il est trop insignifiant pour que je retienne son nom) semble avoir une légère obsession du « ça »…

— C'est OK pour vous, ça ?

Chassez le naturel et il revient à dix mille chevaux-vapeur.

#jokepochedetrucker

Au moment où nous passons devant la pancarte du Refuge du Vieux Loup de Mer, avec pour seul bruit de fond le ronron de Sandy et les ronflements de Pouceux n° 1 (sensiblement le même niveau de décibels), Karyne se penche pour ouvrir la glacière posée entre nous deux, me donnant ainsi une vue plongeante parfaite sur son décolleté.

Concentre-toi, Jéricho, regarde la belle verdure, le blanc parfait des lignes pointillées au milieu de la route… Magnifique Agace-Pésie, je t'adore.

Karyne a trouvé ma bouteille de rosé, qu'elle a ouverte pour en boire une gorgée. Puis elle m'a passé la bouteille[11] en me demandant, sans préliminaires :

— Ta dernière gâterie[12] remonte à quand ?

Je ne peux évidemment pas lui dire la vérité, parce que ça ne fait pas si longtemps… ça pourrait la refroidir.

— Je ne sais plus… mais je n'ai jamais eu de gâterie dans une *van*.

Oh oui, très fort, Jéricho ! Bravo, mon homme[13] !

---

11. Une seule petite gorgée, promis, seulement pour m'humecter le gosier. Je n'ai jamais prétendu être un enfant de chœur !
12. Ici, le mot « gâterie » ne fait pas référence à un dessert Vous me suivez ? Héhéhé.
13. J'aime bien me féliciter pour mes bonnes lignes.

N'en fallait pas plus pour que Madame la V se mette de la partie et prenne toute la place, tenant presque le volant pour moi.

— Ça, ça commence à être cochon, ça…

Fuck, il dort pas, lui ?

Conduire me rend songeur. Parfois, j'ai le vertige à force de trop me regarder le nombril. Et si j'étais passé à côté de ma vie, pour divertir celle des autres ?

Ma vie professionnelle s'est tracée sous mes yeux. Le cégep terminé, j'ai été engagé sur les plus grosses productions télé de Montréal, et ça, sans avoir à faire trop d'efforts. Une chose en entraînant une autre, c'est rapidement devenu un tourbillon. Du haut de mes vingt-trois ans, je réalisais des émissions que l'on confiait habituellement à des réalisateurs deux fois plus âgés que moi et cent fois plus expérimentés. On disait aimer ma naïveté de débutant, mon insouciance… et mon manque d'expérience en négociation salariale !

Vers la fin vingtaine, je suis devenu une sorte de vedette sur les plateaux de tournage. Les gens t'aiment, ils t'adulent, mais plus tu les crois, plus c'est dangereux. Je me pensais invincible.

J'ai participé à toutes sortes de productions télévisées québécoises, de 1995 à aujourd'hui : des galas de musique, d'humour ou de cinéma, des shows *live* d'artistes internationaux sur les plaines d'Abraham, des téléréalités, des téléséries, j'ai même fait une captation de la prière du dimanche matin… bref, ma vie est un téléthon. Je suis fatigué, mais fier (un peu, héhé).

Quand je regarde mon CV, je me mets automatiquement à sourire : autant de belles réalisations que de mini *burnouts*. Personne ne sait vraiment dans quel état on se met, pour que Georgette de Victoriaville ait un produit de qualité dans sa télé plasma. Je fais le plus beau métier du monde, mais soyons honnêtes : ce n'est que du divertissement, je ne sauve pas de vies. Je n'ai pas le droit d'être fatigué… je fabrique du rêve, du ludique, de la drôlerie.

Depuis quelques années, j'ai ralenti la cadence. Mensonge. Aujourd'hui, je *tente* de ralentir la cadence. On serait porté à croire que plus on a d'expérience dans le métier, plus c'est facile de gérer la pression, le stress. Ben non. Quand ils montent sur scène pour recevoir un énième trophée, Guylaine Tremblay, Véronique Cloutier ou Guy A. Lepage ont souvent le même discours : «On ne s'habitue pas.» Même chose pour nous, les travailleurs des coulisses.

Finalement, Sandy nous a menés à bon port. Pouceux n° 1 est parti rejoindre ses *chums* et Karyne-avec-un-y[14] vient de m'avouer qu'elle n'a pas d'endroit où passer la nuit. Honnnnn… triste destin que le mien, héhéhé.

Je l'ai donc invitée à me suivre dans la maison de la-poulette-amoureuse-de-mon-deuxième-père. Sans vouloir porter de jugement,

---

14. Bon, OK, on a compris. C'était la dernière fois que j'épelais Karyne-avec-un-y au grand complet. Oups ! L'avant-dernière fois.

c'est tout à fait ce à quoi je m'attendais pour une maison de vieille dame : chaque bibelot est posé bien en évidence sur un sous-plat crocheté à la main, la nappe de dentelle est recouverte d'un plastique, il y a une vieille télévision en noir et blanc dans le salon et un coucou accroché au mur. La maison en soi *est* un bibelot tout droit sorti d'une boutique touristique ! Gaétan va être bien ici... mais je me demande où il mettra tous ses meubles. Sandy est pleine à craquer. Mais, à ce moment, c'était le moindre de mes soucis. Je comptais bien profiter un peu de cette grande maison vide.

Avec Karyne, on a écouté de la musique dans le noir (dans un décor aussi beige, c'est préférable de garder les lumières éteintes), installés dans un magnifique divan de style victorien.

J'étais bien et je faisais durer le moment. Quand le plaisir vient cogner à ta porte, tu attends et tu le fais languir. La tension sexuelle montait. Lentement. Tranquillement. Troupeau de chevaux sauvages dans l'abdomen. Ils ont d'abord avancé au trot, puis au grand galop. Surtout, faire attention de ne pas gaffer. Ne pas briser le *momentum* et se retrouver avec les chevaux qui bouffent du trèfle, peinards, dans le champ derrière ton nombril. Bon, je recommence à parler en métaphores. Ça va, Bridget Jones, on peut continuer ?

J'attendais que Karyne fasse les premiers pas. J'avais envie de lui caresser la cuisse, de la frôler dans le noir, de sentir son cou, de lui enlever son *y*, mais je me suis abstenu. Je n'étais pas sans le savoir : je lui plaisais. Ça tombait bien, elle me plaisait autant. J'ai donc attendu qu'elle vienne à moi.

Avant de poursuivre cette *wannabe* anecdote cochonne nocturne, je dois apporter quelques précisions pour expliquer mon assurance avec les demoiselles.

Tu dois déjà avoir envie de me frapper en pleine tronche avant même que je commence. Tu me trouves prétentieux, macho ou fendant, peut-être ? Ne me juge pas avant de connaître toute l'histoire. Tu me fais confiance depuis vingt-sept pages, après tout, alors pourquoi ne pas continuer…

Je suis né *cute*. Je ne suis pas imbu de moi-même. Je n'ai pas la grosse tête. Je suis *cute*, voilà tout. Interdiction ici de faire « pffff! » en levant les yeux au ciel. Je n'ai rien demandé à personne, mais je suis reconnaissant envers mes parents de m'avoir donné le plus beau de leur face… et de leur personnalité !

FLASHBACK
Banlieue de Montréal, 1985
 ♫ *Jump*
🐦 @vanhalen

À l'école, j'étais le chouchou des professeurs. J'ai même été élu président en cinquième secondaire. Le genre de gars trop populaire que les *nerds* détestent, dans les films d'ados. On m'aimait bien et je l'ai eu facile, je l'avoue. Un vrai petit Joey Scarpellino.

Toutes les mères du quartier me connaissaient. Non pas parce que j'avais brisé le cœur de leur fille, mais parce que je distribuais le journal. Soixante-quinze journaux à livrer quotidiennement dans les rues désertes du petit matin, deux immenses sacoches de trois tonnes de chaque côté du corps. Les bonnes nouvelles, les mauvaises, les naissances, les décès… je portais le poids du monde (et des forêts) sur mes épaules.

Quand j'ai constaté l'effet de cet exercice sur mon corps, je me suis mis à distribuer les journaux en courant, bras tendus de chaque côté, sacoches aux poignets. J'avais l'air d'une balance (donc d'un imbécile), mais si tu avais vu mes bras! Arnold pouvait aller se rhabiller.

J'étais la star du quartier. Toutes les filles parlaient de moi à leurs parents et les pourboires étaient excellents. J'aimerais d'ailleurs remercier les journalistes, graphistes, photographes et tous les employés du journal *La Presse* pour avoir contribué, durant les années quatre-vingt et quatre-vingt-dix, à ma popularité auprès de la gent féminine. J'en ai passé, des heures à *frencher*, grâce à ce journal!

De fil en aiguille, j'ai perdu quelques fois ma virginité avec les filles du quartier. On perd pas sa virginité plus d'une fois, tu me diras… Ouais… Pour rassurer mes conquêtes, je leur disais que moi aussi, c'était ma première fois. Non, ce n'est pas être «crosseur», c'est être gentleman. Héhé.

La vérité? Madame la V a été déflorée à l'âge de treize ans. Une ex-petite gardienne de dix-sept ans qui me gardait depuis quatre ans. Quatre ans à être témoin de son évolution. Son corps est devenu celui d'une jeune fleur, magnifique bourgeon en pleine éclosion.

J'aurais voulu la filmer tous les matins, pendant qu'elle se préparait devant son miroir, pour ensuite visionner la cassette[15] en boucle. Mon fantasme grandissait au même rythme que son corps. Nos parents étaient amis, alors je la voyais très souvent. Je n'ai d'ailleurs jamais rechigné à aller en vacances avec nos deux familles.

Je m'inventais des millions de scénarios avec elle, mais, quand un de ces scénarios s'est réalisé, je n'ai pas cru tout de suite que c'était

---

15. Pour les plus jeunes: une «cassette» est un boîtier de plastique qui renferme une bobine de film. À l'époque, on l'insérait dans une machine appelée «magnétoscope», dans le but de visionner les images contenues sur le ruban. Eh oui, avant, on n'avait pas de téléphones intelligents!

la réalité. La veille de son bal de finissants, elle est venue me voir à la maison, vêtue de sa robe. Elle arrivait du salon de coiffure, où elle avait testé différentes têtes pour le grand jour. J'étais chez moi, dans la cour, le coupe-bordures à la main, perdu dans mon t-shirt des Canadiens de trois tailles trop grand. Mes parents étaient absents, les siens aussi.

— On entre, J?

Elle ne m'appelait pas «Djee», pas «Jay», mais J, comme dans *a, b, c, d, e, f, g, h, i, j*. Hypnotisé, tous les sens en alerte, je l'ai suivie jusqu'à la chambre d'amis, dans le sous-sol. Mes doigts picotaient tant ils voulaient la toucher, mais je devais d'abord :

1) aller me laver ;

2) faire baisser ma pression artérielle ;

3) réfléchir à la situation.

Sous l'eau de la douche, j'ai donné un massage express à Madame la V. Je me remercie encore aujourd'hui d'avoir eu cette présence d'esprit. Si je n'avais rien fait, j'aurais été couronné champion du monde de l'éjaculation précoce, toutes catégories confondues.

Je suis revenu dans la chambre et je l'ai vue : étendue sur le lit, sans sa robe.

«J'HALLUCINE ?» ai-je pensé.

Incrédule, je suis resté planté dans le cadre de porte, la mâchoire probablement décrochée et frôlant le plancher.

— Viens-tu me rejoindre, J?

«Merci, petit Jésus (dans le temps, j'étais croyant). S'il te plaît, permets-moi de ne jamais me réveiller. Jamais !» ai-je prié.

Je n'avais aucune expérience et elle le savait, mais mes quelques poils sur le torse (OK, je l'avoue, j'en avais deux) me donnaient une certaine assurance.

— Peux-tu t'occuper de moi ?

Juré, c'est sorti tout seul ! Sur ce coup-là, j'étais assez fier de moi : ma demande m'évitait plusieurs faux pas de débutant. J'allais me laisser guider par ma belle ex-gardienne.

Pour la suite, j'ai pris tout mon temps. J'ai dégusté sa délicate framboise de bouche. Sa langue, nos langues. Ses seins… OUF ! Ses seins étaient juste OUF ! Nous étions tendres, lents, et un peu maladroits. Elle aurait même pu tomber enceinte, j'étais trop jeune pour en avoir conscience.

Je ne l'ai jamais revue ensuite. Elle est partie vivre dans les Maritimes tout l'été pour perfectionner son anglais et nos routes ne se sont pas recroisées. Ce soir-là, étendu sur mon lit, un sourire de triso-mique collé sur les lèvres, je savourais encore cet instant de pur bonheur, cette merveille qu'est l'acte de « faire l'amour ».

À l'âge de dix-huit ans, étant plus expérimenté, j'ai eu droit aux femmes dans la trentaine, seules à la maison. Je me trouvais tellement bon ! J'avais la certitude de les faire jouir. N'importe quoi ! À bien y repenser, elles devaient nous prendre en pitié, moi et mon énorme ego, pour nous ouvrir leur porte ainsi. J'étais si ridicule et orgueilleux… je me prenais pour Patrick Dempsey, en livreur de pizzas, dans *Loverboy*.

« De retour à votre programme principal, dans la maison-bibelot, en Gaspésie… »

J'aime parfois vivre dangereusement et attendre que les filles viennent à moi, mais, la plupart du temps, j'opte pour l'approche directe, car elles osent trop peu souvent. Si un gars te plaît et que tu le désires, pose-toi pas de questions, FONCE! Neuf fois sur dix, ça fonctionne. Je sais, LA fois où ça ne fonctionne pas fait mal à l'âme, mais penses-y: un seul petit « non », ça n'a jamais rendu personne paraplégique.

Bang! Direct dans ta face, pas de *game* ni de « il va peut-être me rappeler ». *Next*, tu peux passer au suivant. Tu vas y prendre goût, je te jure. Hésite pas, même si ton approche te semble maladroite.

Avec Karyne, j'avais décidé de jouer la carte du gars patient dès le début. J'attendais qu'elle se décide. Ce qu'elle n'a pas fait. Je me suis donc levé, lui ai donné un bec sonore et impersonnel sur la joue et suis parti dans la salle de bains avec mon air le plus indifférent. Devant le miroir, je me brossais les dents lorsqu'elle est apparue dans l'embrasure de la porte, vêtue uniquement d'une culotte et d'un soutien-gorge, la brosse à dents dans la bouche.

J'étais jaloux de cette brosse à dents, allant et venant dans sa bouche. J'aurais dévoré sa mousse blanchissante. J'aurais léché ses amygdales mentholées. Avant de ne plus avoir de gencives du tout, je suis parti dans « ma » chambre.

Je l'ai entendue s'installer dans la pièce à côté.

Puis, plus aucun bruit.

Et, enfin, des pas hésitants dans le corridor.

Les miens.

— Je savais que tu te déciderais, s'est-elle esclaffée quand je l'ai rejointe.

Elle avait gagné, ayant plus de contrôle de soi que moi. Je l'ai gentiment enjôlée et elle s'est transformée en magnifique proie à déguster.

Mille raisons de me déhancher
Je suis dans un lit avec elle
Mon cerveau est débranché
Et mes doigts flirtent sous ses dentelles
J'irai doucement, j'irai rudement
Le charmant cédera au charnel
Je serai gourmand, je serai sûrement
Le meilleur animal qu'ait vu mademoiselle

Now I feel my feet and they keep on dancing
Now my heart beats and I keep on dancing
Now I found the reason, now I found the reason.

Mille raisons
 @alexnevskyalpin

Ma belle pouceuse est partie avant mon réveil. Joli songe d'une nuit gaspésienne…

Conrad, lui, a réussi à arriver, ce matin. Oui, « réussi ». Avec trois enfants, il n'est jamais à l'abri d'une otite, d'une gastro ou d'une réplique brise-cœur du genre : « Papa, tu ne peux pas partir ! Je m'ennuie, on ne fait jamais rien ensemble, juste toi et moi. » Et c'est la stricte vérité ; les horaires de télé ne riment pas avec « activités père-fille ».

Je les aime bien, ses petites morveuses. Vraiment. Mais, des fois, je leur en veux de m'avoir pris mon meilleur ami. Depuis neuf ans, je

dois le partager et je passe toujours en dernier (normal, me diras-tu).
J'ai quand même droit à mon soir de gars une fois toutes les semai…
hum… non, c'est devenu une fois toutes les trois semaines. C'est sacré.
Niaiseries et vulgarités obligatoires.

En sol gaspésien, j'aurai droit en tout à deux journées en-ti-ères
entre gars! *Yes sir!* J'exagère, mais, n'empêche, ça fait du bien. Conrad
ne voulait pas rester dans la maison de la nouvelle flamme de son père.
Mais il ne me l'a pas dit directement… Nous étions en train de vider
ma belle Sandy de son contenu lorsque, derrière les boîtes, les chevalets
et les meubles du paternel, j'ai entrevu Arnaud Le Canot, rare vestige
de l'ancienne vie (sans enfants) de mon ami. Il en a entendu, des confidences, Arnaud Le Canot. Il a été témoin des pires anecdotes mélangeant
bière et pagaies, pas toujours racontables et rarement sécuritaires.

— Arnaud Le Canot!!! me suis-je écrié. Tu le donnes à ton père?

— Non, c'est ma surprise, *bro*. On part, toi et moi, comme dans le
bon vieux temps.

— Wow, mon gars, tu n'aurais pas pu me faire plus plaisir. Et
j'imagine que le gros sac, là, c'est Ma Tente Ginette?

— Ma Tente Ginette et Arnaud Le Canot, youep! C'est-tu pas la
belle vie, ça?

— Laisse-moi le temps d'aller acheter mille bières et cent caisses
de vin et je suis tout à toi.

J'allais comprendre plus tard que cette expédition était un
prétexte. Mon ami avait besoin de parler. Besoin de moi. Un frère, c'est
fait pour ça. Je te fais une confidence: je me trouve chanceux d'être un
gars. Autant j'aime les filles, autant je ne voudrais pas en être une. Les
filles nous reprochent souvent de ne pas être assez démonstratifs, de ne
pas parler de nos sentiments et blablabla. Voici une grande révélation de

la vie (les filles, de grâce, prenez des notes) : nous n'avons pas BESOIN de toujours parler. Nous n'avons pas non plus BESOIN de nommer chaque émotion ou de partager ce qu'on ressent. Un exemple ? Avec plaisir !

 SCÉNARIO : deux filles sont en week-end à la campagne et elles se retrouvent devant le quarante-deuxième plus majestueux coucher de soleil de leur vie :

FILLE nº 1 *(excitée)*

Omigod, tu vois ce que je vois ? Le vois-tu ? Le vois-tu ?

FILLE nº 2 *(admirative) (en chantant)*

C'est beau, siiii beau ! La nature, la vraie. Le bonheur. C'est trop beau !

FILLE nº 1 *(reconnaissante)*

Te rends-tu compte de la chance qu'on a ? Comme si le soleil et le ciel s'étaient consultés pour nous faire grâce du plus beau spectacle de la vie.

FILLE nº 2 *(reconnaissante à son tour)*

Savoure, mon amie, remplis tes yeux de toute cette splendeur. Demain, le bureau nous attend…

FILLE nº 1 *(dont la balloune vient de péter)*

Non, ne gâche pas ce moment si magique ! J'ai deux jours de retard dans mes appels à retourner.

FILLE nº 2 *(potineuse)*

Parlant du bureau… Je t'ai raconté ce qui est arrivé à Ève ? Elle avait rencontré un gars et il a « oublié » de lui préciser qu'il sortait aussi avec une autre fille !

FILLE nº 1

Le salaud ! Fran-che-ment !

FILLE n° 2

Il l'a supposément rencontrée «en même temps» et il n'arrivait pas à se décider. Il lui a même dit que la vie était injuste de lui faire une telle vacherie !

FILLE n° 1 *(ironique)*

Ben oui… Bouhouhou, pauvre chou, qu'il est don' à plaindre.

FIN

Et voilà, le soleil est couché et tout ce dont ces filles se souviennent, c'est qu'un gars jamais rencontré de leur vie a trompé une collègue du bureau.

Pendant ce temps, chez les gars…

 SCÉNARIO : Jéricho et Conrad sont en Gaspésie, en canot-camping, et ils sont assis devant le coucher de soleil. On entend deux «pchhhhhhiitt» simultanés, bruits de bières qu'on ouvre.

JÉRICHO

Ouais, hein ?

CONRAD

Ouais.

JÉRICHO

Maudit qu'on est ben.

CONRAD

Tellement.

FIN

Tout est là, il n'y a rien à ajouter.

Conrad et moi sommes donc assis sur le bord de la rivière York, devant le fameux coucher de soleil en question. Les corps morts de cannettes de bière s'entassent à nos pieds. Sur le même ton dont il me parlerait de la truite qu'il se promet d'attraper le lendemain, il me demande :

— On échange-tu nos vies ? S'il te plaît, juste un an. Six mois, gros max. Je veux un *break*.

Vulnérabilité à l'état pur. Ce grand gaillard, solide, monument familial, maître de sa maisonnée remplie de filles, vient de me dévoiler une faille.

— Es-tu en train de m'annoncer que tu en attends un/une quatrième ?

— Non... je suis en train de t'annoncer que je vais avoir quarante ans. Ça me frappe en pleine gueule.

Je ne peux pas lui répondre que ma vie est loin d'être palpitante, sous ses habits pailletés ; c'est faux et il le sait. Elle est merveilleuse, ma vie. Mais je ne le lui dirai pas. Ça aussi, il le sait. Souvent, l'écoute est la meilleure conseillère entre nous, les gars...

— Ça fait neuf ans que je stagne dans une vie de vieux plate, de vieux routinier... Depuis neuf ans, je revis sans arrêt la même journée. Quand je ne me bats pas avec ma plus jeune pour lui faire avaler ses céréales, je crie après l'autre pour qu'elle se lève. Sinon, je m'obstine avec l'aînée ; neuf ans, c'est trop jeune pour s'habiller comme Rihanna. Bâtiment[16] que je suis tanné.

---

16. Quand tu deviens père, une nouvelle loi familiale s'installe : t'as plus le droit de sacrer. Jamais. Et ça te suit partout, même pendant une soirée de gars où niaiseries et vulgarité sont obligatoires...

Je ne plaiderai pas la cause «mauvaise passe», avec des platitudes du genre : «après la pluie le beau temps» ou «demain est un autre jour». Non. Ce serait lui mentir. Pour l'instant, il a un abonnement qui expire dans plus ou moins dix-huit ans…

— Avec Corinne, comment ça se passe ? Vous en parlez ?

— On a chacun nos périodes d'insécurité, d'inconfort, de découragement. On réussit à désamorcer la crise de l'autre. On en rit, heureusement. L'autodérision nous permet de digérer pas mal de choses. On est bien. C'est ça, le problème, on est toujours JUSTE bien. Elle est seulement «la maman des filles»… Je l'appelle plus souvent «maman» que «chérie», maintenant.

— Et le sexe ?

— Correct. Comme le sexe peut évoluer avec les années, j'imagine. Rien d'époustouflant. Tu me fellationnes, je te cunnilingue, puis je te retourne pour te prendre par-derrière et bonne nuit, ma chérie. Enfants pas enfants, c'est toujours pareil après deux ans en couple. On baise de temps en temps, dans les mêmes positions. Une fois par mois, on se fait un *best-of* de nos préférées et on parvient rarement à le mener à terme, parce qu'on est interrompus par un cauchemar ou un pipi au lit[17].

Conrad racontait tout ça comme si c'était d'une telle banalité ! Faites que je ne sois jamais blasé du sexe. Il a ensuite sorti un petit sac de plastique bleu transparent, rempli d'herbe.

---

17. Quand tu es père, non seulement tu emploies banalement « pipi au lit » et « positions sexuelles préférées » dans la même phrase, mais tu t'en rends plus compte.

— Je ne savais pas que tu avais recommencé à fumer. Ça fait longtemps ?

— Depuis que je baise une fille de vingt-trois ans, stagiaire à la boîte de prod'.

— PARDON !?

— Rectification : on ne baise pas encore, mais ça s'en vient dangereux, notre affaire. Et je ne peux même pas dire que c'est arrivé par hasard, que je ne l'ai pas voulu. Elle m'a cherché et m'a trouvé. Facilement.

— Corinne le sait ?

— Es-tu fou ? J'aime ma blonde. Je suis bien avec elle. Mais, quand je vois la stagiaire, j'ai une érection hors catégorie.

— C'est sûr que le jeu de séduction entre vous deux doit être mille fois plus excitant que de te battre pour faire manger des céréales à une de tes filles…

— Et si c'était ce que ça me prend pour enfin décider de me choisir, *moi* ? Si j'étais mieux dans ma tête et dans ma peau, peut-être que Corinne et les filles en bénéficieraient ? Elles seraient en compagnie de quelqu'un d'épanoui, de joyeux, d'attentif…

— … une fin de semaine sur deux.

— Ouain.

OK, mon ami est rendu loin dans sa réflexion. J'ai l'impression que son démon noir a envie de lui brasser la vie un peu, histoire de la provoquer.

Je ne sais même pas si ça vaut la peine de croire en l'amour et voilà que le seul couple modèle de ma génération, le couple le plus fort de mon entourage, s'effrite. Je connais Conrad et je sais que, malgré les épreuves, il ne laissera pas sa belle Corinne. Il fera probablement ce qu'il n'a pas le droit de faire. Il a déjà le doigt (la V ?) dans l'engrenage… La tentation est trop forte, c'est interdit et c'est ça qui est excitant. J'ai plaidé coupable à plusieurs reprises à l'accusation d'aimer les filles et le sexe. Je ne peux donc pas le juger, je le comprends. On fait ça, nous, les gars. On bifurque, on fait des erreurs de parcours. On n'en est pas fiers, mais on fait ça, oui. C'est la nature humaine. J'ai beau en avoir le plus bel exemple sous les yeux — mes parents, ensemble depuis cinquante ans —, je ne crois pas au couple qui dure «toute la vie». J'admire la naïveté des couples se promettant fidélité «jusqu'à ce que la mort les sépare». Comme si ça ne valait pas la peine de vivre une relation, une expérience, un projet, si ce n'était pas pour durer «toute la vie». Je suis pessimiste ? Non, simplement réaliste. J'imagine qu'on appelle ça vivre le moment présent… La vie est ma seule maîtresse régulière.

— Tu sais, vieux, reprend Conrad en me tirant de mes réflexions, j'ai retourné la question dans tous les sens. Pas au sujet de la stagiaire, mais concernant ma vie. Si j'étais séparé, j'aurais les filles une semaine sur deux. Ma semaine en solo, je la passerais à travailler sans me sentir coupable et à faire des sorties entre *boys*, comme avant. C'est peut-être ça, la solution ! Corinne aurait enfin, elle aussi, du temps pour elle…

Il cherche à se convaincre, c'est bien. Il est sans doute moins vieux routinier qu'il ne le pense. Il se remet en question et s'analyse. Je l'aime. Oui, on dit ça, des fois, entre gars.

GALA DES PRIX VERSEAUX -16 JOURS

Plateau-Mont-Royal

♫ *je suis malade*

 @lfabianofficial[18]

Je n'ai pas dormi de la semaine. (D'ailleurs, ai-je déjà dormi, dans cette vie-ci ?) J'étais trop occupé à fixer la porcelaine blanche de ma toilette, la face dans la cuvette, à me vomir les tripes. Non, je n'ai pas trop bu. À titre de rappel : dans deux semaines, deux millions de téléspectateurs attendront le résultat de mon travail devant leur téléviseur. Je serai à la tête d'un gala réunissant soixante et un artistes sur scène. Tout ce que tu vois dans ta télé (et, surtout, tout ce que tu ne vois pas), j'en suis responsable. La Gaspé-quoi ? Gaspésie ? Connais pas. J'y suis déjà allé ? Ah oui, je me rappelle, ça doit bien faire dix ans, non[19] ?

Étonnamment, ce n'est pas dans mes habitudes d'être malade. Je dois avoir un ulcère à l'estomac[20].

Ce sera mon dix-septième gala. J'arrêterai quand ? Sais pas. Je ferai quoi, ensuite ? Est-ce que je sais faire autre chose ? *Anyways*, en

---

18.   Je sais bien que cette chanson est de Serge Lama, à la base, mais va savoir pourquoi, j'ai toujours été plus attiré par Lara que par Serge. Héhéhé.

19.   Je sais, c'était il y a trois semaines seulement. Ironie pour te montrer à quel point ma vie va vite.

20.   Réplique facile passe-partout du parfait déni.

ce moment, trop occupé pour réfléchir[21]. J'aimerais ça, que quelqu'un décide pour moi, des fois. À chaque gala, dans ma tête, je me la joue Dominique Michel. Je me dis que c'est mon dernier, que c'est la fin et puis, oh! Un petit dernier, pour la route! Mais je ne dis ça à personne… J'ai pas trop envie de me faire remettre en pleine gueule que c'est mon dixième «dernier» gala, comme Dodo.

Je pense que ce qui me stresse le plus, chaque fois, c'est de chercher à me renouveler. Voilà le défi, gala après gala. Quand je choisis un projet, j'y investis mon âme. Heureusement, je ne suis pas le seul à m'investir: j'ai une équipe de feu, composée de deux assistantes, une pour la télé, l'autre pour la scène. La première m'aide à planifier ce qui sera retransmis en direct, et elle s'occupe aussi du montage des émissions, des téléromans et des séries présentés. Elle surveille aussi chaque artiste sur qui on a braqué une caméra. Mon assistante télé est même la grosse méchante qui demande au chef d'orchestre de partir la fameuse musique quand un artiste remercie trop longuement. Dans un gala, on a une marge de manœuvre de quelques minutes seulement (à moins de s'appeler Julie Snyder) et pas question de déborder sur l'émission suivante.

Mon assistante «scène», elle, s'occupe du spectacle proprement dit. Elle s'emploie à coordonner les danseurs, les décors et les projections sur écran.

Moi, j'ai les idées, je les exprime, et mes assistantes m'aident à les réaliser. Et, au bout du compte, je récolte les claques dans le dos, quand c'est bon, ou derrière la tête, quand ça l'est moins.

Mon assistante scène est partie; ma Mélancolie est devenue Mélancolia. De là mon angoisse et mes vomissements. Depuis son départ, c'est mon plus gros projet en solo. Je l'aime, ma Colie. Elle me manque…

---

21.   J'en oublie même des mots dans mes phrases!

son humour, ses idées, ses seins. Exempts de silicone, saillants, invitants, magnifiques. Macho ? Non ! Amoureux du corps féminin, oui. Certains attributs ont été donnés à la femme pour être admirés, ne l'oublions pas. Si Conrad est mon frère cosmique, Colie est son équivalent féminin[22]. Elle a réussi à se tailler une place dans ma vie cacophonique.

Une fois mon amie-sœur[23] partie au Mexique, j'ai engagé une nouvelle assistante : Jacynthe-avec-un-y[24]. Elle travaille bien, elle est gentille, mignonne, souriante et tout, mais elle m'ennuie.

Voir Colie si heureuse à l'autre bout du continent, ça me réconcilie avec son absence. Le bonheur lui va à ravir.

#jelenvieuntoutpetitpeu

Bref, ce gala me met à l'envers. Mes tripes me parlent. J'ai l'estomac à marée haute, mais le cœur à la dérive. La boule de feu sacré, habituée à m'enflammer l'abdomen, a donné son quatre pour cent, on dirait. Est-ce que ça se peut ?

Je demande à la vie[25] de m'envoyer un nouveau projet, sympathique, motivant, original. Un déracinement professionnel. J'ai envie de changement, de liberté, de paysages… Un projet où la performance n'est pas obligatoire, un projet que les critiques ne démoliront pas avec joie en trente secondes, à coups de cent quarante caractères sur les réseaux sociaux.

---

22.   Je l'avoue, ça fait bizarre de s'extasier sur les seins de sa petite sœur. Cette phrase, à l'apparence trompeuse, ne se veut aucunement incestueuse.

23.   Si tu le lis à voix haute, tu verras que ça ressemble étrangement à âme sœur. Coïncidence ?

24.   Tu sais que tu fréquentes trop de filles d'une même génération quand tu en connais deux qui se font une fierté d'avoir un y dans leur prénom !

25.   Wôôô, ça va peut-être plus mal que je ne me l'avoue si je suis rendu à faire des demandes à la vie comme une fille ! Pis depuis quand je fais des demandes à la vie, moi ?

En attendant que ça me passe, j'active l'excroissance qui me pousse au bout de la main depuis six ans (mon iPhone). Pour une quatre-vingt millième fois en trois minutes, je consulte mes courriels et mon compte Facebook. Tiens, Charlotte Clément, l'amie de Mélancolie, vient d'engager une conversation sur la messagerie instantanée.

CHARLO DIT:
Omigod, je suis vraiment contente de te trouver ici! Ça va monsieur, pas trop stressé?

JÉRICHO DIT:
Oh oui, ça va à merveille. Je ne suis pas du tout dans la salle de bains, en train de me vomir les tripes.

BRÉ-É-VO, le gros. Connais-tu le sens du mot «censure»? Comme dans: «Il n'était pas nécessaire de dire à la fille la plus hot du Québec que tu es en train de gerber.»

CHARLO DIT:
T'es malade, mon pauvre coco?

Nice, mademoiselle trouve ça attendrissant que je vomisse. Aussi bien jouer franc jeu, alors.

JÉRICHO DIT:
L'angoisse totale. Rien d'anormal. Toi, ça va? Pas trop nerveuse? Tu as préparé ton discours de remerciement?

Qu'est-ce qui me prend? Je suis vraiment stupide! Je n'ai pas le DROIT de dévoiler les gagnants, j'ai même signé une entente de confiden-tialité. Erreur de débutant. Elle me rend nerveux ou quoi? C'est nouveau, ça… Depuis quand je perds mes moyens devant une fille, moi? Essayons de rattraper la situation.

CHARLO DIT:
Pourquoi?… Je devrais?

JÉRICHO DIT :
J'ai trop parlé....

Médiocre, Jéricho, tu es médiocre. C'est ça que tu appelles « rattraper la situation » ? Elle a droit à une vraie surprise, quand même.

JÉRICHO DIT :
Jure que tu ne m'en voudras pas si je change de sujet.

CHARLO DIT :
Promis, sexy réalisateur, je ne vous en voudrai pas.

OK. Il y a quelque chose qui cloche. Soit la charmante animatrice-princesse a bu, soit elle a une faveur à me demander.

JÉRICHO DIT :
Alors, pourquoi es-tu si contente de me croiser sur Facebook en plein milieu de la nuit, jeune animatrice adorée ?

CHARLO DIT :
Disons que c'est l'alcool qui m'incite à te demander une faveur. J'ai besoin de trois billets pour le party d'après-gala, peux-tu m'arranger ça ?

Alcool et faveur, j'avais vu juste.

JÉRICHO DIT :
Trois ? En plus de ton invité ? Wow...

CHARLO DIT :
Oui !?... Pourquoi ? J'exagère ?

JÉRICHO DIT :
Ça dépend de ce que tu m'offres en échange.

CHARLO DIT :
Tu veux que je te cite dans mes remerciements, peut-être ?

JÉRICHO DIT :
Trois billets, trois faveurs. *Deal ?*

CHARLO DIT:
Deal.

JÉRICHO DIT:
Une danse, un baiser et une surprise de ton choix.

CHARLO DIT:
Un baiser ?

JÉRICHO DIT:
Sur la joue… ;)

CHARLO DIT:
Parfait ! Je sais déjà quelle sera ta surprise… Bonne nuit, monsieur. N'oublie pas mes trois billets ! xxx :)

Quoi ? Elle est déjà partie ? Retournons vomir de bonheur…

GALA DES PRIX VERSEAUX + quelques heures
♫ Aujourd'hui, ma vie c'est d'la marde
 @lisaleblancyo

J'ai eu une soirée de gala de marde. Tsé quand tu as plus de problèmes techniques que de téléspectateurs ? Deux caméras ont lâché en direct, et le télésouffleur aussi. Les présentateurs n'avaient plus de textes, donc avaient l'air de vrais imbéciles. Tu croyais que les présentateurs apprenaient leurs textes par cœur ? J'aime ta belle naïveté… ☺ La vérité ? Pour la plupart, ils ne viennent pas aux répétitions et lisent leurs textes pour la première fois en ondes, devant toi, gentil public. C'est comme ça, la télé : tout va très vite et tous sont très occupés. Et sais-tu quoi ? Ils sont bons alors on finit toujours par s'en sortir.

Ç'a pris douze *FUCKING* minutes[26] avant qu'on règle le problème. Un comédien a même tourné ça à la blague en disant :

— C'est cool, ce gala-là, c'est devenu le jeu de « qui va le moins bafouiller en direct » !

Maintenant, je comprends les vomissements prégala. La vie m'avertissait de me sauver en courant. Je n'ai pas su interpréter le message convenablement.

J'avais toujours une caméra braquée sur Charlotte[27] et sa nouvelle tête. Houla, la magnifique surprise ! Elle était parfaite, honnêtement. Elle s'est surpassée, tant côté look que côté attitude. Je l'ai vue sous tous les angles, grâce aux caméras, et je connais sa robe par cœur. Ahhhh, la fine dentelle noire laissant entrevoir juste ce qu'il faut de peau… Ouf ! Je dis MERCI à la haute définition ! J'ai demandé à un des caméramans de zoomer sur le tissu, il a choisi le décolleté. Sale (gentil) garnement.

Quand le comédien a fait sa *joke* sur le télésouffleur, c'est la réaction de Charlotte que j'ai envoyée en ondes. Elle s'est retournée vers la caméra et a levé un pouce. Il s'adressait à moi, ce *thumbs up*, j'en avais la conviction. Il signifiait : « Ça va, tu t'en sors pas si mal. Lâche pas. » Ce

---

26. Aussi bien dire trois siècles.
27. En langage de réalisateur, ça signifie filmer quelqu'un en gros plan, constamment, pour pouvoir le mettre en ondes à tout moment.

pouce a eu l'effet d'une bombe et il m'a redonné confiance en moi. Mon équipe et moi avons terminé le show dans le plaisir et la bonne humeur.

Bon, on avait fait des erreurs, et puis?... Et puis le trop grand nombre d'erreurs a fait en sorte que j'ai dû recoudre, remodeler, remonter tout le Gala, avec le moins d'erreurs possible, pour le lendemain matin. Tu te demandes pourquoi j'ai dû tout remonter? Moi aussi, mais j'ai des *boss*. Ils m'ont expliqué que tout devait être «nettoyé» pour les copies déposées aux archives, pour les rediffusions et pour le site Internet. La «magie de la télé», ouais. Pas si magique que ça, finalement, se la jouer Houdini...

On a terminé le montage final à deux heures du matin. Calvaire. Ça faisait exactement dix-neuf heures que j'étais assis sur la même chaise. Tu sais, quand t'as perdu tes empreintes digitales, restées sur le clavier de montage? Pas la peine de spécifier que je n'ai pas pu voir Charlo pendant ni après la soirée. Mademoiselle Personnalité féminine de l'année était en demande! Ses remerciements avaient été savoureux, efficaces, tout en restant courts (si je n'avais pas été réalisateur, je t'aurais dit «trop» courts). Elle a toute mon admiration.

Quand j'ai fini par sortir de la régie installée dans une *van* (genre Sandy), il était tard. J'espérais qu'elle soit encore au party. Je voulais l'amener à l'abri des curieux, déboucher la bouteille de champagne gardée au froid expressément pour l'occasion, et célébrer sa victoire comme il se doit. Je voulais la contempler à la lueur de la lune.

J'espérais secrètement que mademoiselle Personnalité féminine de l'année se fasse coquine. Mais je sais qu'elle ne se fait pas coquine facilement. Elle est d'une autre catégorie. Une grosse pointure.

Je l'ai textée, pour voir si ma soirée de merde allait au moins se solder par un chapitre mémorable.

JÉRICHO DIT :
Bravo, belle animatrice. Je te rappelle que tu me dois toujours une danse…

D'emblée, les conditions gagnantes ne semblaient pas toutes réunies pour moi :

1) Elle était peut-être déjà partie.

2) Elle était peut-être avec un autre gars.

3) La pile de son cellulaire était peut-être morte.

4) Elle ne l'entendrait peut-être pas.

5) Je n'avais pas le goût d'aller à une fin de party.

6) J'étais à jeun.

CHARLO DIT :
Merci, beau réalisateur. Oui, je te la dois toujours, cette danse.

1) Elle était peut-être partie.

2) Elle était peut-être avec un autre gars.

3) ~~La pile de son cellulaire était peut-être morte.~~

4) ~~Elle ne l'entendrait peut-être pas.~~

5) Je n'avais pas le goût d'aller à une fin de party.

6) J'étais à jeun.

OH QUE OUI !! PREMIÈRE ÉTAPE RÉUSSIE !!

JÉRICHO DIT :
Vous êtes encore au party, toi et ta sublime nouvelle tête ?

CHARLO DIT :
Je suis au vestiaire, je pars.

    1) ~~Elle était peut-être partie.~~

    2) Elle était peut-être avec un autre gars.

    3) ~~Je n'avais pas le goût d'aller à une fin de party.~~

    4) J'étais à jeun.

JÉRICHO DIT :
T'es accompagnée ?

CHARLO DIT :
Oui… mais pas de mon cavalier.

    J'ai pensé : « S'il te plaît, Charlo, j'ai pas du tout envie de jouer aux énigmes à deux heures du matin… » Non, je ne lui ai pas texté cette réponse-là. Quand même, tu me connais mieux que ça !

CHARLO DIT :
Je repars avec mon trophée !!! :)

    1) ~~Elle était peut-être avec un autre gars.~~

    2) J'étais à jeun.

    AH, OUI ! AH, OUI ! AH, OUI ! Dernière question et je passais la soirée avec elle.

JÉRICHO DIT :
Je suis dans la ruelle, je viens de sortir de la régie mobile. On se rejoint là ?

CHARLO DIT :
J'arrive, monsieur !

1) J'étais ENCORE à jeun (mais pas pour longtemps, le champagne était tout près !).

— Mais t'étais où, je t'ai cherché toute la soirée ?! m'a-t-elle lancé en arrivant, l'air exalté, clairement encore sur son nuage de grande gagnante.

Elle était ravissante. C'était permis de l'admirer toute la nuit ? Ma langue réclamait sa peau, qui devait être salée. (Mmmmm ! J'aime les femmes, je l'ai déjà dit ?) Elle avait eu chaud, ce soir, avec tous les spots de caméra braqués sur elle et les entrevues à droite, à gauche.

— J'ai été, disons, retenu en régie…

Je n'étais quand même pas pour lui énumérer tous mes *flops* de la soirée… J'ai trop d'orgueil pour ça ! Je ne me suis pas éternisé sur le sujet :

— Ça avait l'air de quoi, vu de la salle ?

Eille, le grand ! Tu avais la fille la plus *hot* du Québec devant toi, t'aurais dû passer à autre chose, changer de cassette, hein ?

— Je te jure que c'était un beau gala et que Fernande, de Trois-Rivières, n'a pas remarqué les petits problèmes techniques, a-t-elle répondu gentiment.

Correction : Fernande n'avait pas vu les problèmes techniques sur la scène, parce que Fernande avait PERDU LE SIGNAL pendant DEUX MINUTES[28] !!!! Arggggh ! Le pire des cauchemars du direct, c'est de devoir envoyer le fameux message : « Nous éprouvons présentement des problèmes techniques. Nous en sommes désolés. Votre programmation régulière reprendra dans les meilleurs délais. »

---

28.   Aussi bien dire quatre éternités.

— Je suis sincèrement désolée pour toi. Qu'est-ce que tu dirais de te faire changer un peu les idées ? As-tu faim ?

Je n'avais pas mangé de la journée, de peur de devoir utiliser la chaudière à mes pieds.

— Si je suis franc, tu sais quel serait le plus grand de mes bonheurs, là, tout de suite ?

— Si je te disais que moi, je rêve d'une poutine, tu me répondrais quoi ? a-t-elle demandé, l'air mi-espiègle, mi-gênée.

Cette fille est surréaliste.

— Je te répondrais que tu es parfaite. Je te laisserai goûter à mon cheeseburger ketchup-choux-cornichons, si tu me laisses piger dans ta poutine.

— *Deal*, à la condition que tu demandes un cornichon en extra !

On est partis dans la Jérikoto, ma Audi, mon joujou préféré, stationnée juste à côté de la ruelle. La Jérikoto, c'est mon extension. Je peux vivre dedans, si je veux. En fait, je vis pas mal dedans. Je peux écouter toute la musique du monde grâce à la radio satellite, et elle a la meilleure balance de son en ville ! Qu'est-ce qu'un gars voudrait de plus ? Dans le coffre : mon sac « nocturne », c'est-à-dire mon sac de gym avec du linge de rechange et une trousse d'hygiène personnelle... Quoi ? On est jamais trop préparé pour un *one-night* ! À côté du sac de gym, l'attirail du gars prêt à affronter toute situation, comme si rien n'était jamais planifié : une couverture, deux flûtes à champagne et une bouteille de bulles. Cette soirée allait bien se terminer, je le sentais.

J'ai amené Charlotte devant un *snack-bar* crado, rue Saint-Hubert. Je ne voulais pas aller dans un endroit branché, j'avais besoin d'un *break* et elle aussi. Tout le monde lui parlerait du gala pendant des heures, le soleil se lèverait et je n'aurais pas ma danse.

— Reste dans la voiture, si tu veux. Je rapporte nos commandes. Il risque d'y avoir quelques fans à l'intérieur, mais ton quart de travail est terminé, à deux heures vingt du matin, non[29] ?

— Ah, merciiii ! Sérieusement, je n'aurais pas osé te le demander. C'est un peu gênant avec ce qui traîne sur ta banquette arrière..., a-t-elle fait en pointant son trophée. Je ne veux pas passer pour une ingrate.

En parfait don Jérichuan[30], je savais que ses mignons petits pieds la faisaient sûrement souffrir en silence.

— Tiens, mets ça si tu veux, je reviens, ai-je proposé en lui tendant une paire de gougounes qui « traînait par là ».

Je préfère de loin les talons aux gougounes, car ils transforment les jambes des filles en gratte-ciel. Mais l'heure n'était pas à la contemplation... Je suis parti avant qu'elle me pose des questions sur l'origine des sandales en caoutchouc rose. Messieurs, sachez que, dans le but de se rendre adorable, il est nécessaire de toujours avoir à portée de la main une paire de chaussures confortables pour ces dames. Un gentleman ne néglige jamais ce genre d'attention. On en trouve dans toute bonne pharmacie du coin et j'achète la taille 8 (la moyenne des pointures, selon mes expériences. Au pire, elles sont d'une taille trop petites ou trop grandes). Si toutefois Charlotte m'avait demandé d'où je sortais ça, j'aurais répondu qu'elles sont à mon adolescente de voisine, à qui je fais des *lifts* tous les matins. Je suis un mauvais garçon attachant, tu ne trouves pas ? Et un gentil menteur, ouais, ouais.

---

29. Je ne lui dirai pas qu'au fond je serais plutôt fier d'être vu avec la Personnalité féminine de l'année.

30. J'ai dit ça, moi, « Jérichuan » ? Reste juste à me féliciter de ne pas l'avoir dit tout haut, devant Charlo ! Jérichuan s'autoexténue !

Je suis donc allé chercher notre *snack* et j'ai amené l'animatrice-princesse au parc Jarry, là où la vie est tranquille, loin du centre-ville. Je voulais l'avoir pour moi tout seul. On a marché, elle dans ses/mes gougounes qui lui allaient à ravir, moi dans mon *kit* de gala froissé de la tête aux pieds. En chemin, une pensée m'obsédait : est-ce que mon déodorant tient le coup ?

Je l'ai entraînée dans mon coin favori du parc, sous un arbre.

— Quand j'habitais dans le quartier, je venais ici pour relaxer, lire, me lancer la balle avec des chums…

— Toi, tu as déjà eu du temps pour *lire* ? m'a interrompu Charlo, estomaquée.

Bang ! Uppercut en pleine gueule. Ignorant superbement sa remarque, j'ai sorti la couverture et le champagne de mon sac. On s'est assis, j'ai *poppé* la bouteille de bulles et lui ai tendu son verre avec mon plus beau sourire. Nous avons bu à son succès et à cette soirée qui finissait en beauté. On a ensuite attaqué la *junk food* et, après s'être bien gavée, Charlotte a ramassé les emballages et s'est levée pour aller les jeter, dans une poubelle à l'autre bout du parc. J'étais trop fatigué pour me rendre compte qu'un vrai gentleman ne laisserait JAMAIS la Personnalité féminine de l'année ramasser les ordures !

Le bruit des sandales à rabais rose fillette qui faisaient *skwitch skwitch* m'a indiqué que Charlotte revenait. Elle m'a alors tendu son téléphone et m'a lancé :

— Monsieur, vous étiez supposé me faire danser, à vous de choisir la chanson.

Son lecteur étant justement arrêté sur Coldplay, mon choix s'est arrêté là aussi. J'étais trop fatigué pour chercher davantage et la chanson me convenait parfaitement.

And if we could float away
Fly up to the surface
And just start again
And lift off before trouble just erodes us in the rain
Just erodes us in the rain
Just erodes us, erodes us in the rain

Through chaos as it swirls
It's us against the world

Us Against the World
@coldplay

Trois secondes plus tard, je la prenais par la main et nous nous mettions à danser dans l'herbe, doucement. C'est là que les gougounes ont décidé de se prendre pour du fromage en grains, aidées par la rosée. J'aurais dû mettre le volume au maximum. Voilà, j'aurais dû. Bon, j'en étais pas à une erreur technique près, ce soir…

Charlotte s'est tout à coup mise à rire, d'abord nerveusement, puis de bon cœur. Je l'ai imitée et lui ai retiré illico ses sandales musicales pour les lancer le plus loin possible… c'est-à-dire à deux mètres de là. Gougounes boomerangs. Merci, caoutchouc léger, de m'avoir fait passer pour faible.

Quand nous avons été couchés sur la couverture, Stéphanie Lapointe et Albin de la Simone se sont mis à chanter. Moment «salement romantique»[31].

---

31. Est-ce que je viens de citer Cœur de Pirate, moi là? #atteinteamavirilite. La preuve que je réalise beaucoup trop d'émissions musicales: j'utilise des paroles de chansons pour décrire ma vie.

Je n'avais jamais vu, j'avais
Rêvé oui, mais vu jamais
Toi et moi tout nus couchés là
Tu penses à quoi
À rien

J'ai commis le plaisir banni
Je pâlis ou j'applaudis
Amis oui mais amis au lit
Toi tu penses à quoi
À rien

J'entends le silence étourdi
Le vent dans les branches
Je ne pense pas, j'atterris
Je reviens à la vie
Dans ma vie il a fait si gris
Dans mon cagibi mini
Tu te tais, mais regrettes déjà
Là tu penses à quoi
À rien

Je la dis ou je la dis pas
La pensée qui brûle en moi
Mon amour je n'aime que...
Et là ? Là tu penses à quoi ?
À rien.

À quoi
Stéphanie Lapointe
Albin de la Simone

J'ai tourné mon visage vers Charlotte, pour la contempler. Elle est parfaite, je l'ai déjà dit ? Impulsivement, j'ai baisé sa main du bout des lèvres. À cet instant, sur cette couverture rêche, j'aurais voulu lui faire l'amour comme jamais personne avant moi, lentement.

Sans que j'aie pu prendre le temps de me ressaisir, ma bouche a déclaré :

— Merci d'avoir fait que cette journée ne soit pas complètement gâchée.

Sur le coup, je me suis dit : « Mais qu'est-ce qui me prend ?!? Déniaise-toi, gros épais, ce n'est pas avec cette attitude mielleuse, limite pitoyable, que tu l'attireras dans ton lit ! »

— Tu es une belle surprise, Charlotte Clément.

Oh wow ! De mieux en mieux... Ça sortait d'où, cette phrase-là ? Je parlais comme un personnage de *chick lit*, maintenant. Pourquoi je me suis autant ouvert à elle ? Je devais avoir perdu tout contrôle, car j'en ai rajouté en lui parlant de mon gala-*flop* et de mon envie de tout arrêter. Comme si j'avais été en face de Janette Bertrand.

#besoindesommeil

— Donne-toi du temps, a-t-elle répondu, réconfortante. Tu ne peux pas baser ta décision uniquement sur ce soir. Mais continue d'écouter ton cœur.

— Pourquoi c'est si simple, parler avec toi ?

— Parce qu'on fait la même job, seule une caméra nous sépare. Je comprends ta réaction et je la trouve normale. À ta place, j'aurais une seule envie : me cacher dans une tanière pendant un an, le temps de dormir pour de vrai et de me faire oublier des gens.

OUCH ! Ça avait été si pire que ça, mon gala ?

— Tu as raison, je devrais partir à la campagne, me trouver un chalet, faire du feu et pêcher. Juste moi avec moi. Pas de cellulaire, pas d'Internet. Manger le fruit de ma pêche et boire ma bière en solitaire. Maudite bonne idée, tu es géniale !

BON ! Il était temps que tu te déniaises, Jéricho. Fallait être dans le jus total pour ne pas avoir une idée aussi simple ! Ça s'appelle DÉ-CRO-CHER.

Charlo a tiré son sac vers elle et je me suis exclamé :

— Non, pas déjà, on était bien…

Jéricho, du calme. Elle ne partait pas au Tibet, elle sortait seulement son miniportefeuille Chanel. Pourquoi, d'ailleurs ? Mademoiselle avait-elle un condom à motif pied-de-poule là-dedans ? Non. Elle m'a montré une photo aux coins abîmés. Soupir. On y voit un petit chalet en bois rond ressemblant à la maison de Fraisinette[32]. C'est tellement *elle*. Trop mignon[33].

— C'est chez toi à partir de ce soir, m'a-t-elle annoncé sans préliminaires, en me montrant la clef collée derrière la photo. Prends le temps de décanter tout ça. Tout le mois, si tu veux, mes vacances ne sont pas pour tout de suite. Tu vas être bien, là-bas.

— Wow, t'es sérieuse, là ?! C'est chez toi ?

— Ouais, c'est mon petit chez-moi rudimentaire et champêtre. Tellement rudimentaire, en fait, que si tu ne pêches pas de poisson, tu pourras toujours te cuisiner du ragoût de souris.

---

32. Quand je te disais qu'enfant j'avais beaucoup d'amies filles… Tu me crois maintenant ? En connais-tu beaucoup, toi, des gars qui utilisent la maison de Fraisinette comme référence ?

33. Depuis quand je dis MIGNON, moi ? On se croirait à l'émission *Des kiwis et des hommes* ! D'habitude, quand j'emploie ce mot, il est précédé de « filet ».

— C'était donc *ça*, ta surprise ? j'ai demandé, abasourdi.

Je me suis approché et j'ai collé mon front sur le sien. Elle s'est retirée, surprise, farouche, puis s'est rapprochée, lentement.

Les pensées se bousculaient entre mon cervelet et mon hypophyse : « Non, Jéricho, tu ne baiseras pas la Personnalité féminine de l'année. Laisse durer le plaisir. Attends de sentir bon, au moins. Chasse tout de suite de ta tête cette envie de la kidnapper et de l'amener avec toi dans sa maison-fraisinette. De toute façon, elle ne peut pas, elle a d'autres engagements. »

— Pars tout de suite, tu vas éviter le trafic, a-t-elle fait avec un clin d'œil. Mais je t'aurai averti, hein, c'est le plus *basic* de tous les chalets.

— Vous me retardez, charmante animatrice ! J'ai une princesse au grand cœur à reconduire chez elle, des bagages à préparer, un dépanneur ouvert vingt-quatre heures à trouver et une heure de route à faire…

Je suis le gars le plus chanceux de la Terre. On m'a offert l'occasion de me débrancher pour une durée indéterminée. On verra si je me rebranche.

Après avoir accompagné Charlotte jusqu'à sa porte, j'ai pensé au dernier point du *deal*. Je n'ai pas eu à lui rappeler sa promesse. Ses mains ont rejoint ma nuque. Sa bouche #papillondenuit a effleuré ma joue dans un léger baiser.

Montréal @ Saint-Alphonse-Rodriguez
Distance : 92 km
Durée : 1 h 20

♪ OK on part

🐦 @vvallieres

J'ai réussi à sortir de la ville en un temps record. La Jérikoto remplie de bouffe, de matériel de pêche et de liberté. La maison-fraisinette est à un peu plus d'une heure de Montréal, au bord d'un lac naturel. Cent petites minutes, c'est un coït interrompu quand rouler t'enivre et te fait revivre… Ça fait maintenant quatre heures que je suis arrivé. Je n'ai pas réussi à m'endormir encore, même si je suis dans le lit de la belle animatrice. Si on peut appeler ça un lit… « Guimauve » serait un qualificatif plus approprié. Trop blanc, trop moelleux, trop microscopique. Il faudra qu'elle m'explique pourquoi elle dort dans un lit trois quarts ? Elle est presque aussi grande que moi ! Juste de nous imaginer à deux, dans ce lit-là, j'éclate de rire comme un con. Je ris à m'en éclater la jugulaire. Ça fait du bien de retrouver le naturel. De redevenir Jéricho Lamoureux[34]. Rire et me détendre, pour la première fois, depuis des semaines. Merci, Charlotte Clément. La magie opère.

---

34. Confirmation : c'est bien mon nom de famille. Je te rappelle que je ne l'ai pas choisi ! Pourquoi ne pas l'avoir mentionné avant ? Disons que je n'étais pas pressé de te faire part de ce détail ironique concernant Monsieur l'éternel célibataire…

En arrivant au chalet, j'ai pleuré pendant une heure, assis sur le sofa-fraisinette (juré, il est ROUGE!). Bref, j'ai morvé sur sa fraise[35] et j'ai fini par me lever, pour faire le tour du proprio. L'endroit sent le bois, la pureté, le paisible. Je ne suis jamais venu ici, mais j'ai l'impression de connaître cette maison. Pourtant, elle est mon opposée: loin de la ville, de l'action, pas d'Internet, pas de bars, pas de dépanneur au coin de la rue… Un lac, un foyer et… un chat. Oui, ça, c'était l'autre partie du contrat, la clause non écrite. Alors que je montais dans mon auto, devant chez Charlotte, elle m'a appelé. OHHH QUE OUI!!!

Je me suis dit: «Ça y est, soit…

1) Elle m'invite à monter.

2) Elle veut venir avec moi.

3) Elle m'embrasse pour de vrai pour me souhaiter bonne route.»

Eh non! Tu ne le savais pas encore, mais l'expression *c'est trop beau pour être vrai* a été créée tout spécialement pour moi…

4) Elle me demande d'apporter son chat au chalet.

Je déteste les chats. J'y suis allergique, mais j'ai été incapable de le lui dire.

— Tu vas voir, il est super gentil! s'est-elle enthousiasmée. Ça va lui faire du bien, le grand air. Il y a des boîtes de bouffe dans une des armoires de la cuisine du *shack*.

Je ne connais même pas le nom de cette bestiole poilue. Elle n'a pas cru bon de me le mentionner, se doutant probablement que nous allions nous ignorer mutuellement. Si je le regarde attentivement, il a des airs de Pierre Lambert dans *Lance et compte*. Un peu noir, semi-frisé… et aussi bon comédien.

---

35.   Cette phrase, sortie de son contexte, est inexplicable.

Une fois mes trucs rangés dans les armoires, j'ai débouché une bière et suis sorti dehors fumer une cigarette. J'ai avalé une grande gorgée devant le soleil se levant sur la journée et sur ma vie. J'avais chaud, j'avais le cœur en mode cardio militaire, mes mains tremblaient. Mon corps me disait : « Yo, *fella*. Tu penses enfin à moi ? *About time*[36] ! » Je me suis promis d'essayer de comprendre mon rappeur de corps dans les prochaines semaines.

Moi, la maison-fraisinette et Le Chat.

GALA DES PRIX VERSEAUX + 6 jours
Saint-Alphonse-Rodriguez
Pilosité faciale : envahissante

♫ *Poisson d'avril*
🐦 @derymarc

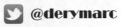

J'ai passé les premières journées au chalet à dormir et à manger des soupes en boîte dégueulasses. Je m'en fous, j'avais besoin de jouer au zombie.

---

36.   Oui, mon corps parle comme Jay-Z.

Le règne du lit guimauve est terminé. J'ai acheté un matelas king et tout le bataclan qui plaît aux filles (lire *une base de lit*). Si Charlo s'ennuie, le petit lit est encore disponible dans un coin de la mezzanine. Bon *deal*, non ?

J'ai mis des Post-it partout sur mes achats, pour lui signifier d'être bien à l'aise de tout me redonner, si elle n'aime pas mes idées et mes cadeaux.

Je termine, je crois, ma première semaine ici. C'est étrange, le temps s'est arrêté. Aucune horloge ni montre, aucun micro-ondes pour m'indiquer l'heure. Aucun contact extérieur non plus : mon cellulaire, déchargé, ne capte plus rien, et, de toute façon, il n'y a aucune connexion Internet. Un vrai *no man's land*. C'est d'ailleurs ce qui m'a permis de ne pas lire les critiques du gala et de ne pas entendre de commentaires. Tu sais quoi ? Je ne m'en porte pas plus mal du tout !

Le premier matin où je suis sorti de ma léthargie, j'ai fait le meilleur café de bois et le meilleur déjeuner de bûcheron du monde. Ensuite, je suis parti à la découverte de mon nouvel environnement 100 % nature. Un vrai Ovila Pronovost en quête de travaux manuels pour impressionner sa « belle brume ».

Désormais, je répondrai au prénom de Jérichovila.

Le terrain est immense, la maison, minuscule. Dans le garage (de taille équivalente au chalet !), j'ai trouvé le plus joyeux des bordels. Un vélo par-dessus la tondeuse, une quarantaine de pots de peinture, des tablettes vides, des millions de pots de plantes, des meubles… et assez de bois pour rendre jaloux le premier castor venu. Incroyable. Mademoiselle Personnalité féminine de l'année, Jérichovila va t'aider.

J'ai fait le ménage du siècle ! J'ai aussi tondu le gazon. Question de faire le plein d'énergie, je me suis concocté un énorme sandwich jambon, brie, tomates, bacon, pâté de foie. Oui, monsieur. J'ai décidé de retaper les lieux. La maison-fraisinette a perdu son charme d'antan, comme on dit. Sur la photo (datant d'il y a quelques années, c'est certain), elle est pimpante et colorée. Dans la vraie vie, sa peinture est écaillée et en manque d'amour. Après mon succulent sandwich, j'ai donc sorti l'escabeau, les pinceaux et les rouleaux. C'est devenu mon projet. Tu t'imaginais que j'allais rester peinard, à pêcher? C'est mal me connaître. Mon corps réclame un entraînement intensif et la maison-fraisinette se déshydrate à vue d'œil. Joignons l'utile à l'agréable. Et puis, j'ai grandement besoin de bronzage[37]!

Le résultat, après la première couche, est prometteur. Bientôt, je mettrai la deuxième et ferai des boîtes à fleurs avec les planches trouvées dans le garage.

Il est maintenant dix-sept heures, c'est l'heure de mon 5@7 avec Le Chat. C'est notre petit rituel: je lui ouvre une *can* de bouffe (qui pue à faire fendre les murs) et on *chill* sur le quai.

Ce soir, je sors. Je n'ai plus rien dans le frigo et j'ai envie d'un repas dans un resto de la région, avec des légumes en conserve, de la sauce brune qui goûte la sauce à poutine, du poulet trop sec et de la soupe tomate et orge[38]. La dernière fois où j'ai pu (lire *eu le temps de*) me cuisiner des repas pendant plus de trois jours consécutifs remonte au cégep. À Montréal, mon condo sert à faire du lavage, point.

Allons voir ce que le village a à offrir.

---

37. Certaines phrases, dont celle-là, peuvent te faire douter de mon orientation sexuelle, j'en conviens.

38. Dans ma tête, tous les restos en région servent ce même menu. Point barre.

GALA DES PRIX VERSEAUX + 8 jours
Saint-Alphonse-Rodriguez

♪ *Sunglasses at Night*
Corey Hart

Quarante-huit heures de pause de Jérichovila. Je me suis retrouvé dans le plus typique de tous les typiques restos-bars, devant un juke-box datant des belles années de la carrière de Corey Hart. Claudia, la serveuse, avait vingt-cinq ou trente-deux ans. C'est difficile d'estimer l'âge des filles, en région, parce qu'elles ont toutes le même *pattern* capillaire. Pourquoi ? Elles vont toutes au seul salon de coiffure du village ! C'est le moment où tu peux m'envoyer chier. Oui, j'ai des préjugés contre les gens en région à propos de leur coupe de cheveux… et pas juste contre les filles. Pour les gars, c'est encore plus simple : pot de gel dans le toupet ou crâne rasé style mohawk.

Ce soir-là, Claudia était visiblement contente de rencontrer un étranger. J'ai eu droit à la totale : remplissage de mon verre de vin toutes les trois secondes, pain chaud et sa compagnie en tout temps, désirée ou non. Elle était assise en face de moi, débordante d'authenticité. J'ai pris ses mains, les ai embrassées et je l'ai remerciée pour l'excellent service en laissant un généreux pourboire. Puis j'ai traversé dans la section bar, de l'autre côté de la porte accordéon, et je suis tombé sur Claire, veuve de golf partageant sa solitude avec un demi-litre de vin maison. Claire, cinquante-deux printemps, habite à Ottawa et elle a loué un chalet à quelques lacs d'ici[39]. Femme savante, experte, même, dans certaines disciplines sexuelles. Comment je sais tout ça ? Elle a réussi à me garder deux nuits cloîtré dans sa chambre à coucher, d'où je ne suis pas vraiment sorti sinon pour des allers-retours à la salle de bains et au frigo. Mon *feeling* du temps que j'étais camelot est revenu et ça m'a fait extrêmement plaisir. Son chalet étant *fake*, trop propre, sans âme, on a rectifié la situation en y foutant le plus joyeux des bordels avec nos vêtements. Franchement, le voisinage a beaucoup à offrir...

Disons les choses comme elles sont, sans vouloir faire friser tes chastes pupilles : mon escapade touristique sexuelle est arrivée juste à point. Madame la V, inactive, était sur le point de faire des plaies de lit.

Finalement, on aime bien la campagne, elle et moi.

J'étais quand même bien content de retrouver la maison-fraisinette. J'ai eu du plaisir avec la veuve de golf, mais, pas le temps de niaiser[40], Jérichovila a du retard sur le programme.

En entrant, je n'ai pas tout de suite remarqué le changement. Il restait peut-être moins de clopes dans mon paquet ? Le Chat s'était peut-être sauvé à l'extérieur ? Après avoir déballé mon épicerie, j'ai branché mon iPod sur la nouvelle station dans la cuisine et j'ai vu... une réponse sur mon Post-it !!! QUUUOOOIIII ?? CHARLO EST VENUE ICI ??

NON NON NON. J'ai manqué sa venue ? Moi qui voulais tellement être témoin de sa réaction lorsqu'elle verrait la nouvelle allure de la maison-fraisinette ! Ses grands yeux mauves de fillette de quatre ans s'illuminent et s'agrandissent quand elle est contente. Ses pommettes deviennent saillantes, juste avant qu'elle éclate de rire.

---

39. Jérichovila compte en lacs.
40. Des fois, Jérichovila se prend pour le *douchebag* du Web.

Je suis stupide. Je capote. Je disjoncte. Gros épais. Gros innocent. Bravo, Madame la V, incapable de vous comporter en grande fille, pour une fois ? Calvaire. Charlotte a répondu à TOUS mes Post-it et en a même ajouté de son cru.

Sur la station iPod :

Ça manquait de musique, pas le choix !

Sur la machine à espresso, achetée le lendemain de mon arrivée au chalet :

Désolé mais je n'ai pas trouvé de filtres à café pour ton perco.
T'exagères ! Que dire rapporte-la au magasin ? Nahhh... MERCI !!!!

Sur MON nouveau lit, elle a écrit :

Malaise. Mon petit lit trois quarts appartenait à ma grand-mère. C'est la seule chose dont j'ai hérité après sa mort.

Merde, merde et encore merde !!! Toutes mes excuses, feu grand-mère Clément...

Puis, sur le mur à côté du lit guimauve, un autre mémo :

Hahaha ! Je te niaise, ma grand-mère est toujours en vie ! Merci pour le grand lit... QUELLE BELLE ATTENTION !!! Ça fait des mois que je me promets de le changer !

67

OH QUE OUI, elle m'a vraiment eu. J'adore son humour. Dans mon lit, je trouve quelques-uns de ses nouveaux cheveux bruns. J'HAL-LU-CI-NE. Elle est restée ici combien de temps ?

Bon… et maintenant ? Je l'appelle ? Pour lui dire quoi ? « Coucou, c'est Jéricho ! Oui, j'étais absent quand tu es passée… Où j'étais ? Euh… » Ouais. Non.

#clairementunemauvaiseidée

Saint-Alphonse-Rodriguez

♫ *Irresponsable*

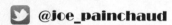 @joe_painchaud

— T'es le seul que je peux appeler dans ces cas-là, mon frère.

— T'es où ? Es-tu dans le trouble ? s'empresse de demander Conrad, inquiet.

— J'ai manqué ma chance, la *ride* du siècle.

Après avoir entendu toute mon histoire, mes boires et mes déboires, Conrad s'étonne :

— C'est tout ? Tu as baisé juste une fois depuis ton départ ?!

— Ben, pas juste une fois… mais avec une seule femme, oui.

— On va se le dire, tu t'assagis, le bonhomme! Mais, je l'admets, t'es quand même un épais fini! Sacraboire, Charlotte Clément! T'as peut-être manqué la seule et unique chance de ta vie de. Baiser. Avec. Charlotte. Clément.

— Je le sais, c'est bon. Arrête! Je n'ai pas roulé vingt minutes dans le bois avant de trouver un signal de cellulaire pour me faire démolir encore plus! Pis toi? Comment tu t'arranges avec la petite stagiaire?

— J'ai baisé avec elle et ça s'est terminé là. Son stage est fini, elle est retournée à l'université. Si on se recroise, ce sera du passé.

— OHHHH QUE OUI! Mon frère, je suis fier de toi. Comment c'était?

— Intense, chaud, tripant, animal, comme dit Izzie, dans *Grey's Anatomy*.

— Pardon? Viens-tu de citer *Grey's Anatomy* en FRANÇAIS? Ouch! T'es plus atteint que je ne pensais…

— Attends d'être en couple, mon chum, ça devient naturel… Je ne m'en rends même plus compte!

— Content d'entendre que tu es encore en couple. Tu en as parlé à Corinne?

— Je n'ai pas été capable de faire autrement. J'étais rendu trop loin dans ma réflexion pour garder ça pour moi. Si ça avait été du cul pour du cul, je n'aurais rien dit.

— Comment elle a réagi?

— Ou plutôt MOI, comment j'ai réagi… Elle m'a appris avoir fait la même chose avec son *boss*, avant qu'il ne soit transféré à Toronto.

— PAR-DON? Tu me niaises?

— Non, monsieur. Ça m'a ébranlé, mon gars, je ne savais pas quoi faire. ON ne savait pas quoi faire.

— C'est *weird*; c'est cliché, votre affaire: elle, sa rivale est une petite jeune toute pimpante et ferme, et toi, c'est un homme d'expérience prospère et mature.

— C'est beau, c'est beau, j'avais déjà remarqué…

— Vous allez faire quoi?

— On a discuté de notre bulle de couple, de notre bulle familiale… On a pesé le pour et le contre. On a géré ça en adultes et on a expliqué aux filles que papa et maman s'aiment toujours, mais qu'ils ont besoin de temps chacun de leur côté. *Man*, ça va trop vite! J'ai fait une offre sur le semi-détaché collé au nôtre, hier!

— HEIN? Wôôô! *Rewind!* Tu vas acheter la moitié de ton jumelé rose, mal entretenu, qui fait honte à ton quartier?

— C'est une bonne idée, non? Je serai tout près pour les filles… Je n'ai plus le goût d'aller voir ailleurs, j'ai juste le goût de ME voir ailleurs.

— Wow, toutes mes félicitations! Franchement, je suis sur le cul, mais tellement fier de vous autres! Vous restez un couple, *right*?

— *Right*. On reste un couple, on va se visiter, on se donne une chance, une vraie. Oui, ma grande, papa va venir t'aider à mettre ton manteau. Je vais devoir te laisser…

— OK, pas de trouble, je te rappelle!

Avoir un meilleur ami père, c'est accepter de passer après le manteau d'une gamine de quatre ans et accepter que ledit manteau interrompe une conversation juste au moment où ça devient intéressant…

J'en reviens pas. La preuve est faite : les pulsions font toujours exploser les limites de la fidélité un jour ou l'autre.

Bizarre, je me sens un peu ébranlé par mon pessimisme.

GALA DES PRIX VERSEAUX +13 jours

Saint-Alphonse-Rodriguez

 ♪ *Si tu t'appelles Mélancolie*

 🐦 **joe_dassin**

MÉLANCOLIA DIT :
Jéricho Lamoureux, à quoi tu joues avec Charlotte ?!? C'était nécessaire d'en faire autant, au chalet ?

JÉRICHO DIT :
Salut, mon amie mexicaine adorée, ça va ? Moi oui, ça va mieux. Je suis retombé sur mes pieds après mon gala de merde, merci de t'en informer... :)

MÉLANCOLIA DIT :
OK, désolée. Mais, après ton dernier *email*, je n'ai pas réussi à te joindre... Maintenant je comprends : t'es au *shack* !

JÉRICHO DIT :
Le *shack* ? Tu veux dire la maison-fraisinette ?

MÉLANCOLIA DIT:

Tu lui as donné un surnom en plus?! Au fait, t'es où en ce moment, y a pas Internet au *shack*, si je me souviens bien?

JÉRICHO DIT:

Je suis dans mon auto, dans l'entrée de la cour d'un *dude* qui a le WiFi. Je lui ai donné vingt dollars en échange de son mot de passe et je viens prendre mes *emails*, de temps en temps.

MÉLANCOLIA DIT:

Hahahaha, très drôle! Moi, je suis sur la plage. C'est ici que la connexion est la meilleure. *God bless la playa!*

JÉRICHO DIT:

Charlotte t'a donc dit qu'elle est venue ici...

MÉLANCOLIA DIT:

Oui, mon grand garnement. Elle CA-PO-TE.

JÉRICHO DIT:

Peux-tu être moins claire? Elle capote contente ou capote *bad trip?*

MÉLANCOLIA DIT:

Surprise, je dirais... ce n'était pas ça, le but? Jéricho, avoue que tu lui as sorti le grand numéro, *come on*.

JÉRICHO DIT:

Exagère pas, je vis seulement une expérience géniale, ici, et je lui en suis reconnaissant. Je voudrais ne jamais partir.

MÉLANCOLIA DIT:

C'est l'effet du *shack*.

JÉRICHO DIT:

Arrête de l'appeler le *shack*, c'est tellement réducteur! Tiens, je t'envoie une photo pour que tu voies les améliorations.

MÉLANCOLIA DIT:

WOW!!!!!!!! J'AIME J'AIME J'AIME son nouveau look... Honnêtement, pourquoi tu fais tout ça?

JÉRICHO DIT:
Parce que ça m'empêche de penser, ça me fait bouger, ça me fait plaisir.

MÉLANCOLIA DIT:
Parce que Madame la V attend quelque chose en retour?

JÉRICHO DIT:
Ça, c'est moyen comme commentaire. T'es la personne qui me connaît le mieux sur cette planète… Tu sais que ma générosité est sincère, alors NON, je n'ai pas fait ça dans le but d'entraîner Charlo dans mon lit.

MÉLANCOLIA DIT:
Désolée, c'était effectivement une blague de très mauvais goût. Mais toi, tu sais pourquoi je suis aussi méfiante, non?

JÉRICHO DIT:
Oui, mais c'est pas une raison pour être impolie. Je me sens attaqué et ce n'est pas ce que j'attends de la part de ma meilleure amie…

MÉLANCOLIA DIT:
Du calme, *amigo*! Je ne veux juste pas que tu manques de respect à mon amie, c'est tout. Elle est plus fragile qu'on ne le pense.

JÉRICHO DIT:
Pour moi, le simple fait de ne pas avoir baisé avec elle est le plus grand signe de respect que je puisse accorder à une fille comme Charlotte Clément.

D'avouer ça à la Mexicaine Belhumeur, c'était un peu comme lui demander sa permission. Pourtant, je sais très bien que je ne dois pas toucher à son amie si je ne veux pas en subir les conséquences. C'est risqué. Très risqué. Charlotte fait partie des ligues majeures. Si je goûte à ça, comment vais-je me contenter des autres, ensuite?

MÉLANCOLIA DIT:
Ça fait longtemps que je ne t'ai pas entendu parler d'une fille comme ça… Qu'est-ce qui se passe? Me cachez-vous quelque chose, tous les deux?

JÉRICHO DIT:
Je peux parler pour moi : je ne te cache rien.

MÉLANCOLIA DIT:
Je t'adore, Jéricho. Et je sais qu'au fond de toi sommeille un grand romantique. Je t'ai peut-être jugé à tort sur ce coup-là. Si tu sens en toi l'étincelle, embrase-la. Fonce et botte ton joli petit derrière parfait.

JÉRICHO DIT:
Amie auteure, sors de ton conte de fées. Veux-tu bien arrêter de pelleter des licornes, sur ton nuage pastel ? Est-ce que j'ai l'air d'un Calinours ?

MÉLANCOLIA DIT:
Hello, tu fréquentes Charlo ! LA Charlo ! MA Charlo ! *Princesse* Charlo ! Et qui dit princesse dit aussi conte de fées...

JÉRICHO DIT:
Primo, je ne la *fréquente* pas ; *secundo*, je suis conscient que c'est Charlo ; et, *tertio*, oui, je l'ai traitée en princesse la seule soirée qu'on a passée ensemble, tu aurais été fière de moi. Alors, j'ai l'absolution mexicaine ?

MÉLANCOLIA DIT:
Houla, tu comptes bien en espagnol !

JÉRICHO DIT:
C'est du latin, mais continue...

MÉLANCOLIA DIT:
Bon bon bon... *Anyways*, tu feras bien ce que tu dois faire.

JÉRICHO DIT:
VOILÀ, c'est ce que j'attendais. J'ai une grosse nouvelle pour toi. Veux-tu la connaître ?

MÉLANCOLIA DIT:
Non, je vais attendre à la prochaine fois. Merci, bye bye.

JÉRICHO DIT:
Hahahahahaha ! T'es conne, je t'adore × 1000.

MÉLANCOLIA DIT:
Alors quoi encore??? Je vais être marraine??

JÉRICHO DIT:
Épaisse, je t'ai dit que je n'ai pas couché avec Charlo!

MÉLANCOLIA DIT:
OK, OK. Raconte!

JÉRICHO DIT:
Je viens d'être appelé par un producteur: il me demande de réaliser un show sur la route, aux États-Unis. Un mois en VR[41]. C'est pour une chaîne de télé spécialisée en voyages. On part de Vancouver, où on ramasse le VR, et ensuite commence l'aventure dans l'Ouest états-unien.

MÉLANCOLIA DIT:
« On », comme dans toi et…

JÉRICHO DIT:
Une animatrice.

MÉLANCOLIA DIT:
Vous partez à deux seulement? Pas d'équipe technique? Houla, la télé a de moins en moins de budget!

JÉRICHO DIT:
I know! Ça a empiré depuis ton départ. :(Je m'occuperai donc de la caméra, de la prise de son, de conduire le VR en plus de transférer les images (en temps réel!) sur un disque dur, car les caméras n'ont pas une grande capacité de mémoire. Je travaillerai minimum dix-huit heures par jour, sans compter la route à faire. Bref… ça va être TROP COOOOOLLLLLLLL!!

---

41. Hum, j'y pense, va me falloir un nouveau surnom pour être en totale harmonie avec ma nouvelle embarcation! Jérichowinnebago? Trop long.

MÉLANCOLIA DIT:
Tu pars avec qui? As-tu suggéré quelqu'un au producteur?

JÉRICHO DIT:
Poser la question, c'est un peu y répondre...

MÉLANCOLIA DIT:
OMIGOD! Vous allez vous entretuer et finir par baiser, ça va être d'un chic!

JÉRICHO DIT:
Je retiens seulement ta deuxième hypothèse.

MÉLANCOLIA DIT:
JÉRICHO LAMOUREUX, que je te voie briser le cœur de ma belle animatrice! De toute façon, tu rêves en couleurs, elle anime le seul talk-show de l'été au Québec, en ce moment!

JÉRICHO DIT:
La rumeur dit qu'elle aurait négocié quelques semaines de vacances. Je comptais sur toi pour vérifier cette information.

MÉLANCOLIA DIT:
La rumeur dit vrai. Elle a pris six semaines de vacances et elle sera remplacée par six animateurs à tour de rôle. Sois réaliste, as-tu un plan B?

JÉRICHO DIT:
Mélanie Maynard, Véronique Cloutier ou Marc Hervieux.

MÉLANCOLIA DIT:
Ben oui... À eux seuls, ils peuvent remplir une école primaire avec leurs neuf enfants réunis! Tout à fait le genre de projet pour lequel ils pourront se libérer pendant un mois...

JÉRICHO DIT:
Merci pour ton sarcasme! On en arrive donc à la même conclusion: la mieux placée demeure Charlotte Clément. :)

MÉLANCOLIA DIT:
Je voudrais tellement t'avoir à l'œil, mon niaiseux de grand faux frère.

JÉRICHO DIT:

Pour en revenir à mon contrat, dis-moi : 1) Sur ta plage de cocotiers, peux-tu avoir la VRAIE haute vitesse, pas la haute vitesse mexicaine ? 2) Le *lap top* que je t'ai donné fonctionne toujours bien ?

MÉLANCOLIA DIT:

Houla !!! Ça sent la job de recherchiste à plein nez, ça !!! Toi et ton grand cœur ; tu changeras jamais, hein ? Alors, c'est officiel ?

JÉRICHO DIT:

Yesss ! Tu vas pouvoir nous *booker* des activités en direct du Mexique ! Toutes les recherches peuvent se faire sur Internet, alors c'est l'idéal pour toi, ma belle Mexicaine bronzée ! Malade, hein ? On va retravailler ensemble ! Elle n'est pas belle, la vie ? Je lui avais justement demandé un contrat cool, relax, *chillos*, et voilà ce qu'elle m'envoie.

MÉLANCOLIA DIT:

Wow ! Je vais faire un vrai salaire de recherchiste télé ?

JÉRICHO DIT:

J'ai juste pu t'obtenir mille dollars par semaine.

MÉLANCOLIA DIT:

Euh… re-wow ! Tu ne comprends pas, là. À Montréal, j'aurais négocié, mais ici, je peux nourrir tout le village pendant un mois avec cette somme-là ! C'est TROP COOOLLLLLL !!!!!!!!!!!!!! Est-ce que je garde le contrat même si c'est pas Charlo qui anime ?

JÉRICHO DIT:

Oui, ma chérie.

MÉLANCOLIA DIT:

J'ai besoin de tous les détails, *now*. Vous partez quand ?

JÉRICHO DIT:

Les billets sont pas encore achetés, mais dans plus ou moins trois semaines. On tourne cinq émissions de trente minutes. Je suis telle-ment content que tu embarques, mon amie ! Tu es PAR-FAI-TE pour la job !

MÉLANCOLIA DIT :

Je le sais ! Ça me fait trop plaisir !!!!!! Mais trouve-toi un « vrai » plan B, pis un C, un D, jusqu'à K, en attendant que Charlo dise oui. Tu ne la connais pas aussi bien que moi, notre princesse... Mais, pour l'instant, tu es encore en VACANCES !!!!!!!!!!!!!!!!

Profites-en dans la maison-papaye verte et, d'ici demain soir, je t'envoie un premier jet d'idées de sujets pour tes émissions. Bonne nuit, mon grand frère. Merci pour la belle conversation et la SUPER occasion !!!

Dans quelle folie je m'embarque ?

Ça va être INTENSE !

#FUCKYEAHHHH

A V E R T I S S E M E N T

Toi qui me lis, faut qu'on se parle.

Tu devras inévitablement faire un peu d'exercice, avant de poursuivre ta lecture. D'abord, lève-toi en tenant le livre dans ta main gauche, puis tourne en rond.

Non, je blague ! (Tu l'as fait pour de vrai, hein ?!)

MODE D'EMPLOI SÉRIEUX :

1)   As-tu lu Charlotte en solo ? Oui ? Elle est cool, hein ? Tu peux donc te rendre à la partie centrale, mais prends la peine de retourner le livre à 180° avant. Ça t'évitera de devoir lire à l'envers. Ça peut être «gossant», à la longue, lire à l'envers.

2)   Tu as choisi de me lire en premier ? Merci, l'ami ! Je te trouve chanceux de ne pas encore connaître Charlotte Clément. Le meilleur est à venir pour toi, cette fille est une magnifique découverte… Alors GO, rotation de cent quatre-vingts degrés, ça presse !

On se retrouve de l'autre côté :)

Jéricho